KU-718-745

Buch

Kim führt ein recht unbekümmertes Leben – für ein gewöhnliches Hausschwein. Zusammen mit vier Artgenossen lebt sie auf dem Hof von Robert Munk, einem gefeierten Maler, und dessen Freundin und Muse Dörthe. Doch dann, mitten in der Nacht, fällt der Maler Munk Kim buchstäblich vor die Füße: Er schafft es eben noch, ihr ein letztes Wort – Klee – zuzuhauchen, bevor er stirbt. Kim ist erschüttert. Ein Mord in ihrem Stall! Als die Polizei auftaucht und sogleich Dörthe als Verdächtige mitnimmt, die Frau, die sie vor dem Schlachthaus bewahrt hat, meint sie, sich des Falles annehmen zu müssen. Zu ihrem Glück hat sie Unterstützung. Lunke, ein ausgewachsenes Wildschwein, hilft ihr – wenn auch aus sehr eigennützigen Motiven, wie sie vermutet. Er scheint auf ein schnelles amouröses Abenteuer aus zu sein.

Kims erster, für sie naheliegender Verdacht geht fehl: Kaltmann, der Metzger im Ort, hat mit dem Mord offensichtlich nichts zu tun. Doch kaum hat sie sich entschlossen, mit Lunke ein wenig die Freiheit des Waldes zu genießen, findet sie eine zweite Leiche, die tot in einem Baum hängt.

Gemeinsam folgen nun Kim und Lunke ihrem Riecher und wühlen bei der Suche nach dem Doppelmörder einen Bodensatz aus menschlicher Habgier, Erpressung und Mord auf…

Autor

Arne Blum ist seit Jahren in der Verlagsbranche tätig und schreibt erfolgreich Kriminalromane. *Saubande* und die kluge Ermittlerin Kim machten ihn nicht nur zu einem bekennenden Freund aller Schweine, sondern veranlasste ihn auch, ein Pseudonym für diese andere Seite in seinem kreativen Schaffen zu wählen.

Arne Blum

Saubande

Ein Schweinekrimi

blanvalet

Sämtliche Handlungen, Tiere und Personen in diesem Roman sind frei erfunden. Ähnlichkeiten mit real existierenden Schweinereien wären rein zufällig.

Verlagsgruppe Random House FSC-DEU-0100
Das FSC®-zertifizierte Papier *Holmen Book Cream* für dieses Buch liefert Holmen Paper, Hallstavik, Schweden.

1. Auflage
Taschenbuchausgabe Mai 2011 bei Blanvalet, einem Unternehmen der Verlagsgruppe Random House GmbH, München.
Copyright © der Originalausgabe 2010 by Limes Verlag, München, in der Verlagsgruppe Random House GmbH.
Dieses Werk wurde vermittelt durch die
Literarische Agentur Thomas Schlück, Garbsen.
Umschlaggestaltung: HildenDesign, München
Umschlagmotiv: © AKG Images, Berlin; Matthias Koeppel,
Schweine im Gegenlicht, 1992 © VG Bild-Kunst, Bonn 2010
ED · Herstellung: sam
Satz: Uhl+Massopust, Aalen
Druck und Einband: GGP Media GmbH, Pößneck
Printed in Germany
ISBN: 978-3-442-37479-3

www.blanvalet.de

Hunde schauen zu uns auf, Katzen auf uns herunter.
Schweine aber betrachten uns als ihresgleichen.
WINSTON CHURCHILL

Menschen sind senkrechte Schweine.
EDGAR ALLEN POE

Die Schweine

Kim – Deutsche Landrasse, träumt vom Fliegen und hat die Neigung, Schwierigkeiten zu wittern, liebt Auto fahren und verabscheut Fleischfresser, hat oft das Gefühl, dass Schweine und Menschen nicht zusammenpassen.

Che – Husumer Protestschwein, träumt von der großen Revolution der Schweine, hat insgeheim Angst vor starken Sauen, verabscheut die schwarzen Wilden.

Brunst – Deutsches Sattelschwein, träumt unaufhörlich vom Fressen, verabscheut es, nachzudenken und sich zu bewegen.

Doktor Pik – Deutsche Landrasse, der Methusalem unter den Schweinen, hat schon alles gesehen und ist im Zirkus aufgetreten, berühmt für seinen legendären Kartentrick, liebt es den Wolken nachzublicken.

Cecile – Minischwein, wurde aus dem Fenster einer Zoohandlung gerettet, liebt es zu reden und den anderen nachzulaufen, überaus neugierig und ohne jeden Sinn für Gefahren.

Lunke – eigentlich Halunke, gehört zu den schwarzen Wilden, liebt es, große Reden zu schwingen und allein durch den Wald zu streifen, behauptet, vor nichts und niemandem Angst zu haben, hält sich auch für sexuell attraktiv.

Eine Rotte wilder Schwarzer

Die Menschen

Dörthe – Lebenskünstlerin, Schauspielerin, eingefleischte Vegetarierin, verliebt sich gerne, liebt aber immer auch ein wenig ihren Gönner Robert Munk.

Robert Munk – Maler, reich und berühmt, liebt Dörthe, hat ein wenig Angst vor seinen eigenen Geheimnissen.

Kaltmann – Dorfmetzger, riecht nach Blut und verbreitet Schrecken.

Haderer – Gärtner, Tierpfleger, Mann für alles im Haus Munk, für seine unfreundliche Einsilbigkeit bekannt.

Ebersbach – Hauptkommissar, fettleibig, mit Neigung zu Schweißausbrüchen, liebt Schweinefleisch, kann lebende Tiere und Menschen nicht ausstehen, gilt aber als guter Ermittler.

Kroll – Kommissar, Brillenträger, Waffennarr, verachtet Ebersbach insgeheim und glaubt, eines Tages noch groß herauszukommen.

Doktor Michelfelder – Rechtsanwalt, Möchtegern-Politiker, verheiratet, hat eine Affäre mit Dörthe, liebt guten Wein und schlechte Schlager.

Schredder – Galerist, sieht sich als Hüter des Werkes von Munk, denkt in jeder Minute an Geld und/oder Frauen.

Altschneider – Dorfpfarrer, liebt es, Kindern und Schweinen Bonbons zuzustecken, verbirgt hinter seinem ewig rosigen Lächeln ein echtes Problem.

Diverse Dorfbewohner, ein Wachhund, Polizisten, Feuerwehrleute, Tierärzte, ein Testamentsvollstrecker, ein Bruder…

1

»Man müsste etwas aus seinem Leben machen«, sagte Kim leise vor sich hin. »Fliegen lernen – zum Beispiel fliegen lernen.« Lag es an dem vollen Julimond, der durch die kaputte Fensterscheibe fiel, oder an dem Duft von frischem Gras, dass ihr so seltsam zumute war? Oder lag es daran, dass sie sich verliebt hatte? Nein, sie hatte sich nicht verliebt, überhaupt nicht. Sie fand ihn, den Schwarzen, nur … interessant, weil er so anders war. Was würde er wohl davon halten, wenn sie ihm etwas vom Fliegen vorschwärmen würde? Wie wäre das – Wolken berühren und den vorlaut krächzenden Raben hinterherjagen?

»Wieso fliegen lernen?«, quietschte die kleine Cecile. »Wie kommst du darauf, fliegen zu wollen?« Sie war die Jüngste von ihnen und besonders neugierig. Nie war man vor ihr und ihren Fragen sicher.

»Wir können nicht fliegen«, sagte Che mit seiner ewig mürrischen Stimme. »Die Verhältnisse sind nicht so. Erst müssten sich mal die Verhältnisse ändern. All das Elend, die Ausbeutung… Anständiges Fressen für alle – das wäre ein Anfang!«

»Könnt ihr nicht endlich die Klappe halten?«, knurrte Brunst. Er hatte die Augen geschlossen, kaute aber immer noch an einem welken Kohlkopf herum, den er vor den anderen in Sicherheit gebracht hatte. »Ich will schlafen. Bei eurem ewigen Gerede wird einem ja ganz schwindlig.« Dann rülpste er laut und drehte sich auf die Seite.

Kim rückte ein Stück von den anderen ab. Es war ihr zweiter Sommer, nein, eigentlich der dritte, an den ersten konnte sie sich aber nicht mehr erinnern. Der Mond wanderte ein Stück weiter, er fiel auf einen Flecken Stroh und dann auf Doktor Pik. Er war der Älteste von ihnen, nicht ihr Anführer, sie brauchten keinen Anführer, aber wenn er etwas sagte, dann galt es. Che hatte einmal gemeint, dass Doktor Pik schon hundert Jahre alt sei – ein Fossil gewissermaßen. Nun, Che übertrieb meistens, aber es stimmte, dass Doktor Pik vor allen anderen da gewesen war. Deshalb konnte ihn auch nichts mehr aufregen. Meistens schlief er irgendwo auf ihrer Wiese unter einem der fünf Apfelbäume. Einmal hatte Kim ihn dabei ertappt, dass er Wolken zählte oder ihnen zumindest nachsah.

»Was ist nun mit dem Fliegen?«, quengelte Cecile und schob sich mit ihrem rosigen Rüssel an Kim heran. »Meinst du, man kann es lernen? Kannst du es mir beibringen?«

»Ich glaube nicht«, sagte Kim. »War nur so ein Gedanke.«

Sie schloss die Augen, aber sie konnte nicht einschlafen. Der Schwarze ging ihr nicht aus dem Sinn. Groß und allein hatte er dagestanden und zu ihr herübergeschaut. Er hatte nach feuchten Blättern und leicht modrigem Wasser gerochen.

Plötzlich hörte sie eine aufgeregte Stimme aus dem hinteren Teil des Hauses, da, wo Robert Munk und Dörthe wohnten. Gelegentlich kam einer von beiden nachts noch zu ihnen herein – las etwas oder rauchte oder stand einfach nur da. Kim tat dann immer, als schliefe sie. Munk setzte sich meistens auf ihr Gatter und steckte sich eine Zigarre an, ein großes unförmiges Ding. Der Gestank hing zwar bis in den nächsten Tag in der Luft, aber irgendwie gefiel er Kim. Nichts sonst, das sie kannte, roch so scharf und würzig wie diese Zigarre.

Mit einem lauten Krachen wurde die Tür aufgerissen. So ungestüm kamen sonst weder Munk noch Dörthe herein. Kim richtete sich auf und blickte zur Tür hinüber.

In dem Licht, das durch die geöffnete Tür fiel, sah sie, dass Munk taumelte. Unsicher setzte er einen Schritt vor den anderen. Dabei murmelte er etwas vor sich hin, das sie nicht genau verstehen konnte. Es klang wie »Nein, niemals«.

Er hatte die kleine Lampe, die neben der Tür hing, nicht angeschaltet, und als er ihr Gatter erreichte, merkte sie, dass er anders roch als gewöhnlich, nicht nach scharfem Tabak oder frischer Farbe. Die Hand, die er auf das hölzerne Gatter legte, war voller Blut.

Einen Moment blickte er Kim in die Augen, so als würde ihm endlich klar werden, dass sie ihn verstand. Seine Wangen, die mit einem kurzen, grauen Bart überzogen waren, spannten sich wie unter einer großen Anstrengung, und der schmale Mund formte ein Wort. Kim richtete ihre Ohren auf und kniff die Augen zusammen. Die Borsten auf ihrem Rücken sprangen in die Höhe, so angespannt lauschte sie. Was sagte Munk da, und wieso war seine Hand blutig? Sie wagte jedoch nicht, einen Schritt näher zu gehen, als könnte das Mondlicht, in dem sie stand, sie beschützen.

»Klee«, formte Munks bleicher Mund. Ja, dieses Wort kannte sie – kaum etwas mochte sie lieber als saftigen grünen Klee, der leider auf ihrer Wiese nirgendwo mehr wuchs, weil Brunst ihm den Garaus gemacht hatte.

Dann würgte Munk, und ein Blutschwall drang über seine Lippen. Mit einer ungeschickten Bewegung öffnete er das Gatter und kippte nach vorn. Er schwankte, sein Mund öffnete sich erneut, Blut quoll heraus, färbte seine Zähne tiefrot, er sank auf die Knie und fiel wie ein Sack mitten hinein in ihren Pferch.

Es geschah alles so schnell, dass Kim nur laut aufschnauben konnte. Warum tat Munk das? Noch nie war er nachts in ihren Pferch gekommen, geschweige denn dass er auf die Knie gesunken war. Schnell trat sie einen Schritt zurück. Ihr Kopf zuckte voller Panik in die Höhe. War da noch jemand? Wo war Dörthe? In der Tür tauchte ein Schatten auf, der aber sofort wieder verschwand, bevor sie ihn genauer fixieren konnte.

Munk, der Maler, lag im Mondlicht da. Den Kopf hatte er gedreht, als wollte er Kim anschauen. Sein Mund formte keine Worte mehr, kein Hauch kam über seine Lippen. Seine bärtigen Wangen waren grau und eingefallen. Er war immer schon recht mager gewesen, aber nun wirkte er sterbenskrank.

Dann entdeckte Kim, dass ein Messer mit einem riesigen schwarzen Griff aus seinem Rücken ragte. Ihr Herz begann so laut zu schlagen, dass es ihr in den Ohren dröhnte.

»Mausetot«, grunzte Che, der plötzlich neben ihr auftauchte. »Ermordet – unser werter Herr und Meister.« So gehässig sprach er oft über Munk.

Kim spürte, dass sie zu zittern begann.

»Ich weiß auch schon, wer es war«, fuhr Che ungerührt fort und begann an dem Messer zu schnüffeln, das in Munks Rücken steckte. »Nur Kaltmann bringt so etwas fertig, der Schlächter aus dem Dorf.«

2

Sie legte sich direkt vor Munk, um ihn zu beschützen. Die Neugier der anderen hatte sich schnell gelegt; jeder war kurz vorbeigekommen, hatte einen Blick auf Munk geworfen und ratlos vor sich hin gegrunzt. Nur Doktor Pik hatte nichts von sich gegeben. Kim aber saß der Schrecken noch immer in den Gliedern, und sie wusste, dass sie nicht tun konnte, als wäre nichts geschehen. Menschen starben nicht einfach so, mit einem langen Messer im Rücken, und schon gar nicht jemand wie Munk. Auch wenn Che immer etwas anderes behauptete, wusste Kim genau, dass Munk ihr Retter gewesen war. Wären er und Dörthe nicht gewesen, wären sie alle längst an jenem dunklen Ort gelandet, wo die meisten ihrer Artgenossen endeten: im Schlachthaus.

Bei dem Gedanken schüttelte sie sich und kroch noch etwas näher an den toten Munk heran. Im Mondlicht sah sie, wie er sich veränderte, wie sein Gesicht eine andere Färbung annahm. Der Blutgeruch stieg ihr in die Nase, und ihr wurde übel. Dann versuchte sie sich auf das Messer zu konzentrieren, es ragte aus seinem groben grauen Flanellhemd, das sich mittlerweile hässlich rot gefärbt hatte. Auch an dem Griff klebte ein bestimmter Geruch, doch sie konnte nicht sagen, wonach er roch.

Unvermittelt tauchte Brunst neben ihr auf. Mit seinem massigen Körper versuchte er, sie zur Seite zu drängen. »Wir könnten ihn fressen«, sagte er. »Jetzt – auf der Stelle. Das wäre mal was ganz anderes.« Er beugte sich vor und schnüffelte Munks blutige Hand ab, die er von sich gestreckt hatte, als wollte er auf etwas deuten.

»Verzieh dich!«, giftete Kim ihn an und stieß ihn in die Seite.

Brunst kicherte leise. »War nur Spaß«, sagte er und wandte sich ab. Zum Glück war er satt und müde. Sonst wäre ihm alles zuzutrauen gewesen.

Kim legte sich so, dass sie die anderen im Auge behalten konnte. Cecile war eingeschlafen und hatte sich ins Stroh gekuschelt. Che schnarchte leise und zuckte manchmal mit den Hinterläufen. Der helle Streifen auf seinem Fell, der ihn von den anderen unterschied und auf den er so stolz war, leuchtete im Mondlicht. Brunst rührte sich nicht, genauso wenig wie Doktor Pik, aber bei ihm war Kim sich nicht sicher, ob er sie nicht insgeheim beobachtete.

Gleichzeitig lauschte sie auf Geräusche aus dem Haus. Wo war der Schatten, den sie in der Tür gesehen hatte? Und wo war Dörthe? Müsste sie nicht kommen und merken, dass mit Munk etwas ganz und gar nicht in Ordnung war?

Eigentlich war Dörthe ihre Retterin. Kim erinnerte sich genau. Sie waren zwanzig gewesen, zwanzig rosige Hausschweine auf einer engen Ladefläche, die sich aneinander rieben. Sie hatten Angst gehabt, und als eines von ihnen angefangen hatte, laut zu schreien, hatten es ihm alle gleichgetan, doch es hatte nichts genutzt. Niemand kümmerte sich um sie, nicht einmal Wasser hatte man ihnen gegeben. Dann aber war der Boden unter ihnen ins Schlingern geraten. Sie wurden hin und her geworfen und stürzten übereinander. Ein lautes Krachen, das gar nicht enden wollte, folgte. Kim hatte vor Panik die Augen geschlossen und den Atem angehalten. Ihr Herz hatte so schnell geschlagen, dass es wehtat. Als sie die Augen wieder öffnete, war der Himmel über ihr gewesen, ein blauer, riesiger Himmel, wie sie ihn noch nie gesehen hatte. Schnell war sie dem Himmel entgegengekrochen, vorbei an den anderen, die tot oder ohnmächtig dalagen. Was war passiert? Das riesige stinkende Gefährt, in das man sie gepfercht hatte, lag auf der Seite. Menschen liefen aufgeregt umher, Motoren heulten. Was sollte sie tun? Sie lief weiter auf den blauen Himmel zu, obwohl ihr Kopf schmerzte, sprang über einen schmalen Graben, über dem Mücken tanzten, rannte und rannte, und schließlich versteckte sie sich, als sie vor Anstrengung kaum noch Luft bekam. Dort, in dem Gebüsch, machte sie sich ganz klein und sah den Vögeln zu.

Und da hatte Dörthe sie gefunden und mitgenommen – irgendwann später. Dörthe, die Frau mit den roten Haaren und den starken Händen, hatte sie einfach in den Arm genommen und weggetragen. Ihr hatte sie auch ihren Namen zu verdanken – Kim, so wie Dörthes Lieblingspuppe geheißen hatte.

Als Kim ihre Augen wieder öffnete, war es hell. Sie lag auf der Seite, hinter ihr zwitscherten Vögel. Verdammt, sie war doch eingeschlafen. Munk hatte sich nicht gerührt. Nun aber konnte sie erkennen, dass er sie ansah – mit starren, weit aufgerissenen Augen. Ein furchtbarer Blick, irgendwie fragend und vorwurfsvoll. Sie schüttelte sich. Dann bemerkte sie etwas anderes. Noch jemand blickte sie an – dunkle, braune Augen, die über das Gatter starrten. Die Augen musterten sie unfreundlich, als wäre Kim schuld an Munks Tod, und zwischen den Augen stieg eine schmale, übel riechende Rauchsäule auf.

Haderer – er war gekommen. Wie gewöhnlich tanzte eine Zigarette zwischen seinen Lippen.

»Großer Gott«, sagte er und stieß die Luft aus. Dann schien er nachzudenken, jedenfalls rieb er sich über sein stoppliges Kinn und runzelte die Stirn unter seiner lockigen, ewig ungekämmten Mähne.

Ein Stück entfernt regte sich jemand; sie hörte Brunsts tiefes wohliges Schnauben. Die anderen schliefen noch, aber gewiss würden auch sie gleich erwachen.

»Hol mich der Teufel«, murmelte Haderer. Offenbar

hatte er zu Ende gedacht. »Der Kerl liegt tot bei den Schweinen.«

Dann drehte er sich um und ging ziemlich unaufgeregt davon. Nur dass er die Tür nicht hinter sich schloss, war ungewöhnlich. Darauf hatte Munk bei Dörthe und Haderer immer Wert gelegt. »Macht die Tür hinter euch zu! Ich kann nicht arbeiten, wenn es im ganzen Haus nach Schweinen stinkt!«

Am Anfang war Kim über diesen Ausspruch beleidigt gewesen. Nun würde Munk nie wieder so etwas sagen.

Wenig später kehrte Haderer zurück. Er rauchte eine neue Zigarette und schlug mit der Faust gegen das Holz des Gatters. »He, Saubande!«, rief er. So nannte er sie immer. »Aufstehen! Gleich kommen die Bullen!«

Wieso kommen gleich Bullen? fragte Kim sich. Was sollten die hier? Sie konnte Haderer nicht leiden, aber wenn Dörthe nicht da war, kümmerte er sich um sie. Er war der Gehilfe. Er fütterte sie, mähte das Gras, arbeitete im Garten, schnitt Bäume, und sogar um Munks stinkendes Auto, das er Jeep nannte, kümmerte er sich. Nur eines durfte er nicht: auch nur einen Fuß in den Raum setzen, in dem Munk malte.

Haderer klopfte noch einmal gegen das Holz, Cecile quiekte im Schlaf auf, und dann kletterte er über das Gatter und öffnete die Tür zur Wiese.

»Raus mit euch!«, rief er. »Faule Bande.« Im Vorbeigehen versetzte er Kim einen Tritt, damit sie ja nach draußen lief, und stieß auch Doktor Pik mit dem Fuß an. Nur an Brunst traute er sich nicht ohne weiteres; ihn traktierte er am liebsten mit dem Spaten oder mit einem langen Stock. »Raus!«, wiederholte er. »Man sollte euch alle schlachten! Aber das wird man nun sowieso bald tun!« Er lachte und beugte sich über Munk. Richtig traurig schien er jedenfalls nicht zu sein, was Kim merkwürdig fand. Zu Munk war er eigentlich freundlich gewesen, meistens jedenfalls, nur hinter dessen Rücken hatte er manchmal leise geflucht.

Langsam richteten sich die anderen auf und folgten ihr auf die Wiese, erst Che, der ihr mürrisch einen Gruß zugrunzte, dann die kleine Cecile, die verschlafen blinzelte, dann Brunst, der laut gähnte. Zuletzt kam Doktor Pik, schweigsam wie immer.

»Was sollen wir tun, jetzt, wo Munk tot ist?«, fragte Kim und sah die anderen an.

Brunst gähnte wieder. »Ich suche mir erst mal was zu fressen«, sagte er uninteressiert und trabte davon. Cecile lief ihm nach. Frühmorgens war die einzige Zeit, wo sie nicht ständig vor sich hin plapperte.

»Ist mir alles egal«, meinte Che. »Ein Tierquäler weniger. Gibt immer noch mehr als genug.«

Doktor Pik schaute sie an. »Wir müssen auf der Hut sein«, sagte er geheimnisvoll.

Kim nickte. Sie spähte in den Stall hinein. Von hier aus waren nur die Füße von Munk zu sehen. Sie waren schmutzig und nackt. Das hatte sie vorher gar nicht bemerkt.

Dann hörte sie eine laute Sirene, dann noch eine, und wenig später fielen lauter Menschen auf dem kleinen Hof ein, Menschen, keine Bullen.

Während die anderen sich über die Kartoffelschalen und die alten Brotkanten hermachten, die Haderer ihnen achtlos hingeworfen hatte, verzichtete Kim auf ihr Fressen und legte sich auf die Lauer. Sie wollte den Stall nicht aus den Augen lassen. Zwei Menschen in weißen Anzügen, die nach nichts rochen, beugten sich über Munk, fotografierten ihn und stellten merkwürdige kleine Schilder auf. Sie sprachen leise und ohne jede Aufregung miteinander.

Später kam der erste Mann, der nicht weiß war. Er verscheuchte die Menschen in den weißen Anzügen und ging neben Munk in die Knie. Er flüsterte etwas in einen kleinen silbernen Apparat hinein, das Kim nicht verstehen konnte, und gelegentlich warf er ihr einen verstohlenen Blick zu, als wäre sie ein Raubtier, vor dem er sich in Acht nehmen müsste.

Ein zweiter Mann trat hinzu, der viel jünger und dünner war, und tippte dem Älteren auf die Schulter. »Hauptkommissar Ebersbach«, sagte er, dann drehte er sich um und deutete auf Kim. »Das Schwein da beobachtet Sie – irgendwie merkwürdig, oder nicht?« Er lächelte, er hatte winzige, braune Zähne und wirkte überhaupt nicht fröhlich.

»Lass mich in Ruhe, Kroll«, knurrte Ebersbach.

»Habe ich schon längst bemerkt. Wieso hat der Tote eigentlich Schweine gehabt?«

»Künstler und ihre Marotten – wahrscheinlich war es das«, erwiderte der Mann, der Kroll hieß. Er hatte eine dicke Brille, hinter der seine Augen riesengroß aussahen, und einen hässlichen dürren Schnauzbart.

Langsam erhob sich Ebersbach. Er war so dick, dass sich die Jacke über seinem Bauch spannte. Die Haare standen ihm wie graue Stacheln vom Kopf ab, und seine Augen wirkten traurig und finster. Kim spürte, wie er sie anstarrte, während er auf sie zuging. Dann griff er plötzlich nach der Forke, mit der Haderer immer ihren Pferch saubermachte, und hielt sie mit gestreckten Armen vor sich.

»Ich kann Schweine nicht ausstehen«, rief Ebersbach über die Schulter dem anderen Mann zu. »Jedenfalls nicht, wenn sie lebendig sind.«

Kim erhob sich. Was soll das?, dachte sie. Ich bin doch nicht schuld, dass Munk tot daliegt. Ein paar Sonnenstrahlen fingen sich auf den Zinken der Forke und blitzten gefährlich. Kim wusste, wie scharf das Metall war. Haderer hatte Brunst einmal einen Schlag damit verpasst.

Ebersbach schnaufte, er bewegte sich ungelenk. Sein Bauch wackelte über seiner braunen Hose hin und her.

Dann stach er tatsächlich zu, und hätte Kim nicht einen Satz zur Seite gemacht, hätte er sie in die rechte Flanke getroffen.

Kroll, der andere Mann, lachte lauthals auf, während sie voller Angst über die Wiese lief.

»Siehst du«, sagte Che, als Kim hinter ihm Schutz suchte. »Die Menschen sind alle Verbrecher.«

Sie roch den Schwarzen, bevor sie ihn sah. Wonach roch er? Nach Erde, tiefer, schwarzer Erde, nach Blättern, dunklem Dickicht, und nach Moder – wunderbar nach Moder, als hätte er sich irgendwo im Morast gesuhlt. Er konnte das, er war hinter dem Zaun, da, wo der Wald lag und das Feld, auf dem jetzt die braunen Halme standen.

Nachdem Ebersbach sie verjagt hatte, hatte Kim die letzten Kartoffelschalen gefressen, die von den anderen verstreut liegen gelassen worden waren. Die kleine Cecile war quiekend zu ihr gekommen, hatte angefangen, von Munk und dem scharfen Messer zu sprechen. Che habe erzählt, alle Menschen hätten solche Messer, und früher oder später würde jeder von ihnen sie benutzen…

Kim hatte die Kleine nur böse angegrunzt und hatte ihr einen Stoß mit dem Rüssel versetzt, was sie noch nie getan hatte.

Dann war sie über die Wiese zum Haus gelaufen, aber nicht zum Stall, sondern zur Vorderseite, vorbei an den beiden riesigen Fenstern, hinter denen Munk fast jeden Tag gemalt hatte.

Früher hatte das Gatter manchmal offen gestanden, dann hatten sie alle über die Pflastersteine auf dem Hof laufen können. Einmal war Kim sogar auf dieser Seite ins Haus vorgedrungen, durch den Eingang, den die Menschen immer nahmen, bis hin zu Munks Atelier. Er hatte sie nicht bemerkt, und sie hatte sich absolut still verhalten, auch wenn der Geruch ihren Rüssel gepeinigt hatte. Was war das nur – grauenhaft! Da rochen selbst die Autos nicht so schlimm. Robert Munk malte Bilder, die vor allem groß waren – groß und bunt. Auf einem hatte sie Dörthe entdeckt – Kim hatte sie an den langen roten Haaren erkannt. Dörthe war nackt und lag auf einer Bank. Auf einem anderen Bild trug sie ein schwarzes Kleid und hockte zusammengekauert in einer Ecke, als hätte sie Schmerzen. Da hatte Dörthe überhaupt nicht wie sie selbst ausgesehen!

Nun war das Gatter leider geschlossen. Klar, die Menschen wollten nicht, dass Kim und die anderen über den Hof liefen und vielleicht Dreck machten. Eine Menge Autos standen jetzt da, Menschen gingen geschäftig hin und her, manche waren weiß, andere nicht, und dann sah sie einen schwarzen Kastenwagen, in den ein langes Metallding geschoben wurde. Sie konnte selbst auf die Entfernung riechen, dass Munk da drinsteckte.

Sie würde ihn niemals wiedersehen, und plötzlich überkam sie Trauer – Trauer und Wut, und dann fiel ihr ein, dass nun nur Haderer da war, wenn Dörthe nicht wiederkäme. Haderer würde sie umbringen – so viel stand fest. Da hatte Che ausnahmsweise einmal recht.

Plötzlich schob sich Doktor Pik neben sie.

»Er ist wieder da«, sagte er leise.

»Wer ist wieder da?«, fragte Kim, als wüsste sie nicht, wen er meinte.

Doktor Pik verzog seine Schnauze zu einem müden Lächeln. Man konnte sehen, dass seine Zähne ganz abgenutzt waren und ihm auch schon etliche fehlten.

»Lunke«, sagte er. »Er beobachtet dich.«

»Lunke?«, fragte sie, scheinbar ahnungslos.

»Die anderen Schwarzen haben ihn Halunke genannt, weil man ihm nicht trauen kann. Er selbst nennt sich Lunke.«

»Kein Witz?«, fragte Kim und drehte sich ganz zu Doktor Pik um.

»Kein Witz«, erwiderte er völlig ruhig.

»Vielleicht weiß er, was hier gestern Nacht passiert ist?«, fragte Kim.

»Vielleicht«, sagte Doktor Pik und trabte davon.

Auf dem Hof wurde der schwarze Kastenwagen angelassen und rollte langsam in Richtung Straße.

Er wartete hinten am Zaun auf sie, da, wo man sofort ins Dickicht fliehen konnte und von dort in den Wald. Das heißt, er tat schwer beschäftigt und warf mit seinem mächtigen Rüssel Erde auf, als würde er etwas suchen – Käfer und Wurzeln, die er laut schmatzend zerbeißen konnte. Aus der Nähe betrachtet wirkte er noch größer, er hatte riesige Klauen, und an seiner linken Flanke hatte er eine Narbe, einen langen gelblichen Strich, der sich durch sein dichtes dunkles Fell zog. Und dann seine

Eckzähne – solche Zähne hatte sie noch nie gesehen. Doktor Pik hatte ihr einmal erzählt, dass es Artgenossen gab, denen zwei lange, spitze Eckzähne aus dem Maul wuchsen, aber sie hatte es nicht geglaubt und als Übertreibung abgetan.

Obwohl ihr die Beine ein wenig weich wurden, machte Kim es genau wie er und schlenderte scheinbar zufällig heran, den Boden absuchend. Dabei spähte sie jedoch verstohlen zu ihm hinüber.

Er fixierte sie durch den Zaun mit seinen braunen Augen. Ihr Herz machte einen Satz, und fast wäre sie davongelaufen. Ja, man konnte Angst vor den wilden Schwarzen bekommen, sie waren so ganz anders, mächtiger, furchterregend, kein Wunder, dass ihnen alle aus dem Weg gingen.

»Was haben wir denn da?«, sagte Lunke, als hätte er sie eben erst entdeckt. »Ein kleines rosiges Hausschwein.«

Beinahe hätte sich Kim umgedreht und wäre wieder gegangen. Einen so dummen Spruch brauchte sie sich nicht anzuhören, allerdings …

Sie bedachte ihn mit einem strengen Blick. Bei Brunst und Che gelang es ihr manchmal, sie damit einzuschüchtern, aber Lunke zuckte mit keiner Borste.

»Was seid ihr nur für ein komischer Haufen«, grunzte er. »Und ist euch nicht langweilig – den ganzen Tag eingesperrt auf diesem winzigen öden Flecken?«

»Kann schon sein!«, sagte sie vage. Auch wenn sie sich ärgerte, wollte sie nicht allzu unfreundlich sein.

Er kam ein Stück näher heran, so dass seine Eckzähne schon beinahe den Zaun berührten. Vorsicht, wollte sie rufen, da musst du vorsichtig sein, sonst stichst du dich.

»Und was ist mit den Jungs?«, fuhr er fort und kniff die Augen zusammen. »Die bringen's wohl nicht mehr, was? Der eine ist zu alt, und den beiden anderen fehlt offenbar das Wichtigste. Stimmt's, oder hab ich recht?« Er gab ein Geräusch von sich, das im ersten Moment bedrohlich klang, dann begriff sie, dass er lachte.

Sie drehte sich zu Brunst und Che um, die sie misstrauisch beäugten, sich aber nicht trauten, näher zu kommen. Gegen Lunke wirkte Brunst fett und hässlich und Che mit seinem hellen Fleck auf dem Rücken nackt und wie eine halbe Portion.

Kim entschloss sich, den letzten Schritt zum Zaun zu tun. »Ich heiße Kim«, sagte sie, »und ich habe ein Problem.«

»Lunke«, knurrte Lunke – das war seine Art, sich vorzustellen. »Was denn für ein Problem? Dass du gefangen bist und den ganzen Tag über so eine winzige Wiese hoppeln musst? Da könnte ich Abhilfe schaffen – wäre mir ein Vergnügen.« Seine braunen Augen strichen am Zaun entlang und glitten dann zu ihr zurück.

»Nein«, sagte sie, als er sie wieder ansah. »Das ist es nicht.« Plötzlich aber drängte sich ein anderer Gedanke vor: Wie schön wäre es, einmal an Lunkes Seite durch den Wald und über das Feld zu laufen und etwas anderes zu fressen als altes Brot, welken Salat und Kartoffelschalen! Bestimmt kannte er auch ein richtig schönes Wasserloch, in dem man sich suhlen konnte.

»Was ist es dann?« Lunke wurde ein wenig ungeduldig.

»Es geht um einen Menschen«, sagte sie und erzählte von Munk, dem Maler, dass er mit einem Messer im Rücken in ihren Pferch gefallen war und dass er sie angesehen und ein Wort zu ihr gesagt hatte, bevor er gestorben war.

»Ich kenne ihn«, sagte Lunke, nachdem sie mit einem mulmigen Gefühl im Bauch geendet hatte, weil sie alles noch einmal hatte durchleben müssen. »Er hat mich neulich nachts vom Hof verjagt, als ich mich ein wenig umgesehen habe. Hat widerwärtig gerochen und war nicht sehr freundlich, der Mann.«

Einen Moment lang trat Schweigen ein. Lunke blickte an ihr vorbei, überhaupt nicht beeindruckt von ihrer Schilderung, und sie hatte das Gefühl, dass er schon überlegte, wieder in den Wald abzuziehen, um zu fressen oder sonst was zu tun.

Kim schluckte einmal, dann sagte sie hastig: »Ich möchte, dass du mir hilfst.« Zu ihrem Missfallen stellte sie fest, dass ihre Stimme fürchterlich zitterte und viel schriller klang als sonst. »Ich will wissen, ob es Kaltmann war, der Schlächter.«

3

Menschen zu beobachten war anstrengend. Ständig liefen sie hin und her, trugen Kisten in Autos, fuhren weg und kamen wieder. Die Weißgekleideten waren besonders geschäftig, sie suchten den Hof ab, hielten große grelle Lampen hoch, obwohl es doch noch Tag war, und liefen durch das ganze Haus. Jedenfalls sah man sie ständig an den vielen Fenstern vorbeihasten. Nur Ebersbach, der dicke Kommissar, ließ es ruhiger angehen. Er war auch der Einzige, der Kim Beachtung schenkte. Einmal kam er vom Hof her an den Zaun, lehnte sich gegen das Holz und ließ seinen Blick über sie gleiten, während er nachdenklich eine Zigarette rauchte. Obwohl sie noch brannte, schnippte er sie dann in ihre Wiese, und Cecile war so dumm, neugierig heranzulaufen und sich den Rüssel zu verbrennen. Wenn Kim eines wusste, dann, dass die Kleine wirklich zu nichts zu gebrauchen war. Aber auch die anderen würden ihr nicht helfen, die Sache mit Munk aufzuklären, selbst Doktor Pik hielt sich zurück.

»Ist ihm zu trauen?«, hatte der Alte ihr zugeraunt, nachdem Lunke erhobenen Hauptes wieder im Wald verschwunden war.

»Keine Ahnung«, hatte Kim erwidert. Sie hatte ihm nicht gesagt, dass Lunke versprochen hatte, sich Kaltmanns Laden einmal anzusehen.

Che und Brunst beachteten sie gar nicht mehr. Offensichtlich waren sie beleidigt, weil sie mit einem der Schwarzen gesprochen hatte.

Besonders Che konnte sich stundenlang über die Schwarzen auslassen. Anarchisten seien sie, die nur an sich dächten – jede Solidarität sei ihnen fremd. Ihnen gehe es nur ums Fressen.

»Und worum geht es dir?«, hatte Kim provozierend gefragt.

»Ich habe andere Interessen«, hatte er erwidert, »ich fresse bloß, um bei Kräften zu sein, wenn eines Tages unsere Stunde des Protestes kommt. Darauf müssen wir vorbereitet sein.«

Durch das große Fenster neben dem Atelier konnte Kim sehen, dass Ebersbach mit Haderer sprach. Lange saßen sie da, und Haderer redete mit Händen und Füßen, schüttelte manchmal den Kopf, dass seine dunkle, schmutzige Mähne hin und her flog, und tat ganz unschuldig. Wie gewöhnlich tanzte eine Zigarette in seinem Mund auf und ab.

Er wird dem Kommissar nicht erzählen, was er über Munk gedacht hat, kam es Kim in den Sinn. Dass er

Grimassen hinter dessen Rücken geschnitten und sich oft hinten auf ihre Wiese gesetzt hatte, um in einen von diesen kleinen Apparaten hineinzusprechen – gelegentlich stundenlang. Leider hatte sie diesen Gesprächen nie besondere Aufmerksamkeit zugemessen. Jedenfalls erinnerte sie sich nicht mehr genau, was er da alles gesagt hatte. Es war um Lieferungen gegangen, aber nicht für sie, keine Kartoffelschalen, kein Kohl, irgendetwas anderes. Hatte Haderer vielleicht von Klee gesprochen, dem letzten Wort, das Munk über die Lippen gekommen war? Nein, leider, sie wusste es nicht mehr.

»Willst du heute gar nichts fressen?« Cecile hatte sich ein paar Haare an ihrem Rüssel angesengt, aber das tat ihrer Neugier keinen Abbruch. »Brunst meint, du sollst mehr fressen, statt mit einem von den Schwarzen zu reden!«

»Brunst soll mich in Ruhe lassen«, erwiderte Kim. »Ich habe zu tun.«

»Was tust du denn?« Cecile spähte in die Richtung, in die Kim blickte, aber das Treiben auf dem Hof interessierte sie nicht sonderlich.

»Ich schaue mir an, was die Menschen tun, nun, da Munk tot ist. Außerdem warte ich auf Dörthe. Dörthe muss zurückkommen, sonst…« Kim brach ab und schaute die Kleine an, die ihren Blick völlig arglos erwiderte.

»Sonst was?«, quiekte Cecile.

Sonst sind wir verloren, wollte Kim antworten, ließ

es aber bleiben. »Ach, nichts«, sagte sie. »Stör mich nicht!«

Cecile trabte zu Brunst, um ihm alles brühwarm mitzuteilen. Wütend blickte Brunst zu ihr herüber, dann lief er zum anderen Ende der Wiese und begann mit seinem Rüssel heftig in der Erde zu wühlen, wie er das bei Lunke gesehen hatte. Nur wirkte es bei ihm ungelenk und sinnlos.

Kim beobachtete, wie Haderer den Kommissar durch das Haus führte, zuletzt kamen sie in den Raum mit den beiden riesigen Fenstern, in dem Munk gemalt hatte. Da hatte man ihn besonders gut bei der Arbeit beobachten können, wie er Farbe gemischt hat oder auf schmale Leitern geklettert war, um an seinen Bildern herumzupinseln. Kim sah Haderer an, dass er schlecht über Dörthe redete; er holte das Bild hervor, das sie mit ihren langen roten Haaren zeigte, die ihre Nacktheit nicht verdeckten, und drehte es ins Licht, damit Ebersbach es genau studieren konnte.

Kim verstand nichts davon, aber sie fand das Bild recht schön, auch wenn Dörthes Gesicht in Wahrheit viel weniger Ecken und Kanten hatte.

Wenig später kam Haderer über die Wiese. Er hatte eine Forke in der Hand und trieb sie in den Stall. Für gewöhnlich konnten sie viel länger draußen bleiben, manchmal auch die ganze Nacht, aber heute waren weder Munk noch Dörthe da, die sie abends mit ein paar Eicheln oder einem Eimer mit Körnern in den Stall lockten.

Haderer war noch missmutiger als sonst. Machte er sich Sorgen wegen Munk?, fragte Kim sich. Hatte er vielleicht Angst, dass auch ihm etwas passieren könnte? Er roch anders als sonst, nicht nach Tabak, einfach anders, nach Schweiß und Ärger und Lust, jemandem wehzutun.

Auch Doktor Pik schien das begriffen zu haben. Mit einem ungewöhnlich lauten Grunzer gab er allen das Signal, sich gemeinsam in den Stall zu verziehen, obwohl es noch taghell war. In einer langen Reihe trabten sie zum Tor. Trotzdem rief Haderer ihnen einen Fluch hinterher. »Schneller, Saubande!«, brüllte er und versuchte Doktor Pik einen Tritt zu versetzen.

Auf der Schwelle blieb Kim einen Moment stehen. Was war, wenn Munk noch immer dalag? Ach nein, man hatte ihn ja in dem schwarzen Wagen abtransportiert. Seltsam war es dennoch, sich der Stelle zu nähern, wo Munk gestorben war. Der Stall sah unverändert aus, nicht einmal das schmutzige Stroh hatte man weggeräumt. Also waren die weißgekleideten Menschen nicht zurückgekommen, nachdem Ebersbach sie weggeschickt hatte. Allerdings hatte auch niemand ihr abendliches Futter gebracht, und so erwartete sie nur ein halbvoller Wassertrog.

Auch Cecile und die anderen schauten sich ratlos um, als hofften sie, dass etwas anders geworden wäre, dann legten sie sich stumm in ihre übliche Ecke. Nur Che grunzte vor sich hin: »Wollen sie uns jetzt auch noch das Futter nehmen, das uns zusteht? Und frisches Stroh brauchen wir auch, verdammt!«

Während sie langsam einschlief, nahm Kim sich vor, das Wort nicht zu vergessen, das Munk zu ihr gesagt hatte. Ja, dieses Wort musste sie unbedingt im Kopf behalten – es war wichtig, vielleicht die Lösung. Immer wieder flüsterte sie es vor sich hin, bis Brunst ihr im Halbschlaf einen Hieb versetzte, und da war das Wort auf einmal weg, und sie sah Lunke vor sich, der sie unverschämt angrinste und versuchte, an ihren Hinterläufen zu riechen.

Kim schreckte auf, weil der Mond ihr in die Augen schien. Das silberne Licht fiel durch die kaputte Scheibe herein. Genau wie in der letzten Nacht, als Munk zu uns gekommen ist, dachte sie und rappelte sich auf, um sich auf die andere Seite zu drehen. Plötzlich entdeckte sie die Gestalt am Gatter. Sie erschrak, aber dann sah sie, dass es Dörthe war, und eine ungeheuere Erleichterung durchlief sie wie ein wohliger Schauer. Dörthe war zurück, sie saß auf einem Pfahl und starrte zu ihnen herab, nein, sie blickte genau auf die Stelle, wo der tote Munk gelegen hatte.

Kim erhob sich und näherte sich Dörthe, bemüht, kein Geräusch zu verursachen.

Dörthe rauchte eine Zigarette, die im Dunkeln aufglomm und wieder dunkler wurde, und dann griff sie mit einer schnellen Bewegung neben sich, und aus einem kleinen Apparat ertönte leise Musik – ein oder zwei Geigen spielten.

Kim blieb auf der Stelle stehen und wagte nicht mehr weiterzugehen. Musik hörte sie selten, und es nahm ihr beinahe den Atem. Es war ein besonderer Moment, so im Mondlicht zu stehen und ganz umhüllt von Tönen zu sein.

»Hallo, kluge Kim«, sagte Dörthe in die Musik hinein, als sie die Augen auf Kim richtete. »Die Goldberg-Variationen von Bach als Kammerkonzert. Das hat Robert zuletzt beim Malen gehört.« Mit einer schnellen Bewegung schaltete sie das Gerät aus und lachte, obwohl sie Tränen in den Augen hatte. »Da sitze ich und rede mit einem Schwein«, sagte sie leise vor sich hin.

Kim hätte am liebsten genickt. Ja, und? Was sollte daran so schlimm sein? Außerdem war es gar nicht das erste Mal. Dörthe hatte ihr schon oft Dinge erzählt. Sie überlegte, sich nach vorne zu beugen und sich an Dörthes Bein zu reiben, wie sie das einmal mit einer gewissen Eifersucht bei einer streunenden Katze gesehen hatte.

»Weißt du, dass ich ihn geliebt habe, Kim?«, sprach Dörthe weiter und zog an ihrer Zigarette. »Irgendwie – na, es war zuletzt alles sehr kompliziert. Ich bin dreißig, und er war fast sechzig, er ist berühmt, und ich … Was bin ich?«

»Ja, was sind Sie denn?«, fragte eine dunkle Stimme von der Tür her.

Dörthe schnellte herum, und Kim versuchte durch die Holzplanken zu spähen, obgleich sie schon an der Stimme erkannt hatte, wer da gekommen war. Kommissar Ebersbach schaltete zum Glück nicht die Neonröhren, sondern die kleine Lampe an, die neben der Tür hing, und kam watschelnd näher. Er trug noch dieselbe Hose und roch nach Rauch und Bier.

»Ach, Sie sind es«, sagte Dörthe offenbar erleichtert. »Sie haben mich erschreckt. Was wollen Sie denn noch? Ich habe doch schon alles im Präsidium gesagt.«

Ebersbach trat neben sie. Sein Gesicht wirkte ganz fahl, und er hatte dicke Tränensäcke unter den Augen.

Er frisst uns, dachte Kim, er frisst Schweine, jeden Tag. Man kann es riechen und sieht es ihm an.

»Wieso hatte Munk Schweine?«, fragte Ebersbach und blickte teilnahmslos über Kim hinweg zu den anderen, die eng aneinander geschmiegt in einer Ecke lagen und schliefen. »Ist er Tierfreund oder Vegetarier? Ich habe noch nie gehört, dass einer sich Schweine hält, so wie andere Pferde oder Hunde.«

»Es war meine Idee«, sagte Dörthe und inhalierte wieder. »Ich bin bei meinem Großvater aufgewachsen – er war Metzger, und ich habe es gehasst, wie sie die toten Schweine herumgetragen haben und wie es da roch, wie nach süßem Leichengift, so ist es mir als Mädchen jedenfalls immer vorgekommen. Ich hatte Alpträume und habe mich jeden Tag schuldig gefühlt, dass ich diese armen Kreaturen nicht retten konnte.«

Ebersbach grunzte kurz auf. Das ist offenbar auch sein Zeichen des Protests, dachte Kim. Unauffällig versuchte sie sich in eine dunkle Ecke zurückzuziehen und aus dem verräterischen Mondlicht zu verschwinden.

»Das Schwein dahinten ist Doktor Pik«, fuhr Dörthe fort. »Ihn habe ich einem Wanderzirkus abgekauft, der hier im Dorf gastierte. Er musste zweimal am Tag in der Manege Kunststückchen vorführen – zählen, sich auf Kommando hinlegen, durch einen Reifen springen, lauter albernes Zeug. Dabei hatte er eine üble Hautkrankheit und kaum noch Borsten am Leib. Man konnte ihm ansehen, dass er furchtbar litt.«

»Aha«, sagte Ebersbach, aber er wirkte nicht sonderlich interessiert. Er zog eine Schachtel Zigaretten hervor und begann ebenfalls zu rauchen.

»Dann kamen Che dazu, er ist ein Husumer Protestschwein – die heißen wirklich so –, und Brunst, ein deutsches Sattelschwein. Beide habe ich dem Metzger hier im Dorf abgekauft, als sie schon mit einem Bein im Schlachthaus standen.« Dörthe lächelte versonnen vor sich hin, während Ebersbach rauchte und stumm nickte. »Die kleine Cecile, ein Minischwein, habe ich in einer Zoohandlung entdeckt. Da hat sie in einem winzigen Verschlag gehockt und vor sich hin gewimmert. Und das hier – das ist die kluge Kim. Sie hat sich zwei Kilometer von hier im Gebüsch versteckt, als auf der Autobahn ein Schweinetransporter verunglückt ist. Ich glaube, sie war das einzige Schwein, das sich bei diesem Unfall in die Freiheit gerettet hat.«

»Wie schön«, sagte Ebersbach gelangweilt und blies den Rauch seiner Zigarette aus. »Ich habe auch ein Herz für Schweine, aber nur wenn sie gut durchgebraten sind und vor mir auf dem Teller liegen – am besten unter einer dicken scharfen Pilzsoße.« Er lachte, und als Dörthe nicht in sein Lachen einfiel, verzog er das Gesicht und schnippte seine Zigarette in den Wassertrog im Pferch, wo sie mit einem Zischen erlosch.

Idiot!, dachte Kim. Hoffentlich würde Haderer morgen neues Wasser bringen. Sonst müssten sie diese Giftbrühe saufen.

»Ich könnte eine ganze Nacht lang über Schweine reden«, sagte Dörthe, die nun ein wenig verärgert klang. »In Ländern wie China werden Schweine als heilige Wesen verehrt, als Krone der Schöpfung sozusagen. Sie sind viel klüger als etwa Hunde oder Affen. Wissen Sie, dass unsere DNA zu über siebenundneunzig Prozent mit der von Schweinen übereinstimmt? Deshalb werden viele medizinische Versuche auch zuerst an Schweinen vorgenommen. Allerdings haben Schweine ein viel intensiveres Liebesleben als Menschen – der Geschlechtsakt bei einem Schwein kann über eine halbe Stunde dauern, beim Menschen sind es, glaube ich, statistisch gesehen nicht mehr als acht Minuten.«

»Was Sie nicht sagen!«, erwiderte Kommissar Ebersbach. Er wandte sich zur Tür und winkte jemanden heran. Kroll löste sich aus dem Schatten. Kim war überrascht – sie hatte ebenso wenig wie Dörthe bemerkt, dass der Gehilfe dort gewartet hatte. »Aber vielleicht nähern wir uns damit dem eigentlichen Thema, obwohl es nichts mit Schweinen zu tun hat. Wir haben Ihr Alibi überprüft. Ich muss Ihnen leider sagen, dass Herr Doktor Michelfelder Sie angeblich überhaupt nicht kennt, geschweige denn bereit ist zu bestätigen, mit Ihnen die letzte Nacht verbracht zu haben… Bedaure sehr, aber wenn Ihre Angaben sich nicht bestätigen lassen, müssen wir davon ausgehen, dass Sie gelogen haben, und das heißt für uns…« Ebersbach sprach den Satz nicht zu Ende.

Kroll trat neben ihn, doch statt etwas zu sagen, grinste er nur vor sich hin. Seine riesigen Augen hinter der dicken Brille wirkten irgendwie dumm, fand Kim.

Dörthe schaute den Kommissar nicht an, sie blickte wieder zu der Stelle, wo der tote Munk gelegen hatte, dann sah sie zu Kim herüber. Kim erwiderte ihren Blick freundlich.

»Klar«, sagte Dörthe, »er will mich nicht kennen – schließlich will er gewählt werden. In einem Monat sind Landtagswahlen, er will Minister werden, am liebsten für Kultur. Da kann er keine Affäre zugeben mit einer Schauspielerin…«

»… die früher mal als Stripperin aufgetreten ist«, warf Kroll ein und grinste wieder, so dass seine kleinen braunen Zähne zu sehen waren.

Dörthe schaute Ebersbach überrascht an. Der Kommissar nickte bedächtig. »Wir haben uns erkundigt. Ist schließlich unser Job – Sie verstehen«, sagte er beinahe mitfühlend. »Außerdem sind da noch ein paar Kleinigkeiten, die nicht unbedingt ein gutes Licht auf Sie werfen. Sie sollen gelegentlich Streit mit Munk gehabt haben, sagt man im Dorf, lautstarken Streit, der auch in Handgreiflichkeiten enden konnte – und auf dem Messer, das in Munks Rücken steckte, haben wir einen klaren, fetten Fingerabdruck gefunden, der eindeutig von Ihnen stammt.«

Dörthe tupfte ihre Zigarette langsam auf einem Holzpfosten aus und steckte den Stumpen dann in ihre Zigarettenschachtel. Sie schwieg ein paar Momente zu lange, fand Kim, die den Blick nicht abwenden konnte. Sie musste doch etwas sagen, sich verteidigen.

»Kann schon sein, dass mein Fingerabdruck auf dem Messer ist«, sagte Dörthe leise in die Stille hinein, die langsam unheimlich geworden war. »Ich wohne hier die meiste Zeit. Wenn das Messer von hier stammt, dann werde ich es wohl mal in der Hand gehalten haben.«

»Haben Sie sich von Munk trennen wollen und sind deswegen in Streit geraten?«, fragte Kroll. Das hässliche Grinsen war wie in sein Gesicht gemeißelt. »Er wollte, dass Sie hier bei ihm bleiben, oder er hat herausgefunden, dass Sie ihn permanent betrogen, und dann war plötzlich das Messer in Ihrer Hand, und Sie haben zugestochen. So etwas kann passieren. Mord im Affekt –

dafür gibt es mildernde Umstände, wenn Sie es hier und jetzt gestehen.«

Kroll mag es, Menschen schlecht zu behandeln, dachte Kim.

Dörthe gönnte Kroll einen verächtlichen Blick. »Was wissen Sie denn schon?«, stieß sie hervor und wandte sich dann Kommissar Ebersbach zu. »Sind Sie deshalb gekommen? Um mir zu sagen, dass ich kein Alibi habe, weil mein derzeitiger Liebhaber mich aus bestimmten, leicht erklärlichen Gründen verleugnet?«

Ebersbach schüttelte den Kopf. »Nein«, knurrte er. »Ich bin gekommen, um Ihnen zu sagen, dass Sie unter dem dringenden Tatverdacht stehen, Ihren Lebensgefährten, Gönner und Gläubiger Robert Munk mit einem Messer getötet zu haben. Ich muss Sie bitten, mich aufs Präsidium zu begleiten.«

4.

Die halbe Nacht fand Kim keine Ruhe. Die Stille war zu still, das Mondlicht war zu hell. Brunst knurrte im Schlaf vor sich hin, und Cecile quiekte mitunter und zuckte mit ihren winzigen Klauen, als würde sie vor etwas Angst haben und fliehen wollen. Am schlimmsten aber waren die Vorwürfe, die sie sich machte. Der Kommissar und sein schrecklicher Gehilfe hatten Dörthe mitgenommen, und sie hatte nichts unternommen. Sie hätte aus Protest grunzen, quieken, kreischen, knurren, vielleicht sogar randalieren, sich gegen das Gatter werfen müssen. Wie dumm konnten Menschen sein! Sahen sie denn nicht, dass Dörthe nicht einmal einer Fliege etwas zuleide tun konnte! Sie hätte Munk niemals wehgetan, auch wenn sie schon einmal eine Flasche nach ihm geworfen oder ihn beschimpft hatte. Außerdem hatte Kim ja jemanden in der Tür gesehen, einen flüchtigen Schatten nur, aber dieser Schatten war nicht Dörthe gewesen – da war sie sich ziemlich sicher.

Nachdem Dörthe vom grinsenden Kroll weggeführt

worden war und der Kommissar die Lampe ausgeschaltet hatte, war Kim in die hinterste Ecke gekrochen, weg von den anderen, weg vom Mondlicht. Tiefe Schwermut überkam sie. Schweine und Menschen passen einfach nicht zusammen, dachte sie. Was einem Schwein sonnenklar war, schien ein Mensch nicht im Geringsten zu durchschauen.

Als sie endlich müde genug war, um einzuschlafen, hörte sie ein sonderbares Schnaufen und Scharren. Wo kam das her? War Brunst in einem Anfall von Heißhunger aufgewacht und suchte nach Fressen? Nein, Brunst lag da, sein fetter Bauch hob und senkte sich rhythmisch. Das Geräusch kam von draußen. Da war jemand auf der Wiese. Einen Moment später hörte es sich an, als würde es über das Holz kratzen. Doktor Pik zuckte zusammen und öffnete ein Auge. Er murmelte etwas Unverständliches vor sich hin.

Vorsichtig schlich Kim zu der Tür, die auf die Wiese hinausführte. Dann roch sie es. Lunke – der wilde Schwarze war da, genau auf der anderen Seite der Holztür.

»Lunke?«, flüsterte sie fragend, und irgendwie gefiel es ihr, seinen Namen auszusprechen.

»Verdammt«, grunzte er wütend. »Warum hast du mir nicht gesagt, dass bei Kaltmann ein riesiger Köter Wache schiebt? Hätte mich fast erwischt, das Monster.«

»Das wusste ich nicht. Tut mir leid«, hauchte Kim, doch Lunke war schon wieder verschwunden.

Als sie wenig später wieder in ihrer Ecke lag, war sie nicht sicher, ob sie nur geträumt hatte. Denn wie sollte Lunke durch den stacheligen Zaun auf die Wiese gekommen sein?

Sie erwachte, weil etwas sie in den Bauch trat, ein schwarzer, schmutziger Stiefel, wie sie entdeckte, als sie ihre Augen aufriss. Haderer stand da, die Hände in die Hüften gestemmt, eine brennende Zigarette im Mundwinkel, und holte noch einmal mit dem Fuß aus. »Steh auf, faule Sau!«, knurrte er.

Kim blickte sich um. Sie hatte verschlafen, verdammt, der Stall war leer, die anderen waren schon auf die Wiese hinausgelaufen. Eilig schwang sie sich auf die Beine und trabte hinaus, nicht ohne Haderer jedoch mit einem gegrunzten Fluch zu bedenken. Er wirkte genauso missgelaunt wie immer, und auch sonst schien sich nichts geändert zu haben. War Dörthe gar nicht abgeführt worden? Hatte sie das alles vielleicht nur geträumt? Che und die anderen beachteten sie gar nicht, als sie an ihnen vorbeitrottete. Wieder gab es nur altes Brot, ein wenig Salat und Kartoffelschalen. Mochte der Himmel wissen, wo Haderer ständig diese Kartoffelschalen herbekam. Kim stellte fest, dass sie immer noch keinen rechten Hunger hatte. Sie warf einen Blick zum Hof hinüber. Da war niemand – keine weißen Menschen, keine Autos, nicht einmal den dicken Kommissar Ebersbach konnte sie entdecken. Doch als sie ihre Augen zum anderen Ende ihrer Wiese wandte, sah sie es – selbst auf diese Entfernung. Sie hatte sich nicht getäuscht. Als würde sie nach besonders saftigen Grasbüscheln suchen, die es allerdings nirgendwo mehr gab, weil Brunst sie längst gefressen hatte, schlenderte sie hinüber.

Es war ein richtiges Loch im Zaun, wo Lunke in der Nacht hindurchgeprescht sein musste. Er hatte den Zaun einfach niedergetreten, an zwei Metallstacheln hingen dunkle Borsten und an einem zwei, drei Tropfen Blut. Er hatte also das Risiko nicht gescheut, sich zu verletzen, um zu ihr zu gelangen. Kim spürte, wie sie ein seltsames Gefühl durchflutete – ein Gefühl, das sie nicht kannte und das sich irgendwie heiß in ihr ausbreitete.

»Er ist heute Nacht da gewesen, nicht wahr?«, sagte Doktor Pik neben ihr. »Er ist ein wilder Schwarzer. Weshalb ist er gekommen? Langweilt er sich? Will er dir schöne Augen machen?«

Kim bemühte sich, teilnahmslos zu klingen. »Ich weiß nicht«, antwortete sie. Sollte sie Doktor Pik sagen, dass sie Lunke zu Kaltmann geschickt hatte, um herauszufinden, ob dem Schlächter das Messer gehörte?

»Wir könnten ausbrechen – ja, theoretisch könnten wir das«, erklärte Doktor Pik nachdenklich.

Plötzlich standen auch Brunst, Cecile und Che hinter ihnen und starrten den ramponierten Zaun an.

»Und dann?«, fragte Brunst, der wieder mal an etwas kaute. »Finden wir da draußen genug zu fressen? Hier geht es uns doch gut. Außerdem ist es heute viel zu heiß, um sich groß zu bewegen.« Er blickte zum Himmel, der schon seit über einer Woche von keiner Wolke getrübt wurde.

»Vielleicht könnten wir einen Spaziergang machen«, quiekte Cecile. »Aber auf keinen Fall möchte ich wieder in einem Schaufenster enden, wo Menschenkinder mich begaffen und wo ich mich kaum drehen und wenden kann und Sägemehl fressen muss.« Für einen Augenblick malte sich der Schrecken in ihrem Gesicht ab.

Che trat mit wichtiger Miene ein paar Schritte vor und schnüffelte an den Borsten von Lunke herum. »Ich wette, das ist eine Falle. Sie wollen, dass wir ausbrechen, und dann stürzen sie sich auf uns. So einfach sollten wir es ihnen aber nicht machen.«

Wen meinte er mit »sie«? fragte Kim sich. Wilde Schwarze wie Lunke oder Menschen? Aber warum sollten sich Menschen auf sie stürzen? Das ergab keinen Sinn.

Eher ängstlich denn sehnsuchtsvoll blickte Che in den Wald auf die andere Seite des Zauns. Regte sich da etwas? Wartete Lunke vielleicht auf sie?

Kim bemerkte, dass Doktor Pik sie ansah, als erwartete er, dass auch sie etwas sagte. »Wir könnten die Gelegenheit nutzen und zu Kaltmann gehen«, erklärte sie leise. »Uns ein wenig umschauen, ob er tatsächlich als Mörder in Frage kommt…«

Che schnaufte verächtlich. »Das ist das Verrückteste, was ich je gehört habe. Ein Schwein, das am helllichten

Tag zu einem Schlächter läuft ...« Er schüttelte sich und trabte davon. »So etwas kann auch nur Kim einfallen.«

Nachdem Che sich entfernt hatte, wobei er unaufhörlich vor sich hin murmelte, liefen auch Brunst und Cecile davon. Einzig Doktor Pik blieb zurück.

»Ich bin zu alt«, sagte er und deutete auf das Loch, »aber du könntest es versuchen. Du musst dich nur vor Wanderzirkussen und Schlächtern in Acht nehmen.«

Kim schüttelte den Kopf. Sie würde auf Lunke warten, sagte sie sich. »Gibt es das?«, fragte sie, weil ihr plötzlich einfiel, was Dörthe in der Nacht gesagt hatte, »ein Land, wo die Menschen Schweinen nichts tun, sondern sie verehren?«

»Ja«, sagte Doktor Pik, »davon habe ich auch schon mal gehört, aber keine Ahnung, wo das sein soll. Ich bin mit meinem Zirkus viel herumgekommen, doch dieses Land habe ich nie gesehen. Es war eigentlich immer überall gleich – die gleichen Menschen, das gleiche Gelächter, die gleichen Tricks.« Er gähnte und verzog sich dann in den Schatten der fünf alten Apfelbäume, die in der Nähe des Stalls wuchsen und schon lange keine Früchte mehr trugen.

Kim suchte sich ebenfalls einen schattigen Platz, weil die Sonne immer heißer vom Himmel schien. Sie legte sich so, dass sie sowohl den Wald als auch den Hof im Auge behalten konnte. Was würde Ebersbach mit Dörthe tun? Würde er sie einsperren? Auf einmal ging ihr auf, dass sie dann Haderer ausgeliefert wären, und der würde sie gnadenlos verhungern lassen oder bei nächster Gelegenheit mit seinem kleinen silbernen Apparat Kaltmann herbeirufen.

Kaum hatte Kim es sich bequem gemacht, entdeckte sie Haderer. Sonst hatte er sich um diese Zeit immer um den Stall gekümmert, aber nun war er in Munks Atelier. Er schritt umher, als wäre er der neue Besitzer, nahm Bilder, die an der Wand standen, und hielt sie ins Licht, als wollte er sich genau ansehen, was Munk gemalt hatte. Er schien genauso wenig wie sie zu verstehen, warum die meisten Bilder aus großen, wilden Farbstrudeln bestanden – jedenfalls furchte er die Stirn oder verzog mürrisch den Mund. Einmal aber lachte er. Kim hatte anfangs Mühe, das Bild zu erkennen, doch dann trat Haderer vor das riesige Fenster: Ein Schwein lief über eine sattgrüne Wiese, und auf ihm saß eine Frau mit langen roten Haaren.

Kim blinzelte. Was sollte das? Dörthe als Schweinereiterin?

Wenig später raste ein rotes Auto auf den Hof. Zwei Menschen sprangen heraus. Während eine Frau mit einer merkwürdigen schwarzen Mütze auf die Haustür zuschritt und klingelte, ging der Mann zur Wiese und blieb dicht hinter dem Zaun stehen. Er starrte Kim so feindselig an, dass ihr fast das Herz stehen blieb und es sie trotz der Hitze fröstelte. War das Kaltmann? Hatte er gemerkt, dass sie ihm auf der Spur war? Doch dann hielt der Mann sich einen Apparat vor das Gesicht und begann, Fotos zu machen. Alles fotografierte er, die Wiese, den Hof, das Haus. Er ließ sich auch nicht stören, als Haderer mit der Frau zu ihm kam und wild gestikulierend zu reden begann.

Kim spitzte die Ohren, aber viel mehr als »wusste genau, dass es nicht gut gehen würde«, »Dörthe Miller hat ihn ausgenutzt«, »Munk war ihr hörig«, konnte sie nicht verstehen, wenn sie sich den Menschen nicht weiter nähern wollte. Es reichte jedoch, um zu wissen, was Haderer da tat. Er wollte, dass Ebersbach Dörthe weiter gefangen hielt.

Es war der bisher heißeste Tag des Jahres, die Sonne brannte immer gnadenloser auf sie herunter. Nichts wäre Kim lieber gewesen als ein schönes, matschiges Wasserloch. Sie regte sich nur, um gelegentlich zu den beiden Blechwannen am Stall zu gehen und zu saufen. Der Vorrat an Wasser begann allerdings bedenklich zu schwinden. Kaum war Dörthe fort, kümmerte Haderer sich nicht mehr um seine Pflichten. Kim konnte sehen, dass er weiter durch das Haus lief, nachdem die beiden anderen Menschen mit ihrem roten Auto wieder weggefahren waren.

Als er mit einer brennenden Zigarre im Mund am Zaun stand und über die Wiese blickte, erhob sich Kim und lief zu ihm. Sie baute sich vor ihm auf und starrte ihn vorwurfsvoll an. Auch wenn sie von vornherein wusste, dass es keinen Sinn haben würde, versuchte sie ihm eine Botschaft zu übermitteln: Wir haben bald kein Wasser mehr, sagten ihre Augen und funkelten wütend. Munk und Dörthe würden nicht wollen, dass wir verdursten.

Haderer begriff natürlich nichts, er blies genüsslich den Rauch der Zigarre aus. Es schien ihm zu gefallen, so zu tun, als wäre er nun Munk. Er hielt sogar den Kopf ein wenig schief wie Munk, wenn er abends an ihrem Pferch gestanden hatte. Aber während es bei dem Maler ausgesehen hatte, als würde er über ein neues Bild nachdenken, wirkten Haderers Augen dumm und leer.

»Schwein«, sagte er so unvermittelt, dass Kim zusammenzuckte und sich dann, als würde sie nicht zuhören, in den Schatten des Stalls zurückzog, »wenn sie Dörthe wegen der Sache ins Gefängnis stecken, dann gehört das alles bald mir. Dann hat sich die Schufterei wenigstens gelohnt.« Er lachte kurz auf, aber im nächsten Moment warf er erschreckt die Zigarre in die Wiese, wo sie ein paar braune Gräser versengte, bevor sie erlosch.

Menschen kamen zu Fuß auf den Hof – eine ganze Menge, Männer, Frauen, sogar zwei kleine Kinder und ein schwarzer Hund, der sich zum Glück ruhig verhielt, vielleicht weil ein Strick um seinen Hals hing. Kim konnte die Menschen gar nicht alle zählen, so viele waren es. Sie waren aufgeregt und unterhielten sich durcheinander. Als sie Haderer am Zaun erblickten, bewegten sie sich wie eine kleine Welle auf ihn zu.

»Vorsicht – das Dorf kommt«, raunte Che ihr ins Ohr,

während Kim zu den Wasserwannen ging, die beide nun fast leer waren.

Statt die letzte Pfütze Wasser zu saufen, bevor Brunst es tat, der sich ebenfalls wieder auf die Beine gerappelt hatte, drehte Kim sich um. Ein Mann überragte alle anderen, er hatte ein rötliches Gesicht, das mit glitzernden Schweißperlen übersät war, und trug einen blau-weiß gestreiften Kittel, an dem Blut klebte. Mit ausgestreckten Händen schritt er auf Haderer zu, und fast konnte man meinen, er würde sie ihm um den Hals legen. »Wir wollen wissen, was los ist!«, brüllte er, und zwei, drei Menschen fielen ein und wiederholten seine Worte.

»Wer ist das?«, fragte Kim leise, obwohl sie eine leise Ahnung hatte.

Che schaute sie böse an. »Das«, grunzte er, so missmutig er konnte, »ist der Verursacher allen Übels. Kaltmann, der Schlächter, ist gekommen, um uns zu holen.«

5

Es wäre ein Kinderspiel gewesen abzuhauen – wenn nur Lunke gekommen wäre, aber er ließ sich nicht blicken.

Man kann den wilden Schwarzen nicht trauen, dachte Kim. Wie oft hatten Doktor Pik und Che das schon gesagt. Hüte dich vor den wilden Schwarzen! Die Schwarzen wollen nur das eine! Was dieses eine war, hatte keiner von den beiden je erklärt, und Kim hatte auch nie gefragt, weil es so klang, als müsste sie es wissen.

Haderer war verschwunden, ohne sie in den Stall zu treiben und die Tür abzuschließen. Er hatte sie sich selbst überlassen, als ginge ihn das alles nichts mehr an. Wie nicht anders zu erwarten, hatte er auch den Wasservorrat nicht aufgefüllt.

Als es Abend wurde, waren sie alle wortlos in den Stall getrottet. Selbst Cecile hatte geschwiegen. Sie hatten sich nach ihrem Abendfutter umgesehen, ob Haderer den Trog mit Körnern aufgefüllt hatte, auch wenn sie schon wussten, dass er es nicht getan hatte.

»Geht es also los!«, hatte Che gegrunzt. »Sie wollen uns aushungern, uns mürbe machen – diese Ausbeuter.«

Dann hatten sie sich wie immer zusammen in ihre Ecke gelegt. Frisches Stroh gab es auch keins, aber das war ja schon in der Nacht zuvor so gewesen.

Kim spürte, wie ihre Stimmung schlechter wurde. Was sollte aus ihnen werden – ohne Munk, ohne Dörthe?

Als es dunkel wurde, schien der Mond nicht nur durch das kaputte Fenster, sondern auch durch die offene Tür. Ein leichter angenehmer Wind strich herein.

»Ich habe Durst«, quengelte Cecile.

Den letzten Rest Wasser im Stall hatten sie sich redlich geteilt, obwohl noch Ebersbachs Zigarette darin geschwommen war und es bitter gemacht hatte.

»Warum gibt uns niemand etwas zu trinken?« Cecile schaute einen nach dem anderen an, doch keiner sagte etwas.

Schließlich schlief die Kleine ein.

Die offene Tür war wie eine Verheißung. Was lamentierten sie darüber, dass sie kein Wasser mehr hatten – sie konnten doch einfach abhauen. Weg hier! In den Wald, einen Teich suchen oder durch ein Feld laufen und alles fressen, was ihnen vor den Rüssel kam.

Was aber war mit Lunke? Kim musste sich eingestehen, dass ihr größter Ärger daher rührte, dass er sich nicht blicken ließ. Hatten sie nicht so etwas wie eine Verabredung gehabt? Man kann den wilden Schwarzen nicht trauen – dahin kehrten alle Gedanken zurück.

Sollte sie sich allein zu Kaltmann aufmachen? Die Tür war offen, das Loch im Zaun war groß genug für sie ...

Kaltmann hatte ziemlich gefährlich ausgesehen – sein Kittel war voller Blut gewesen, sogar Haderer hatte die Augen gesenkt und Angst vor ihm gehabt. Aber wenn sie nichts tat, würde Dörthe vielleicht nie zurückkehren, und Haderer würde in das Haus einziehen und Munks Zigarren rauchen. Eine Vorstellung, die Kim frieren ließ, obschon es im Stall nach wie vor warm und drückend war.

Fast hätte sie Che gefragt, ob er sie zu Kaltmann begleiten würde; er kannte den Weg, er war sogar schon fast im Schlachthaus gewesen, als Dörthe ihn gerettet hatte, aber Kim konnte sich nur allzu gut vorstellen, was er in seinem typischen missmutigen Tonfall sagen würde: »Aktionen Einzelner haben keinen Sinn – wir müssen uns gegen die Menschen zusammenschließen, eine konzertierte Aktion, überall auf der Welt. Nur so können wir die menschlichen Aggressoren besiegen.« Nachdem er etwas in der Art gesagt hatte, legte er sich meistens hin und schlief mit grimmiger Miene ein.

Als der Mond aus dem kaputten Fenster verschwunden war und nur noch durch die offene Tür ein silbriger Lichtstrahl fiel, erhob sich Kim und schritt vorsichtig hinaus. Von den anderen rührte sich keiner, obschon sie sicher war, dass das eine oder andere Auge sie verfolgte. Zumindest Doktor Pik hatte einen leichten Schlaf, er würde wissen, was sie vorhatte.

Auf den wenigen Grasbüscheln auf der Wiese hatten sich Tautropfen gesammelt, die Kim dankbar aufleckte. Entschlossen trabte sie zu dem Loch im Zaun hinüber. Der Mond würde bald verschwinden. Die ersten Sonnenstrahlen krochen bereits über den Horizont.

Bevor sie sich dem Loch näherte, lauschte sie. War da etwas? Die Schritte eines Menschen, der auf sie gewartet hatte und nun sein Messer wetzte? Oder lag da ein gefährliches Tier auf der Lauer?

Nein, es war totenstill. Das Haus war dunkel, selbst in dem Wald regten sich nur die ersten Vögel.

Sie setzte zunächst eine Klaue vor, dann den anderen. Lunkes Borsten hingen immer noch an den Metallstacheln im Zaun, aber sie rochen nicht mehr nach ihm, sondern nach Sonne und Wind.

Es war wirklich einfach, sie musste sich nur ein wenig ducken und aufpassen, dass sie nicht in eine der scharfen Stacheln trat, dann war sie durch – auf der anderen Seite, in Freiheit.

Hier war sie noch nie gewesen, aber es roch nicht unbedingt anders. Trotzdem – es war ihr erster Schritt aus der Gefangenschaft, etwas ganz Besonderes für jemanden, der eigentlich nur den Stall, den Hof und einen stickigen Schweinetransporter kannte. Sie versuchte sich diesen großen, bedeutsamen Schritt in möglichst vielen Einzelheiten zu merken, aber plötzlich hörte sie ein Geräusch und dann eine tiefe Stimme: »Dachte schon, du kommst nicht mehr.«

Lunke schob seinen Kopf aus dem Gebüsch, in dem er gesessen hatte, und grinste. Er sieht verändert aus, dachte Kim, nachdem sie sich von ihrem ersten Schrecken erholt hatte. Was war es bloß?

Sie musterte ihn, ohne ein Wort zu sagen. Dann fiel es ihr auf. Sein linker Eckzahn – da fehlte ein Stück.

»Was ist?«, fragte Lunke leicht ungeduldig und schüttelte sich, als wäre ihr Blick ihm unbehaglich. »Hatten wir nicht was vor?«

»Was ist mit deinem Zahn passiert?«, fragte sie ein wenig zu laut. Ihre Stimme hallte von den Bäumen wider.

»Kleine Auseinandersetzung mit den anderen«, erwiderte Lunke. »Nicht der Rede wert. Ich glaube, wir müssen los.« Damit drehte er sich um und marschierte in den Wald hinein.

Kim hatte Mühe, ihm zu folgen. Er schaute sich auch nicht nach ihr um. Anfangs liefen sie auf einem schmalen Pfad, dann schlug Lunke sich unvermittelt in die Büsche. Irgendetwas wäre Kim beinahe über die Klauen gekrochen; im letzten Moment konnte sie stehen bleiben und ein erschrecktes Quieken unterdrücken. Da war eine winzige Kreatur mit einem riesigen Schwanz gewesen.

Lunke lief immer voraus. Erst als sie auf einen breiten Weg gerieten und ein hellblauer Himmel durch die dichten Bäume schimmerte, blieb er stehen und blickte Kim an.

»Wir sollten den anderen nicht über den Weg laufen«, erklärte er flüsternd. »Könnte Missverständnisse geben.«

»Den anderen?« Kim verstand ihn nicht.

Lunke deutete vor sich.

Da, auf einer Wiese, waren fünf oder sechs Schwarze, die sie aber nicht beachteten.

»Habe zurzeit ein wenig Ärger mit ihnen, weil ich ihnen zu eigensinnig bin«, sagte Lunke. Im nächsten Moment lief er weiter und bog in eine andere Richtung ab.

Kim spürte, dass sie immer aufgeregter wurde. Die Freiheit war verwirrend, so viel stand fest. Von allen Seiten drangen seltsame Geräusche und Gerüche auf sie ein, die sie nicht kannte. Und so viel und so schnell gelaufen war sie auch noch nie.

Die meisten Tiere schienen Lunke aus dem Weg zu gehen. Nur einmal sprang ein großes, bräunliches Wesen über den Weg vor ihnen und verschwand sofort wieder im Dickicht.

Als sie zu einer breiten, gepflasterten Straße kamen, hielt Lunke abermals inne.

Kim war froh, sie war ganz außer Atem. Ihr Herz schlug hart und laut. Sie hatte nie gedacht, dass die Freiheit dermaßen groß war und man anscheinend ohne Ende darin umherlaufen konnte.

»Jetzt wird es ernst«, erklärte Lunke düster. »Da vorne liegt das Dorf der Menschen. Wir sind früh dran –

die meisten schlafen noch.« Es klang, als würde er sich bestens dort auskennen.

»Bist du schon mal im Dorf gewesen?«, fragte Kim zaghaft.

»Klar.« Lunke nickte und grinste. »Am liebsten fresse ich Käfer und Blumenzwiebeln – die gibt es im Dorf in fast jedem Garten. Macht Spaß, sie auszugraben.« Sein mächtiger schwarzer Rüssel legte sich in Falten. Kim wusste nicht, ob das eine Art Kunststück sein sollte.

Er wandte sich ab und machte zwei Schritte einen Graben hinunter. Mit einem braunen Tier im Maul kam er wieder zum Vorschein.

»Habe alles vorbereitet«, knurrte er mit voller Schnauze. »Ein Kaninchen, um den Hund abzulenken.«

Angewidert starrte Kim auf das Tier. Bewegte es sich noch? Sie war sich nicht sicher, aber dann lief Lunke auch schon mitten auf der Straße auf das Dorf zu, genau auf einem weißen Streifen, als wäre der dafür gemacht.

Halt!, hätte Kim am liebsten geschrien. Lass uns umkehren! Das ist doch viel zu gefährlich, geradewegs unter die Menschen zu laufen! Dann dachte sie an den toten Munk und an die abgeführte Dörthe.

Lunke schien es zu gefallen, im ersten Sonnenlicht auf der harten Asphaltstraße dahinzutraben. Er schnaufte zufrieden. »Solange du an meiner Seite bleibst, kann dir nichts passieren«, grunzte er undeutlich und warf ihr einen gönnerhaften Blick zu. Das Kaninchen in seiner Schnauze schwang hin und her.

Kim sagte nichts, sondern bemühte sich, Schritt zu halten.

Im Dorf gingen eine nach der anderen die Laternen aus. Ein Wagen fuhr weit vor ihnen eine andere Straße entlang. Kim hätte sich am liebsten irgendwo in einem Graben versteckt, aber Lunke zuckte mit keiner Borste, sondern lief stur geradeaus, dabei hatte er das Auto todsicher entdeckt.

»Die meisten Menschen haben Angst vor uns – das ist unser Glück«, raunte er ihr zu.

Kim spürte, wie sie immer unsicherer wurde. Was redete Lunke da? Vor ihr hatte noch nie ein Mensch Angst gehabt. Die Besucher, die Munk und Dörthe gehabt hatten, hatten sie bestaunt und dann meistens gefragt, wann sie geschlachtet werde. Von Angst oder auch nur leiser Furcht war bei ihnen nie etwas zu spüren gewesen.

Tatsächlich waren im Dorf keine Menschen zu sehen. Zwei Katzen kreuzten ihren Weg, eine war weiß, die andere schwarz, aber die beiden beachteten sie nicht weiter.

»Aus denen mache ich Hackfleisch, wenn sie mir dumm kommen«, grunzte Lunke und kicherte mit dem Kaninchen im Maul. Das hatte wohl witzig sein sollen.

Kim wäre gerne ein wenig langsamer geworden und hätte sich genauer umgesehen. Die Häuser waren viel höher als das von Munk, überall standen Autos, und jede Menge Gerüche flogen heran, von seltsamen Pflanzen und Menschen, doch Lunke hielt stur sein Tempo.

Dann kamen sie an einem großen steinernen Gebäude vorbei, mit einem gewaltigen Turm, aus dem ein Schwarm Vögel laut krächzend herausstürzte, als hätten sie etwas dagegen, dass zwei Schweine durchs Dorf trabten.

»Hier«, sagte Lunke, und wieder schwang das tote Kaninchen in seiner Schnauze hin und her, »gibt es tolle Blumenzwiebeln.« Mit dem Kopf deutete er auf ein Beet vor dem mächtigen steinernen Gebäude.

Aus einem anderen Gebäude zog der warme süßliche Duft von Brot. Hinter dem halb geöffneten Fenster konnte sie Menschen bei der Arbeit hören.

Ein paar Häuser weiter sah Kim es – aus einem riesigen Fenster blickte sie sich an. Nein, das war nicht sie, aber es hätte ihre Schwester oder ihr Bruder sein können: ein großes rosiges Schwein, kein Mini wie Cecile, kein Schwein mit einem weißen Fleck wie Che.

»Ja«, sagte Lunke, der ihr Zögern bemerkte, »hier ist es – hier ist Kaltmanns schrecklicher Laden. Von jetzt ab müssen wir vorsichtig sein. Der verdammte Köter liegt meistens schon frühmorgens auf der Lauer.«

Kim schaute ihr Ebenbild an und brauchte einen Moment, um zu verstehen. Das also war die Schlachterei – und hier hängte man so ein wunderbares Bild hin, um dann Schweine zu töten und sie ohne Haut und Knochen zu verkaufen? Was sollte dieser Unsinn?

Sie hielt ihren Rüssel in den leichten Wind. Tatsächlich, da war der Geruch von Fleisch und Blut, und noch etwas war zu riechen: Angst und Schrecken, letzte Wünsche und gequälte Atemzüge – ein ganzes Panorama des Entsetzens erstand vor ihren Augen. Auf einmal begriff sie auch Ches Hass besser – er hatte schon mit einem Bein im Schlachthof gestanden, hatte die Menschen gesehen und das Blut gerochen, während Kims schlimmste Erfahrung darin bestanden hatte, mit zwanzig Leidensgenossen auf einen stickigen Transporter verladen zu werden.

»Ich kann das nicht«, sagte Kim leise zu Lunke. Sie war sicher, dass sie keinen Schritt mehr weitergehen konnte.

»Gleich um die Ecke kommt ein kleiner Platz«, erklärte Lunke flüsternd, als habe er sie nicht gehört. »Der Hund liegt an einer Kette. Er wird aus seinem winzigen Holzhaus hervorstürzen. Ich werfe ihm das Kaninchen hin, dann gebe ich dir ein Zeichen, und du rennst in einem weiten Bogen an ihm vorbei. Es kann eigentlich nichts schiefgehen.«

Er schaute sie an und nickte. Zum ersten Mal hatte sie das Gefühl, dass er sich etwas aus ihr machte.

Zweifelnd nickte sie auch, und als sie noch einen zaghaften Einwand vorbringen wollte, was geschehen würde, wenn der Hund sich gar nicht auf das Kaninchen stürzen würde, weil er viel lieber ein ängstliches rosiges Schwein fressen wollte, war Lunke bereits mit dem Kaninchen im Maul um die Ecke verschwunden.

Atemlos lauschte Kim. Ja, sie meinte schnelle, neugierige Schritte zu hören, ein atemloses Hecheln, eine Kette, die über den Boden schleifte. Oder bildete sie sich das alles nur ein?

Es dauerte endlos lange, bis sie Lunkes Stimme hörte.

»Jetzt!«, rief er.

Sie bog um die Ecke. Viel zu langsam wahrscheinlich. Erst sah sie den Hund gar nicht – er war schwarz und riesig und hatte sich neben seiner Holzhütte zusammengekauert. Er knurrte etwas vor sich hin, aber das galt nicht ihr, sondern tatsächlich dem Kaninchen, das er wie eine noch lebende Beute, die er soeben selbst gefangen hatte, hin und her schüttelte.

»Ein selten dummer Hund«, sagte Lunke und lachte leise, doch sofort wurde er wieder ernst.

Sie liefen weiter und mussten sich zwischen der Hauswand und einem weißen Kastenwagen vorbeizwängen, auf dem ein großes, lachendes Schwein aufgemalt war.

Dann standen sie vor einer offenen Tür. Im Innern brannte Licht, Musik lief, und es war eine Stimme zu hören.

»Da sollen wir hinein?«, fragte Kim und hatte das Gefühl, im nächsten Moment in Ohnmacht zu fallen. Der Hund konnte sie nun zwar nicht mehr sehen, aber gleich würden sie einem leibhaftigen Schlächter gegenübertreten. Der Geruch von Blut und rohem Fleisch war so überwältigend, dass sie kaum noch atmen konnte.

Lunke schaute sie an. »Wenn du Kaltmann und seine Messer sehen willst, bleibt uns nichts anderes übrig.« Er schien nun auch den Atem anzuhalten und nicht mehr ganz so zuversichtlich zu sein.

Kim spürte, dass sie unter sich machte, nichts Großes, aber peinlich war es ihr trotzdem.

»Zu lange warten sollten wir nicht«, sagte Lunke. Er schnaufte. »Wenn sie uns entdecken, stoße ich mehrere Grunzer aus. Das wird sie erschrecken, und dann nichts wie weg – zurück auf die Straße und in den Wald.«

Mit einem ermutigenden Nicken schritt er voran, und Kim folgte zögerlich.

Nur zwei Schritte, dann sahen sie Kaltmann. Er stand vor einem Metalltisch, vor sich einen großen, grauenerregenden Brocken Fleisch, den er mit einem Messer bearbeitete. Er trug wieder den blau-weiß gestreiften Kittel. In seinem Mund wippte eine brennende Zigarette auf und ab, und sein Stoppelhaar wurde von einer Mütze bedeckt, die mit Blut besudelt war. Ihm gegenüber stand ein anderer Mann, er war Kaltmann wie aus dem Gesicht geschnitten, nur dass er wesentlich jünger aussah. Auch er hantierte mit einem Messer an einem Stück Fleisch herum, und dabei summte er zu der Musik, die durch den Raum hallte.

Kim wurde so schlecht, dass sie das Wichtigste beinahe übersehen hätte. Die Messer… Es waren andere Messer, länger, mit einem gelben Griff und einer anderen Schneide.

Lunke schaute sie an, und sie nickte – das Signal für den Rückzug.

Doch da blickte der andere Mann plötzlich auf und hörte auf zu summen. Er sah an Kaltmann vorbei, das Messer glitt aus seiner Hand, fiel polternd auf den Boden. »Vater…«, hauchte er. »Da stehen zwei… zwei lebendige Schweine…«

Kim wusste, dass sie nun rennen musste – weg hier, ganz schnell, einfach raus, vorbei an dem schwarzen Hund. Doch sie konnte sich nicht rühren, vor Schreck war sie wie erstarrt.

Kaltmann lachte, ohne von dem Fleischbrocken vor sich aufzublicken. »Klar«, sagte er, »zwei Schweine… von den Toten auferstanden. Du solltest abends mit deinen Kumpels nicht so viel trinken, Rüdiger. Habe ich dir schon oft gesagt.«

Mit einem feisten Grinsen im Gesicht wandte er sich um und hielt ebenfalls plötzlich inne. Kim beobachtete, wie ihm ganz langsam die brennende Zigarette aus dem Mund fiel; sie drehte sich in der Luft, glomm noch einmal kurz auf, dann zischte sie, als sie in eine Lache auf dem Boden fiel.

»Rüdiger, schnell – mein Gewehr!«, schrie Kaltmann. Er warf sein Messer beiseite und stürzte nach hinten. Im nächsten Moment krachte etwas gegen Kim. Ein heftiger Schmerz durchzuckte sie. Lunke hatte ihr einen Stoß verpasst.

»He, Kim – aufwachen!«, schrie er. »Abmarsch – sofort!«

Dann war er wie ein schwarzer Schatten an ihr vorbei. Kim folgte ihm quiekend, stürzte beinahe auf der Schwelle, weil es da so nass war, und zwängte sich zwischen Hauswand und Kastenwagen hindurch. Der selten dumme Hund war durch den Schrei seines Herrn nun ebenfalls aufgeschreckt worden. Mit lautem Gekläffe zog er seine Kette hinter sich her und stürzte vor – doch Lunke hatte mit einem ungestümen Angriff gerechnet und wehrte ihn mit einem gekonnten Schlag seiner Hinterläufe ab. Kim konnte ein elendes Jaulen vernehmen, dann waren sie auf der Straße und rannten in die Richtung, aus der sie gekommen waren.

Zwei Wagen rauschten an ihnen vorbei – Kim entdeckte ängstliche, ungläubige Menschengesichter. Reifen quietschten, und einmal schrammte Metall auf Metall.

Als sie glaubten, es schon geschafft zu haben, hörten sie einen lauten hohen Knall. Etwas pfiff über sie hinweg.

»Er hat tatsächlich ein Gewehr«, schrie Lunke. »Ab in den Graben.«

Kim wandte voller Angst den Kopf. Da, keine zwanzig Schweinslängen hinter ihr, stand Kaltmann mit einem langen, schwarzen Stock, den er sich vors Gesicht hielt: das Gewehr. Im nächsten Moment, während ein zweites Knallen die Luft durchschnitt, riss Lunke sie mit, und sie stürmten gemeinsam über die Straße, die Böschung hinunter, mitten hinein in ein seichtes, kühles Wasser.

Dort blieb Kim liegen. Ihr Herz klopfte so wild, dass

es gleich aussetzen würde. Sie sah den hellen, blauen Himmel über sich und wusste, dass sie gleich vor Angst und Erschöpfung sterben würde. Aber irgendwie war sie ganz einverstanden damit. Immerhin war Lunke an ihrer Seite.

6

War sterben wie fliegen? Sie hatte das Gefühl, auf einer weißen Wolke dahinzugleiten, ganz schwerelos – wunderbar! Wann hatte sie sich zuletzt so leicht und aufgehoben gefühlt? Wahrscheinlich noch nie, jedenfalls nicht, seit sie mit Doktor Pik, Che und den anderen zusammen war. Doch plötzlich, in dieses saumäßig schöne Schweben hinein, hörte sie ein bedrohliches Knurren und Schnaufen. Die Schwerelosigkeit verging schlagartig, und Kim schlug die Augen auf.

»Aufwachen, Babe!« Zwei braune Augen starrten sie an, in denen sie sich gespiegelt fand.

Kim schreckte auf. Sie lag in dem warmen Wasser eines Grabens, Lunke beugte sich über sie und hauchte ihr seinen heißen Atem ins Gesicht.

»Babe? Was soll das heißen!«, fuhr sie ihn an.

Er verzog das Gesicht. »So hat meine Mutter mich früher immer genannt!«

Mühsam kam Kim auf die Beine. Das Wasser hatte ihren geschundenen Klauen gutgetan, aber nun erinnerte sie sich an Kaltmann und das Gewehr. Statt mit dem Messer auf sie loszugehen, hatte er auf sie geschossen – merkwürdig, aber immerhin waren sie ihm entkommen.

Oben auf der Straße rauschte ein Auto vorbei. Unwillkürlich zuckte sie zusammen.

»Ich will ja nicht drängen«, sagte Lunke, »aber wir sollten uns ein wenig beeilen, wieder in den Wald zu kommen. Bald ist da oben der Teufel los. Dann fährt ein Blechding nach dem anderen die Straße herunter.«

»Nenn mich nie wieder Babe«, sagte Kim und bedachte ihn mit einem wütenden Blick.

Lunke nickte wortlos, dann ging er voraus, die Böschung hinauf.

Sie schafften es, an einem riesigen, laut hupenden Lastwagen vorbeizukommen und auf die andere Straßenseite zu gelangen. Dort schlugen sie sich ins Gebüsch und trabten verdeckt ein Stück neben den Autos her, bis sie den Wald erreicht hatten.

Kim spürte ihre Erschöpfung. Die Sonne stand schon recht hoch. Die anderen waren gewiss längst wach und vermissten sie. Wahrscheinlich waren sie schon nach draußen gelaufen und hatten sich über das Fressen hergemacht, das Haderer ihnen bereitet hatte. Falls Haderer gekommen war – gestern Abend hatte es nicht so ausgesehen, als würde er sich weiter um sie kümmern.

Sie konnte nicht umhin, auf einmal hatte sie Sehnsucht nach ihrem Stall, nach der Wiese und den anderen. Bestimmt würde Doktor Pik sich Sorgen machen, und Che würde nach ihr Ausschau halten. Vielleicht waren sie sogar ausgebrochen, um nach ihr zu suchen.

»Dafür, dass alles so gut geklappt hat, bist du ziemlich schweigsam«, sagte Lunke, als sie in den Wald einbogen und die Anspannung langsam von ihnen abfiel.

»Tut mir leid«, erwiderte Kim. »Ich war ganz in Gedanken. Es ist alles so neu für mich, und ich glaube, ich möchte jetzt lieber nach Hause.«

»Versteh ich«, sagte Lunke. »Du bist nur ein kleines Hausschwein, bist es nicht gewohnt, in freier Wildbahn…«

»Hör auf, so zu reden«, unterbrach Kim ihn. Sie wurde allmählich richtig wütend. Lunke war ein wilder Schwarzer, okay, aber das gab ihm nicht das Recht, so herablassend mit ihr zu reden.

»Wenn du noch ein wenig Zeit hast, könnte ich dir meinen Lieblingsplatz zeigen – ein kleiner See mitten im Wald, zu fressen gibt es da auch genug. Gräser, Würmer, später im Sommer sogar Eicheln, eine echte Delikatesse.« Er klang eindeutig versöhnlicher.

Kim zögerte. Vorsichtig schaute sie sich um. Vogelgezwitscher flirrte um sie her, ein paar kleinere Tiere hüpften vor ihnen davon. Eigentlich bestand kein Grund zur Eile. Die anderen würden sicher auf sie warten, Hunger hatte sie auch, und außerdem würde sie ohne Lunkes Hilfe sowieso nicht zum Stall zurückfinden.

»Also gut«, sagte sie, und im nächsten Moment verpasste Lunke ihr einen Rempler, der sie beinahe aus dem

Gleichgewicht gebracht hätte. Das war wohl seine Art von Zärtlichkeit. Dann preschte er durch das Unterholz davon.

»Mir nach!«, brüllte er.

Der ganze Wald geriet in Aufruhr. Vögel flogen erschreckt auf, ein Reh sprang an ihnen vorbei.

Klar, dachte Kim, jetzt spielt er den starken Beschützer. Aber wenn sie ehrlich war, hatte er sich auch bei Kaltmann mutig und klug verhalten. Was für ein riesiges, furchtbares Gewehr hatte der Schlächter in der Hand gehabt!

Sie rannte Lunke nach und hatte größte Mühe, ihn nicht aus den Augen zu verlieren. Was würden sie tun, wenn sie einer Rotte von Schwarzen in die Quere kamen? Darüber wollte sie lieber nicht nachdenken, aber wahrscheinlich hatten die anderen Schwarzen sich längst eine Senke gesucht, um ein Verdauungsschläfchen zu halten.

Plötzlich hörte Kim es vor sich platschen!

Lunke hatte sich in vollem Lauf in den kleinen See gestürzt. Er prustete und wälzte sich.

»Wunderbar – es gibt nichts Schöneres, als ein wildes, freies Schwein zu sein!«, brüllte er.

Kim blieb atemlos am Ufer des Sees stehen. Sie hatte das Gefühl, noch rosiger auszusehen als sonst.

»Komm rein!«, rief Lunke. »Keine Gefahr! Die anderen sind längst weg.« Er tauchte mit seinem Kopf unter und spuckte dann eine riesige Wasserfontäne in ihre Richtung.

Vorsichtig hielt Kim eine Klaue ins Wasser, um die Temperatur zu prüfen, doch da war Lunke schon heran und versetzte ihr einen solchen Stoß, dass sie die Balance verlor und längs in den See fiel. Sie quiekte auf, doch er hatte recht. Das Wasser war herrlich warm und auch nicht so tief, wie es vom Ufer aussah. Nirgendwo konnte man sich besser suhlen.

Lunke warf sich auf sie und nutzte gleich die Gelegenheit, sie an dieser und jener Stelle abzuschnüffeln. Sie nahm sich vor, ihn ein wenig mehr auf Distanz zu halten, aber insgeheim musste sie sich eingestehen, dass ihr sein Imponiergehabe gefiel. Immer wieder warf er sich gegen sie. Bestimmt war er zehnmal so stark wie Che, von dem fetten Brunst gar nicht zu reden.

»Hast du es schon mal gemacht?«, fragte Lunke, als sie später nebeneinander im hohen Gras lagen.

Sie hatten sich ordentlich den Bauch voll geschlagen, Farn, Gras, Würmer, alles, was es auf ihrer Wiese nicht gab. Wenn Kim ehrlich war, hätte sie sich am liebsten an Lunke geschmiegt und die Augen geschlossen.

»Was gemacht?«, fragte sie schläfrig.

»Na, das eine – sei doch nicht so begriffsstutzig.« Lunke beugte sich über sie. Sein unversehrter rechter Eckzahn berührte sie sanft und vorsichtig.

»Das eine?« Davon hatte auch Doktor Pik immer gesprochen, aber sie hatte nie wirklich verstanden, worauf er anspielte. Nun begann sie allmählich zu begreifen.

»Ich weiß ja, dass deine Jungs es nicht mehr bringen. Denen hat man das Wichtigste abgeschnitten – das wird einem sofort klar, man muss nur den Rüssel in den Wind halten. Heißt das etwa, dass du noch nie …«

Plötzlich musste sie an Dörthe und an Munk denken, wie sie einmal nachts in den Stall gekommen waren. Dörthe hatte sich langsam, mit merkwürdigen Bewegungen die Kleider ausgezogen, und dann hatten sie die Leiter angelegt und waren auf den Heuboden gekrochen, genau über ihnen. Die halbe Nacht hatten sie Geräusche gemacht, wie Menschen sie sonst nie machen. Doktor Pik hatte das Maul zusammengekniffen und gemurmelt: »Pfui, warum können die uns nicht schlafen lassen?«

»Wie die Karnickel«, hatte Che geknurrt. »Typisch Menschen, denken nur an sich, und uns speisen sie mit Kartoffelschalen und Brotkanten ab.«

Drei Nächte später waren Munk und Dörthe wiedergekommen, und dann war daraus für eine Weile eine richtige Gewohnheit geworden, ins Heu zu kriechen.

»Vielleicht habe ich es schon mal gemacht, vielleicht auch nicht«, sagte Kim und wandte sich von Lunke ab. Der Gedanke an Dörthe schmerzte sie. Sie musste zu den anderen zurück und berichten, dass Kaltmann es nicht gewesen sein konnte. Die Messer – es waren eindeutig andere Messer.

»Also hast du es noch nie gemacht«, sagte Lunke und lachte laut auf. Mit seinem rechten Eckzahn begann er über ihren Rücken zu streichen. Sein Rüssel näherte sich wieder bedenklich ihren Hinterläufen.

Kim presste die Beine zusammen und warf sich herum. »Und du?«, fragte sie. »Macht ihr Schwarzen es hier im Wald dreimal am Tag und dreimal in der Nacht?«

»Na klar«, erwiderte Lunke und richtete sich zu voller Größe auf. »Wenn es sein muss, kriegen wir das hin!«

Plötzlich hörten sie das knatternde Geräusch eines Motors, dann ertönten menschliche Stimmen. Eine Autotür wurde blechern zugeschlagen. Männer riefen sich etwas zu.

»Verdammt!« Lunke sprang auf. »Besser wir verschwinden. Die Baummörder kommen!«

»Baummörder?«, fragte Kim. Sie hatte Mühe, sich aufzurichten. Nichts wäre ihr nun lieber als ein gemütliches Schläfchen gewesen.

»Menschen, die Bäume fällen. Weg hier!« Er steuerte mit mächtigen Sätzen auf das dichteste Dickicht zu.

Kim rannte ihm nach. He, wollte sie rufen, ist das der Weg zum Stall? Aber Lunke war schon aus ihrem Blickfeld verschwunden.

Verdammt, was sollte das? Wollte er, dass sie sich im Wald verirrte? Entfernt hörte sie hinter sich, wie eine Säge kreischend losheulte. Die Baummörder bei der Arbeit. Da war es besser, in die andere Richtung weiterzulaufen. Von Lunke war allerdings keine Spur mehr zu entdecken.

»Lunke – das ist nicht witzig!«, rief sie. »Komm zurück, du kennst dich hier doch viel besser aus. Ich muss zum Stall. Die anderen warten auf mich!« Ihre Stimme klang weniger fest, als sie eigentlich sollte. Vorsichtig trabte sie weiter. Der Wald machte einen völlig verlassenen Eindruck. Keine Tiere waren mehr zu sehen und zu riechen. Wahrscheinlich war die Zeit der Menschen angebrochen.

Dann sah sie ihn wieder: Lunke stand im Sonnenlicht vor einem riesigen Baum und rieb sich die Flanken, dabei gab er schnaufende Geräusche von sich. Kim blieb einen Moment stehen und betrachtete ihn. So konnte man auch leben – irgendwo tief im Wald und tun, was man wollte. Aber war so ein Leben auch etwas für ein kleines rosiges Hausschwein? Einerseits wäre es schön, hierzubleiben, andererseits war sie nur aus einem Grund abgehauen: Dörthe zu retten und herauszufinden, ob Kaltmann womöglich der Mörder war.

Lunke stöhnte noch lauter. Klar, er wusste, dass sie da irgendwo stand und ihn beobachtete, also spielte er sein Spiel, sie zu reizen und zu necken, immer weiter.

Kim trat vor und schaute sich um. Der riesige Baum stand auf einer Lichtung, und ein Stück weiter wuchsen merkwürdig riechende Pflanzen, die sie noch nie gesehen hatte. Ohne auf Lunke zu achten, der sich an dem Baum rieb und scheuerte, lief sie auf eine dieser grünen halbhohen Pflanzen zu und schnupperte daran. Konnte man die fressen? Nein, sie rochen zu seltsam. Die Pflanzen standen in Reih und Glied, als hätte sie jemand

hingesetzt. So sah es in Munks und Dörthes Gemüsegarten aus, in den sie einmal gelaufen war. Als sie sich
über wundervoll duftende Möhren hergemacht hatte,
war Haderer gekommen und hatte sie mit bösen Fuß-
tritten verjagt.

»Was ist denn los?«, rief Lunke, der offenbar gar nicht
aufhören konnte, sich an dem Baum zu reiben.

Kim antwortete nicht. Zwischen den Pflanzen gab
es einen schmalen Weg, auf dem das Gras von riesigen,
schweren Menschenstiefeln niedergetrampelt worden
war. Unverkennbar, hier liefen Menschen auf und ab.
An manchen Stellen waren die Stiefel tief in den Boden eingesunken. Seltsamer Platz für einen Garten. Der
Geruch der Pflanzen wurde immer intensiver. In ihrem
Rüssel begann es heftig zu jucken. Sollte sie umkehren,
bevor es noch schlimmer wurde? Ihre Neugier trieb sie
vorwärts. Manche der Pflanzen waren an Hölzer gebun-
den, damit sie gerade in die Höhe wuchsen. Ein weiterer Beweis, dass hier Menschenhände am Werk gewesen
waren.

Hinter sich meinte sie, Lunkes Schritte zu vernehmen.
War er endlich auch neugierig geworden?

»He, Kleine«, rief er, allerdings mit gedämpfter
Stimme, »falsche Richtung. Nach Hause geht's nicht
hier lang.«

Kim antwortete nicht. Plötzlich hörten die Pflanzen
rechts und links auf, und sie blieb so unvermittelt stehen, dass Lunke gegen sie prallte.

Da, in einiger Entfernung stand ein kleines grünes Haus – nein, eine Hütte auf Rädern, ein Wagen aus Holz, mit einem Fenster und einer Tür. Vor dem Wagen befand sich eine Bank, und Werkzeuge lagen da, Schaufeln, ein Hammer, zwei Gießkannen und Stiefel, zwei schwarze Stiefel, die ihr bekannt vorkamen.

Aber das konnte nicht sein! Nicht hier!

Sie drehte sich einmal um die eigene Achse, besah alles ganz genau.

»Bekommt dir die Freiheit nicht?«, fragte Lunke. Er klang tatsächlich ein wenig ängstlich. »Fängst du an zu spinnen? Waldkoller? Drehwurm? Erste Anzeichen von Schweinepest?«

Schweinepest! Kim hätte ihm am liebsten eins auf den Rüssel gegeben. Damit machte man keine Witze.

Irgendetwas stimmte hier nicht – ganz und gar nicht.

Unter einem Baum, nicht weit von der Hütte auf Rädern entfernt, fand sie ein Stück Stoff. Es war herausgerissen worden – aus einem Hemd, wie Munk und Haderer es bei der Arbeit manchmal trugen. Grau, mit schwarzen Karos, nicht besonders ansehnlich.

Der Stoff roch nach Haderer, nach seinem Schweiß, nach Tabak und irgendwie auch nach Angst.

Aber was hatte Haderer hier draußen im Wald zu suchen?

Kim drehte sich noch mal herum. Lunke hatte sich unterdessen vor die Bank hingelegt; er gähnte unflätig und scheinbar vollkommen desinteressiert, dabei war eindeutig zu sehen, dass er sie aufmerksam im Blick behielt.

Was stimmte hier nicht?

Würde gleich die Tür des Wagens aufspringen und Haderer mit einer Forke bewaffnet dastehen und sie verjagen, weil hier sein Zuhause war?

Am besten wäre es, sie könnte einen Blick ins Innere werfen.

Kim hatte kaum zwei Schritte auf Lunke zu gemacht, als er zusammenzuckte. Vor Schrecken wurden seine Augen ganz klein. »Da!«, hauchte er.

Kim brauchte einen Moment, um zu begreifen, was ihn so erschreckte. Es war nicht neben, hinter oder vor ihr – nein, es war über ihr.

In dem großen Baum hing etwas. Zuerst erblickte sie zwei nackte, schmutzige Füße, dann zwei baumelnde Arme, die in einem grauen Hemd mit schwarzen Karos steckten.

Die Füße und Arme gehörten eindeutig zu Haderer, und auch wenn er in dem leichten Wind ein wenig hin und her schwang, hätte selbst ein viel dümmeres Schwein als Kim erkannt, dass er tot war.

7

Lunke trat neben sie und schluckte vernehmlich. »Was tut er da?«, fragte er flüsternd, als könnte er Haderer tatsächlich aufwecken, wenn er zu laut sprach.

»Das ist Haderer, der Mann, der uns meistens gefüttert hat. Ich würde sagen, er hängt da und ist tot«, erwiderte Kim. Sie wunderte sich selbst, wie ruhig sie blieb.

Beide konnten sie ihren Blick nicht von dem Toten wenden. Ein paar Elstern kamen, ließen sich auf einem Ast in der Nähe nieder und krächzten sich lauthals eine Nachricht zu. Es klang fast, als würden sie einen Plan schmieden, wie sie am besten über Haderer herfallen konnten. Wann stellte sich schon mal solch ein Leckerbissen ein?

»Komm, lass uns abhauen!«, raunte Lunke ihr zu. »Ich bringe dich zum Stall zurück. Wenn uns hier jemand erwischt, glaubt man noch, wir hätten ihn…«

»Lunke«, unterbrach Kim ihn streng, »wie sollten wir denn Haderer da hinaufbekommen haben?« Der wilde Schwarze schien nicht zu den klügsten Zeitgenossen zu gehören; tief im Wald zählten wohl andere Qualitäten.

Kim wandte den Blick ab und begann, sich den Boden genauer anzusehen. Viele Spuren gab es hier nicht. Da waren dieser Stofffetzen aus Haderers Hemd und ein paar Abdrücke von Stiefeln – unterschiedlichen Stiefeln, wenn sie sich nicht irrte. Aber wie kam es dann, dass Haderer keine Stiefel anhatte?

»Was denkst du, was passiert ist?«, fragte Lunke.

Kim trat ihm rasch in den Weg, damit er nicht den deutlichsten Stiefelabdruck ruinierte. »Ich nehme nicht an, dass er sich selbst da hingehängt hat – auch wenn Menschen viel zuzutrauen ist. Hier war ein anderer Mensch am Werk, genau wie bei Munk«, erwiderte Kim. Vorsichtig bewegte sie sich zu Haderers Stiefeln hinüber.

»Mord«, hauchte Lunke, als würde ihm erst jetzt die Bedeutung ihrer Entdeckung klar werden. »Ein zweiter Mord – die Menschen fangen an, sich gegenseitig umzubringen.«

Kim nickte. Che würde das gefallen – die Menschen fielen übereinander her, bis keine mehr übrig waren, und am Ende würde alles ihnen gehören, den Weißen und den Schwarzen. Vielleicht würden sie sich dann alle vereinen und müssten vor niemandem mehr Angst haben.

»Ich finde trotzdem, dass wir abhauen sollten«, sagte Lunke immer noch flüsternd. »Geht uns doch nichts an, dass da ein Mensch hängt.«

»Haderer war der Mann, der uns gefüttert hat. Er mochte uns nicht, aber aus seiner Hand haben wir unser Fressen bekommen. Wer wird uns jetzt unsere Kartoffelschalen bringen?«

»Ihr habt Kartoffelschalen gefressen?« Lunke schüttelte sich, als ekle ihn allein der Gedanke an ein solches Fressen. »He, du bist jetzt frei. Du kannst bei mir bleiben. Ich zeige dir die besten Stellen im Wald, und wenn einer dir zu nahe kommt, dann beschütze ich dich.«

Hatte Lunke ihr da soeben ein eindeutiges Angebot gemacht? Kim antwortete nicht. Sie besah sich Haderers Stiefel. Dann schnüffelte sie den kurzen Weg zum Haus auf Rädern ab. Sah so aus, als wäre Haderer hier oft gewesen. Ein paar Zigarettenstummel lagen auf dem Weg. Vielleicht hatte er sogar in dieser Hütte gewohnt – mitten im Wald, bei den sonderbaren Pflanzen, als bräuchten die einen Wächter.

»Was meinst du, wie oft kommt hier ein Mensch vorbei?« Sie drehte sich um und sah Lunke an.

Argwöhnisch blickte er zum Wald hinüber. Er verlor offensichtlich die Lust, sich noch länger hier im hellen Sonnenlicht aufzuhalten. »Nicht oft«, grummelte er. »Eigentlich nie. Nicht mal die Baummörder.«

»Gut«, sagte Kim, »dachte ich mir. Wir müssen etwas tun. Wohin geht es zur Straße?«

Lunke deutete mit seinem kaputten Eckzahn in die Richtung, aus der sie gekommen waren.

»Dann los!« Kim schnappte nach einem der Stiefel, die Haderer gehört hatten, und machte sich auf.

Es gefiel ihr, die Führung zu übernehmen. Nun rannte Lunke hinter ihr her. Er war wirklich schwer von Begriff.

»He, was soll das?«, rief er unwillig. »Wo willst du mit dem Stiefel hin? Zu Kaltmann laufe ich jedenfalls nicht, das kannst du vergessen! – Auch wenn ich vor dem Köter natürlich kein bisschen Angst habe!«

Wie kam er nur auf den abwegigen Gedanken, dass sie zu Kaltmann wollte? Kim lächelte vor sich hin, auch wenn das mit einem Stiefel in der Schnauze, der nach Haderer roch und schmeckte, nicht eben leicht war.

»Wir müssen jemanden heranlocken – einen Menschen«, sagte sie, als Lunke zu ihr aufgeschlossen hatte. »Sonst hängt Haderer noch wochenlang da. Die Elstern werden ihn auffressen, und der nächste Regen wird die Spuren verwischen.«

Lunke furchte die Stirn. Es war augenfällig, dass er sich über so etwas wie Spuren noch nie einen Gedanken gemacht hatte. Er rannte durch den Wald, und es war ihm gleichgültig, ob er Spuren hinterließ oder nicht.

»Und wie willst du das machen – jemanden heranlocken?«, fragte er zweifelnd.

»Dafür habe ich den Schuh«, entgegnete Kim.

Einen Moment blieb sie stehen. Die Sonne stand mittlerweile hoch am blauen Himmel. Es war schon recht heiß, zwar weniger heiß als gestern auf der Wiese, aber die Wirkung ihres erfrischenden Bades ließ dennoch langsam nach.

»Wo ist die Straße?«

Lunke deutete nach links. »Da – ist nicht mehr weit.«

Kim setzte sich wieder in Bewegung. Der Schuh im Maul, genau der schwarze Stiefel, den sie oft schmerzhaft in ihrer Flanke gespürt hatte, begann sie zu stören. Ekelhaft! Vielleicht verhielten sich Menschen deshalb so merkwürdig, weil sie den ganzen Tag in solchen Dingern herumliefen. Nun, Haderer würde nie mehr irgendwohin laufen. Plötzlich machte der Gedanke sie traurig. Auch wenn sie den Kerl nie hatte leiden können, auf diese Art sollte man nicht enden – aufgeknüpft an einem Baum. Warum hatte der Mensch, der das getan hatte, diesmal kein Messer genommen? Wollte er, dass Haderer nicht gefunden wurde, und hatte er ihn deshalb in einen Baum gehängt? War es derselbe Täter gewesen? Sie dachte an die Gestalt, die sie in der Tür im Stall gesehen hatte, aber leider verband sich mit ihr kein Geruch und kein richtiges Bild.

Lunke versuchte die Führung zu übernehmen. Nach einer leichten Biegung hörte Kim das typische Motorengeräusch, das ihr, seit sie von dem Transporter gefallen war, immer einen Schrecken einjagte.

»Dort ist die Straße«, erklärte Lunke in dem festen Tonfall, der klarstellen sollte, dass er hier das Sagen hatte.

Kim legte den Stiefel kurz ab, um durchzuatmen.

Als sie nichts erwiderte, wurde Lunke gleich wieder unruhig. »Und?«, fragte er und musterte sie mürrisch. »Was willst du jetzt tun?«

Wir hätten noch kurz bei dem See haltmachen sollen, dachte Kim. Nun war ihr doch ein wenig mulmig zumute, und sie hatte einen unbändigen Durst.

»Ich stelle mich auf die Straße mit dem Stiefel in der Schnauze und warte, dass jemand anhält«, sagte sie, aber noch während sie sprach, kam ihr selbst dieser Plan nicht richtig durchdacht vor.

»Bist du verrückt!«, brüllte Lunke. »Kein Mensch wird anhalten – sie werden dich überfahren! Das wird passieren!«

»Hast du eine andere Idee?«, fragte Kim.

»Ja, klar, wir vergessen, dass wir hier gewesen sind und den toten Menschen gesehen haben, und laufen zurück zum See, um ein Schläfchen zu halten. Dann suchen wir uns etwas zu fressen und suhlen uns im Morast – oder umgekehrt, erst suhlen, dann fressen.« Auffordernd blickte Lunke sie an.

Kim fiel auf, dass sie sich schon an seine Anwesenheit gewöhnt hatte. Wieso nannten ihn die anderen einen Halunken? Er war groß und stark, aber irgendwie war er auch nett.

»Alles klar«, sagte sie und lächelte ihn süßlich an. »So machen wir es bestimmt nicht.« Dann beugte sie sich vor, nahm den Stiefel wieder auf und trabte in Richtung Straße.

»Verdammt!«, rief Lunke. »Sei nicht so stur! Du bist nur ein kleines Hausschwein.«

Einen Moment lang war sie überzeugt, dass er abhauen würde, doch einen Atemzug später tauchte er neben ihr auf.

Vorsichtig schoben sie sich durch das Gebüsch auf den schmalen, mit Gras bewachsenen Randstreifen der grauen Asphaltstraße. Ein Lastwagen raste vorbei, der ein wenig Ähnlichkeit mit dem Transporter hatte, mit dem sie verunglückt war. Der Wind, den das Metallmonstrum hinter sich her zog, hätte sie beinahe umgeworfen. Auf so einen Wagen würde sie nie wieder klettern, schwor sie sich, eher würde sie sterben – oder mit Lunke davonlaufen.

Sie postierten sich an den Straßenrand und starrten den Autos entgegen, die auf sie zurasten.

Ein guter Einfall ist das wirklich nicht, dachte Kim. Was für ein merkwürdiges Bild sie abgeben mussten: Ein schwarzes und ein weißes Schwein, das einen Stiefel im Maul hatte, guckten Menschen in ihren Blechautos an.

Ein Bus kam und wurde langsamer. Kim sah lachende und kreischende Kinder an den Fenstern, die mit Fingern auf sie zeigten. Der Bus hielt jedoch nicht an, sondern beschleunigte wieder. Mit so vielen Kindern hätten sie auch nichts anfangen können. Einmal hatte Dörthe ein paar Kinder in den Stall geholt. Sie hatten die ganze Zeit gekichert und versucht, Cecile am Schwanz zu ziehen.

Ein Mann verlor die Gewalt über sein Gefährt, ein rotes, kugeliges Vehikel, als er sie erblickte. Mit offenem Mund stierte er sie hinter seiner Windschutzscheibe an. Sein Wagen kam ins Schlingern, geriet auf die andere Seite und wäre beinahe in den Graben gerutscht. Im letzten Moment riss der Mann das Lenkrad herum. Aber auch er stoppte nicht, sondern gab wieder Gas.

Dann trat eine Weile Stille ein. Kein Wagen näherte sich. Hatten die Menschen etwa schon alle mitbekommen, dass da zwei Schweine saßen, und mieden diese Straße nun?

»Das ist das Verrückteste, was ich jemals getan habe«, sagte Lunke vor sich hin. »Da hocke ich hier und warte darauf, dass ich überfahren werde.«

»Was hast du denn sonst schon für verrückte Dinge getan?«, fragte Kim.

»Einmal habe ich versucht, einem Hofhund, der das ganze Maul voller scharfer Zähne hatte, sein Fressen zu klauen«, erwiderte Lunke sinnend. »Dann habe ich in der Nacht einen Blecheimer umgeworfen, um Müll zu durchwühlen – mitten auf der Dorfstraße. Und dann habe ich mich in ein kleines rosiges Hausschwein…« Plötzlich verstummte er.

»Was hast du?«, fragte Kim nach. Der Stiefel schmeckte immer ekliger, am liebsten hätte sie ihn ausgespuckt.

»Ach nichts«, erwiderte Lunke. »Ich bin ein wilder Schwarzer, dem der Wald gehört – ich habe es nicht nötig, hier herumzulungern. Ich mache die Biege.« Er wollte sich schon umdrehen und verschwinden, als sich ein weißer Wagen näherte, der die Lichter eingeschaltet hatte, obwohl die Sonne gleißend vom Himmel schien.

Also gut, sagte Kim sich, diesen einen Wagen warten wir noch ab, dann verschwinden wir zum See.

Der Wagen wurde immer langsamer, bis er fast auf der Stelle stand. Kim sah, dass Kroll am Steuer saß. Er hatte sich so weit vorgebeugt, dass sie seine dicke Brille, seinen hässlichen Schnauzbart und seine großen dummen Augen sehen konnte. Neben ihm hockte Kommissar Ebersbach. Er hielt seine rechte Hand hoch, als würde er sich irgendwo festhalten, und schien etwas zu essen – jedenfalls machte sein grober Mund mahlende Bewegungen. Viel langsamer als die Autos vorher rollten sie an ihnen vorbei. Beide Menschen schauten sie an – entgeistert, fragend, jedenfalls nicht übermäßig intelligent. Aber auch dieser Wagen hielt nicht.

»Was jetzt?«, fragte Lunke. »Gehen wir?«

Kim nickte, dann bemerkte sie, dass der Wagen zurückrollte und die Tür an ihrer Seite geöffnet wurde. Ein schwarzer schmutziger Schuh tauchte auf, dann ein Hosenbein. Ebersbach wand sich ungelenk aus seinem Sitz und watschelte auf sie zu. Er schwitzte so heftig, dass ein säuerlicher Geruch vor ihm her wehte, und rieb sich mit einem weißen Tuch über die Stirn. Die grauen Stacheln auf seinem Kopf standen in alle Richtungen ab.

»Ich werd verrückt«, rief er Kroll zu und schnaufte

ungläubig. »Zwei leibhaftige Schweine. Kroll, ruf Verstärkung oder die Feuerwehr oder am besten beides.«

Kim ließ den Stiefel fallen und wartete, bis der dicke Mann sich auf zehn Schritte genähert hatte.

»Zurück«, raunte sie Lunke dann zu. »Wir müssen ihn zu Haderer locken.«

So lange war Kim noch nie ohne ein Mittagsschläfchen zwischendurch auf den Beinen geblieben. Insgeheim war sie stolz auf sich. Sie war zu Kaltmann gelaufen, mitten hinein in die Höhle des Schlächters, dann war sie mit Lunke am See gewesen, und anschließend hatten sie den toten Haderer entdeckt und den Kommissar und seinen Gehilfen herangelockt. Ein ziemliches Programm für einen gewöhnlichen Sommertag, an dem sie sonst träge über eine Wiese trabte und sich allenfalls darüber Gedanken machte, was sie fressen sollte.

Nun aber war es an der Zeit, zurück auf die Wiese zu gelangen. Lunke begleitete sie – auch ihm war die Müdigkeit anzusehen. Zudem war er recht einsilbig geworden. Als Kroll mit gezogener Pistole hinter Ebersbach und ihnen hergelaufen war, wäre er am liebsten davongerannt, aber diese Blöße hatte er sich vor einem gewöhnlichen Hausschwein dann doch nicht geben wollen.

Sie verabschiedeten sich mit einem kurzen Blick, als sie den Zaun erreicht hatten.

»Ich schaue gelegentlich mal wieder vorbei«, sagte

Lunke und tat recht gleichgültig, dann stob er ins Dickicht davon.

Kim war ein wenig enttäuscht – etwas ausführlicher hätte ihre Verabschiedung schon ausfallen können. Hatte Lunke etwa geglaubt, sie würde bei ihm bleiben und die Nacht mit ihm im Wald verbringen?

Vorsichtig trat sie über den Zaun, den zum Glück niemand repariert hatte. Aber wer hätte das tun sollen? Haderer würde auch nicht mehr auftauchen. Plötzlich war sie unsicher, ob sie dem Kommissar genug Hinweise gegeben hatten. Auf dem Weg, mitten zwischen den merkwürdigen Pflanzen hatten sie ihn mit Kroll stehengelassen, der unaufhörlich vor sich hin gegrinst hatte. Hoffentlich hatte Ebersbach den Kopf gehoben und Haderer in dem hohen Baum entdeckt.

Kaum hatte Kim die Wiese betreten, preschte Cecile heran. Sie quiekte aufgeregt. »He, da bist du ja endlich wieder! Ich dachte schon, ich sehe dich niemals wieder!« Ihr winziger Schwanz wedelte freudig hin und her. Schieres Glück stand in ihren Augen. »Wie war es in der Freiheit? Ist es da so schön, wie wir uns das immer vorgestellt haben?«

»Ja, fast so schön«, erwiderte Kim.

»Bist du auch geflogen?« Die Kleine war so aufgeregt, dass sie regelrecht anfing zu hecheln.

»Nein, geflogen bin ich nicht. Vielleicht versuche ich es beim nächsten Mal.« Kim schaute sich um. Die anderen lagen im Schatten des Stalls, weil die Sonne gnadenlos vom Himmel schien. Sie waren eindeutig beleidigt. Keiner schien sie eines Blicks zu würdigen, dabei wusste Kim genau, dass alle zu ihr herüberspähten.

»Bist du mit dem wilden Schwarzen abgehauen?«, fragte Cecile neugierig weiter. »Che hat das gesagt. ›Sie lässt uns im Stich und ist mit dem schwarzen Halunken über alle Berge.‹« Cecile versuchte Ches mürrischen Tonfall nachzuahmen, bei ihr klang es allerdings eher schrill und lächerlich.

»Habt ihr etwas zu fressen bekommen?«, fragte Kim besorgt, ohne ihr zu antworten. »Und hat euch jemand Wasser gegeben?«

Cecile schüttelte traurig den Kopf. »Kein Wasser – und zu fressen hatten wir nur ein bisschen Gras. In meinem Bauch ist ein riesengroßes Loch, und verdursten werde ich auch bald.«

»Aber warum seid ihr nicht durch das Loch im Zaun gelaufen und habt euch im Gemüsegarten etwas zu fressen geholt?« Kim konnte es nicht glauben.

»Das war Che zu gefährlich«, erwiderte Cecile. »Er meint immer noch, dass uns jemand eine Falle stellen will.«

»Ach Unsinn!« Kim sprach nun so laut, dass die anderen unwillkürlich zu ihr herübersahen.

Brunst machte vor Hunger ein trauriges Gesicht, während Doktor Pik aufmerksam und gleichmütig wie immer wirkte. Che dagegen war noch grimmiger als sonst.

Kim lächelte Cecile an. »Also gut, wenn die älteren Herren Angst haben, dann gehen wir beide eben allein in den Gemüsegarten.«

»Toll!« Cecile machte ein paar winzige wilde Sprünge und jagte auf das Loch im Zaun zu.

Kim lief neben ihr her und drehte sich dann noch einmal um. Die anderen sahen ihnen ungläubig nach, doch keiner rührte auch nur eine Klaue.

»Haderer kommt nicht mehr!«, rief Kim. »Das Betreten des Gemüsegartens ist ab sofort erlaubt!«

8

Wo blieb Kommissar Ebersbach? Warum kam er nicht mehr? Konnte es so lange dauern, den toten Haderer aus dem Baum zu holen?

Kim wäre es lieber gewesen, wenn sie sich nur über einen Teil des Gemüsegartens hergemacht hätten, um Dörthe nicht allzu sehr zu verärgern, aber natürlich hatte Brunst den Hals nicht voll bekommen können. Eine Spur der Verwüstung hatte er durch die Beete geschlagen. Salat, Gurken, Möhren, Kartoffeln – ihm war es vollkommen gleichgültig, was ihm zwischen die Zähne kam. Alles schlang er in sich hinein. Auch eine Pfütze hatten sie noch gefunden. Aber selbst Doktor Pik hatte seine Zurückhaltung abgelegt. Die vier fraßen noch gierig, als Kim schon wieder zurück auf die Wiese gelaufen war.

Sie wollte alles in Ruhe durchdenken. Im Gegensatz zu den anderen, die offenbar nur auf ihren Bauch hörten, machte ihr Denken Spaß. Sich zu überlegen, was alles passieren konnte. Möglichkeiten hin und her zu wenden. Was war mit Dörthe? Würde sie nun zurückkommen, da Haderer tot war? Immerhin konnte sie an dessen Tod nicht schuld sein. Aber vielleicht gab es ja zwei Schuldige? Und warum hatten sowohl Munk als auch Haderer nackte Füße gehabt?

Es gab so viele Dinge, die sie bedenken musste. Ihr wurde ganz schwindlig.

Und dann war da auch noch Lunke – für einen wilden Schwarzen war er wirklich ganz nett, auch wenn er ein Angeber war und ein recht großes Maul hatte. Allerdings hatte er sich auch als mutig erwiesen, mutiger als sie selbst, wie Kim zugeben musste. Auf einen Schlächter wie Kaltmann so geradewegs zuzugehen, war schon ein Zeichen von Mut – oder von seltener Dummheit. Verliebt war sie jedenfalls nicht in ihn. Schließlich bekam sie keine schwachen Beine, wenn sie an ihn dachte. Doktor Pik hatte das einmal gesagt: Man bekommt schwache Beine, wenn man verliebt ist. Keine Ahnung, woher der Alte das wusste. Che hatte sofort gemeint, Liebe sei eine Erfindung der Menschen, um Schweine gefügig zu machen. Das hatte Kim damals aber irgendwie nicht richtig verstanden.

Abgesehen davon gab es eine viel wichtigere Frage, über die sie nachdenken musste: Wie sollte es mit ihnen weitergehen, wenn sich niemand mehr um sie kümmerte? Sollte sie in die Freiheit abhauen und die anderen mitnehmen – den ewig grimmigen Che, die kleine, quengelige Cecile, den gefräßigen Brunst und den greisen Doktor Pik? Der Gedanke behagte ihr nicht.

Kim spürte, wie sie müde wurde. Das war alles zu viel für sie. Als ihr allmählich die Augen zufielen und aus der Dunkelheit Lunke heranflog und sie das Bild vor sich sah, wie er sich an sie geschmiegt hatte, bog plötzlich ein Wagen auf den Hof – ein glänzendes, schwarzes Monstrum. Es fuhr eine Runde und hielt dann so abrupt, dass die Reifen quietschten.

Den Mann, der ausstieg, kannte sie, er hatte Munk gelegentlich besucht und war in dessen Atelier umhergelaufen. Er trug immer dieselben Sachen – einen schwarzen Anzug, ein weißes Hemd und eine Sonnenbrille. Selbst bei Regenwetter hatte er dieses Gestell vor den Augen. Es hatte nie den Eindruck gemacht, als hätten Munk und dieser Mann sich gut verstanden, wie Kim nun einfiel.

Deutlich rümpfte der Mann die Nase, während er sich dem Haus zuwandte, als würde hier irgendetwas streng riechen. Ihnen auf der Wiese hatte er noch nie mehr als einen kurzen, angewiderten Blick zugeworfen. Statt sofort zur Haustür zu gehen, hielt er auf das kleine, vordere Fenster zu, durch das man vom Hof aus in das Atelier blicken konnte, falls Munk nicht den Vorhang zugezogen hatte, wie er es meistens beim Arbeiten getan hatte. Der Mann schob sich die Brille in sein schwarzes, leicht lockiges Haar und blickte durch das kleine Fenster. Dann pochte er gegen das Glas, als müsse er herausfinden, ob es noch genauso fest war wie bei seinem letzten Besuch. Schließlich stolzierte er, die Sonnenbrille wieder auf der Nase, zur Haustür hinüber und zog aus seiner Anzugjacke einen Schlüssel hervor, der in der Sonne blinkte. Einen Moment später hielt er jedoch inne. Kim konnte sehen, dass er nachdachte, aber dieses Nachdenken hinterließ einen Schmerz auf seinem Gesicht, als sei er daran nicht mehr gewöhnt.

Mit einer hektischen ärgerlichen Bewegung holte er einen von diesen silbernen Apparaten hervor, in den er einen Moment später mit unangenehm lauter Stimme hineinsprach. »Schredder hier, der Galerist von Munk. Was soll das?«, fragte er. »Ich stehe hier bei Munk und will ins Haus, aber an der Tür klebt ein Siegel. Wollen Sie mir etwa sagen, dass ich auf Sie warten muss, Herr Kommissar?«

Kim rückte ein Stück näher an den Zaun heran. Der Mann verströmte Ärger – mächtig viel Ärger. Wie es bei Menschen oft passierte, traten ihm Wasserperlen auf die Stirn, die er sogleich mit einem weißen Tuch abtupfte.

Ein anderer Mann kam auf einem schwarzen Fahrrad heran. Merkwürdigerweise hatte er seine Zunge herausgestreckt, als würde er schlecht Luft bekommen. Er hatte weiße Haare und war ebenfalls ganz in Schwarz gekleidet. Nur lugte unter seiner Jacke kein weißes Hemd hervor.

Der erste Mann bemerkte den anderen nicht. Er lauschte einen kurzen Moment in seinen Apparat hinein, dann sagte er wütend: »Hören Sie, ich bin ein viel beschäftigter Mann, ich habe meine Zeit nicht gestohlen. Robert Munk hat mich befugt, im Falle seines Ablebens unverzüglich seine Bilder an mich zu nehmen. Wissen Sie eigentlich, dass hier Bilder von unschätzbarem Wert lagern? Ich wette, Ihre Leute haben nicht einmal die Alarmanlage richtig eingeschaltet.«

Der zweite Mann hielt genau am Zaun an. Er hatte seine Zunge wieder eingeholt und stieg vom Fahrrad. Die Haut in seinem Gesicht war ganz zart und rosig, als würde er sich meistens in dunklen Häusern aufhalten. Lächelnd blickte er Kim an, während er sein Fahrrad an den Zaun lehnte. »Na, mein Ferkelchen«, sagte er mit einer sanften, wohlklingenden Stimme. »Genießt du auch das schöne Wetter, das der Herrgott uns gesandt hat?«

Kim lächelte zurück. So freundlich hatte lange niemand mehr mit ihr gesprochen.

Immer noch lächelnd, streckte der Mann seine Hand vor. Ein süßlicher Geruch stieg ihr in den Rüssel. Er hielt ihr etwas hin – etwas Rundes, Gelbes.

Kim schob ihre Lippen vor und packte das runde Etwas vorsichtig. Es schmeckte wunderbar süß, aber bevor sie dem Geschmack nachsinnen konnte, hatte sie das winzige Ding schon geschluckt.

»Na, schmecken dir Bonbons?« Der freundliche Mann beugte sich vor und tätschelte ihren Rüssel. »Friss schön, damit du rund und fett wirst. Bald ist Pfarrfest – da brauchen wir schöne Koteletts für den Grill.«

Grill? Kim schnaubte entrüstet auf. Was sollte das

bedeuten? Wütend begann sie in der kargen Erde zu scharren, allerdings nur kurz, denn mittlerweile hatte der erste Mann den zweiten bemerkt und schritt auf ihn zu.

Die beiden Männer gaben sich die Hand, wobei sie sich aufmerksam musterten.

»Alfons Schredder«, sagte der Mann mit der Sonnenbrille. »Ich bin der Galerist von Robert Munk. Traurige Geschichte, die hier passiert ist.«

Der andere Mann nickte. »Ja, überaus traurig, eine schreckliche Tragödie. Mein Name ist Altschneider – ich bin der Pfarrer aus dem Ort, Munks Beichtvater.«

»Robert hat gebeichtet?« Der Mann namens Schredder wich einen Schritt zurück, als wäre er entsetzt. »Was hat er denn gebeichtet?«

»Nun.« Altschneider rieb sich seine Hände, die beinahe genauso rosig waren wie sein Gesicht. »Sie werden verstehen, dass ich darüber nicht sprechen darf. Er hat auch nicht wirklich gebeichtet, eher hat er ... das Gespräch gesucht.«

»Ich kannte ihn eine ganze Reihe von Jahren und hätte schwören können, dass Robert Atheist war.« Schredder klang noch immer entrüstet.

Altschneider lächelte milde. Das war wohl seine Methode, erkannte Kim, immer lächeln und so tun, als wäre er freundlich, selbst wenn er daran dachte, Schweine auf den Grill zu legen. »Nun, ich darf wohl sagen, dass er sich der Kirche wieder angenähert hat. So sprach er bei unserer letzten Unterredung von einer beträchtlichen Schenkung, die er unserer Gemeinde in den nächsten Tagen machen wollte. Nun, ich hoffe, er konnte diese gute Tat noch in die Wege leiten.«

Der Apparat, den Schredder immer noch in der Hand hielt, schrillte unangenehm, doch er achtete nicht darauf. »Er wollte Ihnen etwas schenken – etwa ein Bild? Hat er von einem Bild gesprochen? Vielleicht seine letzte Arbeit, ›Die Frau auf dem Seelenfriedhof‹. Der Beginn seiner spirituellen Phase, wie er mir am Telefon erklärt hat.«

Altschneider hob die rechte Hand und machte eine weit ausholende Bewegung. Sein Blick glitt über Kim hinweg, und sein Lächeln wurde noch tiefer. »Eigentlich hat er nicht von einem Bild gesprochen. Vielmehr war von einer beträchtlichen Summe und diesem Anwesen die Rede.«

Schredder lachte so laut auf, dass Kim zusammenzuckte. Als sie eine Bewegung hinter sich wahrnahm, drehte sie sich um. Doktor Pik war herangekommen und hörte ebenfalls zu. Bis auf Brunst, der sich wahrscheinlich gar nicht von dem Gemüsegarten trennen konnte, waren auch die anderen auf die Wiese zurückgekehrt.

Altschneider hörte nicht auf zu lächeln, obwohl Schredder mittlerweile wieder ernst geworden war – viel ernster als zuvor, wenn Kim seine Miene hinter der Sonnenbrille richtig deutete.

»Sie belieben zu scherzen, Herr Pfarrer«, sagte er und nestelte an seiner Sonnenbrille herum. »Wissen Sie, wer Robert Munk war? Er war einer der größten Künstler dieses Jahrhunderts. Man kann ihn mit van Gogh, Picasso oder Klee vergleichen. Aus diesem Anwesen wird ein Museum, eine Wallfahrtsstätte … Robert mag sich in letzter Zeit merkwürdig verhalten haben, aber niemals hätte er das alles der Kirche vermacht. Absurd!«

Kim schreckte auf. Da war es gewesen – das Wort, das sie vergessen hatte. Klee? Hatte Munk nicht von Klee gesprochen, das letzte Wort, das über seine Lippen gedrungen war? Dieses Wort musste sie unbedingt im Gedächtnis behalten.

Sie wandte sich kurz ab, wiederholte das Wort in ihrem Kopf. Klee – grünes, saftiges Futter.

Die nächsten Worte, die Schredder sprach und bei denen sich sein Gesicht beträchtlich verdüsterte, bekam sie deshalb nicht mit.

Als sie ihre Aufmerksamkeit wieder auf die Männer richten konnte, war Altschneider an der Reihe.

»Mag sein«, sagte er, nun eine Spur weniger freundlich, »aber bis wir diese Frage geklärt haben, sollte es Ihnen besser nicht einfallen, etwas aus dem Haus mitzunehmen. Das könnte sich als Diebstahl am Eigentum Gottes herausstellen.«

Schredder lachte wieder. »So ist die Kirche, versucht sich alles unter den Nagel zu reißen – Betrüger allesamt.« Er schob sich seine Sonnenbrille ins Haar und blickte zur Wiese, als wollte er sich Kims Zustimmung einholen. Sie tat, als hätte sie seinen Blick nicht bemerkt. Überhaupt wurde ihr das Ganze zu kompliziert. Ihre Müdigkeit kehrte zurück. Schlafen, dachte sie, ich muss endlich schlafen.

Aber da rollte ein weißer Wagen auf den Hof – mit eingeschalteten Scheinwerfern.

Das Nickerchen musste wohl noch eine Weile warten.

Kroll und Ebersbach stiegen im selben Moment aus, doch während Kroll sich umsah, als müsste er sich erst orientieren, watschelte Ebersbach, ohne auf die beiden anderen Männer zu achten, geradewegs auf die Wiese zu.

Er trug keine Jacke mehr, sein Hemd war nass, so als hätte er sich auch in einem Wasserloch gewälzt. Schnaufend baute er sich am Zaun auf und starrte Kim an. Er wischte sich über die Stirn. Argwohn lag in seinem Blick – Argwohn und Mordlust. Ja, als hätte er am liebsten eine Waffe genommen und … Kim wollte nicht weiterdenken. Sie wagte nicht einmal, sich zu rühren.

»Kroll!«, stieß Ebersbach kurzatmig hervor. »Da ist dieses Schwein! Wie kommt dieses Schwein hierher?«

Kroll schritt eilig an seine Seite, wobei er beinahe über einen Pflasterstein, der ein wenig hervorragte, gestolpert wäre. Zwei große Tropfen hingen in seinem hässlichen Oberlippenbart. Er lugte Kim durch seine dicken Brillengläser an. Diesmal hielt er keine Pistole in der Hand.

»Ist es dasselbe Schwein?«, fragte Ebersbach leise, aber mit ungeduldiger Stimme. »Sag es mir, verdammt!«

»Es ist ein ziemlich gewöhnliches Schwein«, sagte Kroll nach einigem Zögern. »So viel ist sicher.«

Kim war überrascht, wie schlecht gelaunt die beiden waren. Eigentlich wäre doch ein wenig Dankbarkeit angezeigt. Ohne ihre und Lunkes Hilfe hätten sie Haderer wahrscheinlich nicht so schnell gefunden.

Ebersbach stöhnte auf. »Überprüf die Zäune, Kroll«, sagte er mit harter Stimme. »Du bist ab jetzt hier der Wachhund. Ich will dieses Schwein nie wieder auf der Straße sehen.«

Dann wandte er sich ab und schritt stöhnend, als würde ihn das allergrößte Mühe kosten, auf die beiden anderen Männer zu, die bisher schweigend zugesehen hatten und ihn mit einem matten Lächeln begrüßten.

9

Kim musste sich eingestehen, dass sie am Ende ihrer Kräfte war. Mochte sie auch noch so gerne nachdenken, so stürzten nun die Gedanken in ihrem Kopf durcheinander. Der Tag war viel zu lang gewesen. Sie war müde und durstig und verwirrt. Wahrscheinlich hätte sie nicht einmal in den Stall zurückgefunden, wenn Doktor Pik nicht an ihrer Seite gewesen wäre. Dass Kroll fluchend über die Wiese stapfte und versuchte, den Zaun, den Lunke niedergetrampelt hatte, zu reparieren, bekam sie gar nicht mehr richtig mit.

Obwohl es längst noch nicht dunkel war, legte sie sich entfernt von den anderen in die hinterste Ecke des Stalls. Das schmutzige Stroh scharrte sie beiseite. Dass sie auf dem nackten Betonboden lag, störte sie nicht. Sie registrierte nur noch, dass Doktor Pik sich neben sie legte. Im Schlaf schmiegte sie sich an ihn und genoss seine Wärme und die Sicherheit, die er ausstrahlte.

Wie gut die Dunkelheit tat, in die der Schlaf sie einhüllte. Sie träumte von der fetten Paula, ihrer Mutter, von dem wunderbaren Geruch, der von ihr ausgegangen war. So würde es nie wieder sein. Selbst im Traum spürte sie Sehnsucht und Wehmut nach den Tagen, als sie noch ein Ferkel gewesen war, das am liebsten und längsten an den Zitzen der Mutter gehangen hatte.

Schweine sind dazu da, geschlachtet zu werden. Auch das hatte ihre Mutter ihr beigebracht, um sie auf das Leben vorzubereiten. Doch das stimmte gar nicht. Kim war klug, sie konnte Wolken zählen und tote Menschen in Bäumen finden.

Dann war sie plötzlich wieder auf dem Transporter; eng zusammengedrängt, durstig, voller Angst, stand sie mit zwanzig anderen da, die genauso zitterten, vor Panik hechelten und japsten. Ich habe doch noch gar nicht gelebt. Diesen Gedanken hatte sie im Kopf gehabt. Wie konnte das sein? Jedes Wesen hatte doch das Recht auf ein Stück Leben, wie man das Recht hatte, einen Flecken Himmel zu sehen, klares Wasser zu trinken und jemanden zu finden, der einen liebte. Aber wer liebte sie? Lunke vielleicht – oder Dörthe, auch wenn es natürlich etwas anderes war, wenn ein Mensch einen liebte.

Der Unfall war immer etwas, das sie im Schlaf durchschüttelte. Kim spürte es beinahe jede Nacht. Das furchtbare Ruckeln, der Schrecken der anderen, der vielstimmige Aufschrei, dann der Sturz.

Wieder zuckte sie zusammen, und dann war sie wach, aufgetaucht aus den Tiefen des Schlafs.

Sie reckte den Kopf. Sie lag im Stall, neben ihr war Doktor Pik und schnaufte. Ein Stück entfernt schnarchte Brunst. Es war dunkel, nein, nicht ganz. Der Mond, fiel ihr ein. In den letzten Nächten war immer der volle Mond mit seinem Silberlicht da gewesen, aber das allein hätte sie nicht geweckt.

Mit einem Ruck sprang Kim auf.

Vor Glück hätte sie schreien können.

Da, die Gestalt, die mit baumelnden Beinen auf dem Gatter saß – das war eindeutig Dörthe. Sie war zurück. Ebersbach hatte den Toten im Baum gefunden, und da hatte er Dörthe zurückbringen müssen, denn sie konnte es nicht gewesen sein, die Haderer dort oben angebunden hatte. Kim war stolz auf ihre logischen Gedanken. Langsam kam sie heran und schnüffelte Dörthe zur Begrüßung ab.

»Hallo, kluge Kim«, sagte Dörthe und lächelte müde. Niemand sagte das so zärtlich wie sie.

Kim grunzte leise.

»Sie haben mich entlassen. Der Fingerabdruck war dem Richter zu wenig, jetzt, wo auch Haderer tot ist.« Dörthe klang verzagt und traurig.

Kim grunzte erneut, um anzuzeigen, dass sie das schon begriffen hatte, aber Dörthe achtete gar nicht darauf. Sie sprach weiter, mehr zu sich selbst.

»Ich habe ein wenig Angst, wenn ich ehrlich bin. Wer tut so etwas? Stößt Robert ein Messer in den Rücken?« Ihre Stimme zitterte leicht. »Es gibt wirklich

Schweine unter den Menschen ... nein, pardon, das darf man natürlich nicht sagen.« Dörthe lächelte entschuldigend und blickte Kim wieder an. »Hab's nicht so gemeint. Manche Menschen haben einfach einen schlechten Charakter ...«

Sie griff in ihre Hosentasche und holte eine Schachtel Zigaretten hervor. Sie zog eine heraus und steckte sie sich umständlich an. Kim mochte den Geruch zwar nicht, aber nun, da sie wieder da war, hätte Dörthe sich sogar eine ganze Schachtel auf einmal anstecken können, ohne dass es sie gestört hätte.

»Ach je«, sagte Dörthe dann und blickte dem Rauch nach. »Ich sollte das nicht tun – eine Zigarette nach der anderen rauchen. Ist ungesund.« Sie blickte über Kim hinweg. »Da ist noch etwas anderes. Ich weiß gar nicht, was ich tun soll. Ich bin schwanger – dritter Monat. Weiß nicht mal, wer der Vater ist – Robert oder Michelfelder, der verdammte Lügner.« Sie stieß wieder den Rauch aus, lachte dabei gezwungen und begann zu husten.

Kim blickte sie mitleidig an. Anscheinend nahmen die Schwierigkeiten kein Ende. Andererseits – sie hatte ihren Vater auch nie kennengelernt. Eine starke Mutter war viel wichtiger.

»Keine Ahnung, was ich nun tun soll«, wiederholte Dörthe, nachdem sie ihren Husten unter Kontrolle gebracht hatte. Sie fuhr sich durch ihr wildes rotes Haar. »Vielleicht behaupte ich einfach, das Kind sei von

Robert. Dann bleiben wir alle hier. Ich verkaufe nach und nach seine Bilder, und mein Kind wächst mit lebendigen Schweinen auf statt mit toten wie ich früher. Wäre doch kein schlechtes Leben, und Michelfelder schicke ich in die Wüste.«

Kim rieb ihren Rüssel wieder an Dörthes Bein. Ja, eine schöne Vorstellung, so zu leben, obwohl sie keine Ahnung hatte, wo diese Wüste für Michelfelder sein sollte, und wenn es ihnen dann noch gelänge, ein angeberisches wildes schwarzes Schwein aufzunehmen …

Plötzlich fuhr ein lautes Schrillen durch die Nacht, das Kim erst einmal gehört hatte, aber da hatte es viel leiser geklungen. Es war außerdem Tag gewesen, und sie hatte bei Sonnenlicht mit den anderen auf der Wiese gestanden.

Auch Dörthe zuckte zusammen. Sie sprang vom Gatter und riss dabei wohl aus Versehen die Tür zum Pferch auf.

»Die Alarmanlage!«, rief sie voller Panik. »Da versucht jemand, ins Haus einzubrechen!«

Kim jagte Dörthe nach, durch die Tür, einen schmalen Gang hinunter, der ganz rutschig war, ins Haupthaus. Hier war sie noch nie gewesen. Eine Vase war im Weg und zerbrach mit lautem Getöse, aber das kümmerte niemanden. Dörthe hatte alle Lichter angeschaltet und einen großen, runden Gegenstand in die Hand genommen, mit dem sie sich anscheinend verteidigen wollte. Sie war wirklich mutig. Gebückt schlich sie zum Eingang. Dann fiel ihr jedoch etwas anderes ein, und sie zog einen kleinen Apparat hervor, in den sie hineinsprach.

Kim konnte nur die Worte »Polizei« und »schnell« verstehen, denn noch immer schrillte die Alarmanlage. Es tat mächtig in den Ohren weh, und ihr Herz raste wie verrückt. Am liebsten wäre sie zurückgelaufen – zu dem weisen Doktor Pik und den anderen, aber dann hätte Dörthe hier allein gestanden.

Sie kam an Munks großem dunklem Atelier vorbei, aus dem es ekelhaft roch, und ihr Rüssel legte sich unwillkürlich in Falten.

Dann war sie neben Dörthe an der Eingangstür, die einen Spalt offen stand.

Dörthe griff zu einem Schalter, und das Kreischen erstarb. Das heißt, es klang noch eine Weile in den Ohren nach, aber irgendwann war es verschwunden. Sie lauschten gemeinsam, dann versetzte Dörthe der Tür einen Stoß, so dass sie langsam aufglitt.

Kim roch es, bevor sie es sah.

Aber das konnte nicht sein!

Was machte er da? Er roch nach dem See im Wald, nach Moder und frischem Gras.

Der Hof war hell erleuchtet, und Lunke stand im grellen Licht, den Kopf hoch erhoben.

Kim sah, dass er die Augen zusammenkniff und am liebsten die Flucht ergriffen hätte.

Vor ihm am Boden lag eine Gestalt, die sich hin und her wälzte und sich leise wimmernd das Bein hielt. Offensichtlich hatte Lunke kurz und heftig mit seinen Eckzähnen zugeschlagen.

Dörthe brauchte augenscheinlich einen Moment, um die Szene zu erfassen, die sich ihr da bot. Kim hörte, wie sie nach Luft schnappte, und nutzte die Gelegenheit, um an ihr vorbeizustürmen.

»Was tust du denn hier?«, rief sie Lunke zu, nicht besonders freundlich, wie sie selbst bemerkte.

»Dachte, es wäre nicht schlecht, wenn ich ein Auge auf euch habe«, erklärte er ruhig und grinste kurz. »Es waren zwei Männer. Habe sie beide erwischt, aber der eine ist leider entkommen. Der Feigling ist geradewegs in den Wald abgehauen.«

Der Mann auf dem Boden versuchte sich aufzurichten, doch da stieß Lunke noch einmal zu. Dann drehte er sich um und preschte von dem gleißend hellen Hof davon.

»Wir sehen uns!«, glaubte Kim als seine Abschiedsworte zu verstehen.

Nachdem er im Dickicht neben der Zufahrtsstraße verschwunden war, wandte Kim sich zu dem Mann um, dem sich Dörthe mit ihrer Bratpfanne in der Hand bis auf zwei Schritte genähert hatte.

Kim kniff die Augen zusammen, um auszuschließen, dass sie sich irrte. Sie kannte den Burschen – es war der Junge, der bei Kaltmann gearbeitet und mit einem scharfen Messer tote Schweine in Stücke geschnitten hatte.

Dörthe war wirklich zu bewundern. Das Licht fiel auf ihr rotes Haar, ihr Gesicht war ernst und drückte Entschlossenheit aus, wie sie den Jungen im Blick behielt. Sie legte auch die Bratpfanne nicht ab, um jeden Moment zuschlagen zu können, falls es nötig sein sollte.

Der Junge versuchte aufzustehen, aber sein Bein gab immer wieder unter ihm nach. Blut sickerte durch den Stoff seiner Hose. Keine Frage, Lunke hatte ihn nicht geschont.

»Sie bleiben hier, bis die Polizei kommt!«, stieß Dörthe energisch hervor. »Was wollten Sie überhaupt hier?«

Der Junge fluchte, als er wieder auf den Boden sank. Mit ängstlichen Augen wandte er sich Dörthe zu. Die Ähnlichkeit mit Kaltmann war wirklich frappierend – derselbe Stoppelschnitt, eine ähnlich rosige Haut im Gesicht, und er roch auch so widerwärtig wie der Schlächter. Kein Wunder, bei all dem rohen Fleisch, das sie jeden Tag zerlegten. Und hatte er nicht sogar »Vater« zu Kaltmann gesagt?

Der Junge hob die Hand, seine Augen schienen sich zu weiten. »Das Schwein da?«, sagte er. »Ist das auch so gefährlich?«

Kim meinte für einen Moment, Lunke sei vielleicht zurückgekehrt. Sie drehte den Kopf, doch da war niemand. Der Junge hatte auf sie gezeigt – sie sollte das gefährliche Schwein sein! Ein Gedanke, der sie überraschte und ihr gleichzeitig gefiel.

»Ich kann für nichts garantieren«, sagte Dörthe vollkommen ernst. »Wir haben keine Hunde, bei uns halten Schweine Wache. Einen besseren Schutz gibt es nicht.«

Der Junge sank kraftlos zu Boden. An seiner rechten Hand klebte ebenfalls Blut. Er begann wieder zu wimmern. »Ich wollte niemandem etwas tun«, sagte er leise vor sich hin. »Ich wollte nur ein Bild, irgendein Bild – wegen der Schulden. Vielleicht hätte man es gar nicht bemerkt bei den vielen Bildern, die da rumstehen.«

Durch die Nacht hallte eine Sirene heran. Dann entdeckte Kim einen hellen Schatten, der sich näherte. Ein Wagen kam auf der Straße angerast, auf dem Dach ein blaues, rotierendes Licht. Kim hatte das unbestimmte Gefühl, dass es Zeit war, sich zurückzuziehen. Am liebsten hätte sie Dörthe noch irgendwie mitgeteilt, dass ein zweiter Mann an dem Einbruch beteiligt war, aber vermutlich war sie klug genug, das selbst herauszufinden.

Wahrscheinlich ist der andere Kaltmann gewesen, dachte Kim. Der Junge und sein Vater – das sah den beiden Schlächtern ähnlich.

Zwei Polizisten in Uniform sprangen aus den Türen, nachdem der Wagen mit quietschenden Reifen auf dem Hof angehalten hatte.

»Ist das der Einbrecher?«, fragte der Ältere, der einen

grauen Schnauzbart hatte, während er mit gezogener Waffe auf Dörthe zueilte. So eine Pistole hatte auch Kroll in der Hand gehabt.

Der andere, der deutlich jünger war, verharrte mitten in der Bewegung. »Und was macht dieses Schwein hier?«, rief er. »Hat das Schwein den Mann verletzt?«

Dörthe drehte sich zu Kim um und blinzelte ihr zu. »Das ist die kluge Kim, mein Wachschwein«, sagte sie. »Sie hat niemanden verletzt – noch nicht.«

Warum wollte ein Mensch ein Bild stehlen? Was war das Besondere daran, wenn einer etwas malte, was auf einem Bild ganz anders aussah als in Wirklichkeit? Kim nutzte die Gelegenheit, auf dem Weg zurück in den Stall den Raum zu betreten, in dem Munk mit seinen Farben hantiert hatte. Sie tat es ganz vorsichtig, weil sie genau wusste, dass es verboten war. Munk war im Grunde ein freundlicher Mensch gewesen, aber hier hätte er Kim niemals geduldet. Selbst Dörthe hatte sich nicht oft in diesem Raum aufgehalten, auch wenn er der größte und wichtigste des Hauses war.

Mondlicht fiel durch die beiden Fenster herein. Von innen wirkte der Raum noch viel größer als von außen, wenn Kim von der Wiese hereingeschaut hatte. Es roch sonderbar, nach Farben, nach Zigarettenrauch, aber auch nach etwas anderem – nach Gedanken, vielen, bunten Gedanken, nach Freude, aber auch nach Wut und danach, dass man sterben konnte. Menschen,

Schweine, Bäume – alles konnte sterben. Ja, dieser Gedanke schwebte hier herum, als hätte Munk zuletzt viel an den Tod gedacht.

Konnte man all das wirklich riechen? Kim hatte das Gefühl, dass ihr Rüssel gleich furchtbar zu schmerzen anfangen würde. Das war alles zu viel. Sie sollte besser gehen, bevor sie noch verwirrter wurde und sich Dinge einbildete, die vielleicht gar nicht existierten.

Sie ging langsam durch den Raum, sah, wie ihr der eigene Schatten folgte. Ihre Klauen kratzten über den Boden, so dass es klang, als wäre da noch jemand bei ihr. Es war sehr still, auch wenn sie von draußen Stimmen und einen anderen Wagen hörte, der mit heulendem Motor auf den Hof fuhr. Die Bilder wirkten irgendwie lebendig. An der Wand hing die rothaarige Frau, die auf einem Schwein ritt. Im Mondlicht sah es aus, als würden beide gleich anfangen zu fliegen. Das Schwein hatte lediglich noch eine Klaue auf dem Boden. Daneben sah Kim ein Bild, auf dem alles auf dem Kopf stand: Grün wie die Wiese war oben, Blau wie der Himmel unten – merkwürdig und sehr verwirrend. Ein anderes Bild bestand nur aus grauen Schatten, aus denen zwei blaue Augen hervorblickten. Die Bilder, die sich aufgereiht auf dem Boden befanden, konnte sie nicht richtig sehen; da fiel das Licht des Mondes nicht hin. Auf einem glaubte sie eine Herde Schweine zu erkennen, aber diese Schweine existierten nur halb, ihre Köpfe schienen wie aus einem Nebel aufzutauchen. Noch eine rothaarige Frau gab es da, deren Kopf aus Flammen bestand, und sie hielt … Was hielt sie in der Hand umklammert? Ein Messer, eindeutig ein Messer mit einem schwarzen Griff!

Kim erstarrte. Die Gerüche im Raum wurden immer mächtiger und überwältigender. Farben wirbelten vor ihren Augen. Sie musste gehen, sofort; ihr Herz hämmerte in ihrer Brust, als wäre sie zehn Mal über die Wiese gelaufen, hin und zurück.

Als sie sich umwandte, hätte sie beinahe das Bild umgestoßen, das auf einem Gestell stand und das am intensivsten nach Farbe roch. Sie kniff die Augen zusammen. Eine Seite des Bildes war hell, die andere dunkel. Sie brauchte einige Zeit, um das Gesicht eines Menschen zu erkennen, nein, das waren zwei Menschen, die einen leichten grauen Bart hatten und grüne Augen. Munk hatte sich selbst gemalt, aber so, als gäbe es ihn zweimal: Sein helles Gesicht blickte sein dunkles an.

»Tut mir leid«, sagte Kim zu dem hellen Gesicht, das für sie auf einmal Munk war, »ich wollte mir nur die Bilder anschauen. Sie sind sehr schön. Ich gehe jetzt wieder und sage niemandem, dass ich hier war.«

Mit kratzenden Schritten, die sie unweigerlich verraten hätten, wäre jemand draußen im Flur gewesen, machte sie kehrt. Der Versuchung, in dem anderen Raum herumzuschnüffeln, in dem die Menschen ihr Fressen einnahmen, widerstand sie. An den Scherben der Vase vorbei ging sie durch den schmalen Korridor in den Stall, der sich hinten im Haus befand. Selbst bis hierhin drangen die Stimmen vom Hof. Die anderen hatten trotz des Lärms wieder nichts mitbekommen. Cecile lag zwischen Che und Brunst und atmete im Schlaf leise ein und aus, während die beiden großen Schweine im Wechsel heftig schnaubten. Nur Doktor Pik hatte sich zur Wand gedreht. Kim legte sich wieder neben ihn.

Wo Lunke jetzt wohl ist? fragte sie sich. Wenn er nicht gewesen wäre, hätten Kaltmann und sein Gehilfe Dörthe schrecklich viel Ärger bereiten können. Es war augenscheinlich gefährlich, allein in dem Haus zu leben. Vielleicht mussten sie sich demnächst tatsächlich als Wachschweine betätigen.

Kaum hatte Kim sich wieder an Doktor Pik geschmiegt, hörte sie, wie watschelnde Schritte sich näherten. Ohne die Augen zu öffnen, erkannte sie an den unrhythmischen Bewegungen und dem Geruch, dass Ebersbach herankam. Er verharrte am Gatter. Kim glaubte zu spüren, dass sein Blick argwöhnisch auf ihr ruhte.

»Schwein«, sagte er in einem unfreundlichen Flüsterton, »ich weiß, dass du dich schlafend stellst. Aber ich werde noch herausfinden, was es mit dir und diesem hässlichen Wildschwein auf sich hat. Das schwöre ich dir!«

Einen Moment später ging er mit schlurfenden Schritten davon.

Kim fiel auf, dass sie die ganze Zeit den Atem angehalten hatte.

Hässliches Wildschwein? Man konnte viel über Lunke sagen, aber nicht, dass er hässlich war, trotz der Narben und des kaputten Eckzahns.

10

»Ich bin zu einem Entschluss gekommen!«, verkündete
Che. »Wir sollten es doch wagen.« Er hatte sich vor
der offenen Tür aufgebaut, durch die das helle Licht der
Morgensonne fiel. »Den Ausbruch – die Revolution –
den Sprung in die Freiheit. Wir verlassen unser Gefängnis! Die Sklaverei durch den Menschen ist beendet!«

Kim rollte herum. Offenbar hatte sie den Beginn der
flammenden Rede verschlafen. Die anderen hatten sich
vor Che aufgereiht und blickten ihn ehrfurchtsvoll an.
Selbst Doktor Pik machte bei dem Spiel mit. Auf Kims
Anwesenheit hatte Che jedoch augenscheinlich keinen
Wert gelegt. Er hielt den Kopf vorgereckt und bedachte
sie mit einem strengen Blick, dann wandte er sich gleich
wieder den anderen mit wichtiger Miene zu.

»Wir brechen aus und machen den wilden Schwarzen ein Angebot. Wir sagen ihnen, dass wir bereit sind,
sie zu führen – gegen die Menschen, für die Freiheit
aller Schweine, egal ob weiß oder schwarz. Damit schlagen wir heute ein neues Kapitel auf. Das Kapitel der

Freiheit.« Er betonte jedes einzelne Wort, so dass seine kurze Rede ziemlich abgehackt und unverständlich klang.

»Habt ihr nachgeguckt, ob der Polizist gestern den Zaun repariert hat?«, rief Kim, während sie sich mühsam aufrichtete. Sie fühlte sich immer noch erschöpft, als hätte sie längst nicht genug Schlaf bekommen.

»Was?«, fragte Che mit schriller Stimme. »Was soll das heißen – den Zaun repariert? Die ganze Nacht habe ich über unseren Ausbruch und unsere Vereinigung mit den Schwarzen nachgedacht!«

Kim versuchte sich an einem Lächeln. »Der eine Polizist hat gestern dem anderen den Auftrag gegeben, nach dem Zaun zu sehen.«

Cecile quiekte entsetzt auf. »Heißt das, dass wir nun keine Revolution machen können?«

Brunst schritt an Che vorbei und grummelte: »Die Revolution muss sowieso warten. – Ich habe Hunger.«

Doktor Pik schaute Kim an. »Geht es dir besser?«, erkundigte er sich sanft, an der Revolution, die Che ausgerufen hatte, denkbar uninteressiert.

Sie nickte.

»Was ist heute Nacht geschehen?«, fragte er weiter. Anscheinend hatte er im Gegensatz zu den drei anderen doch etwas mitbekommen.

Kim erzählte rasch von Dörthe und dem Einbrecher, während sie auf die Wiese liefen. Che folgte ihnen mit mürrischer Miene, ohne jedoch ein Wort zu sagen.

Schon von weitem konnte man sehen, dass jemand den Zaun wieder aufgerichtet hatte, notdürftig zwar, aber der Durchschlupf war verschwunden. Stumm verteilten sie sich auf der Wiese. Solange niemand kam und ihnen Brot, Kartoffelschalen oder was auch immer brachte, mussten sie sich mit den wenigen Grashalmen begnügen, die hier noch wuchsen. Sehnsüchtig schaute Kim zu dem Gemüsegarten hinüber. Nun bedauerte sie, sich nicht den Bauch vollgeschlagen zu haben, als sie Gelegenheit dazu gehabt hatte. Überhaupt spürte sie eine große Niedergeschlagenheit. Wahrscheinlich hatte sie in den letzten Tagen viel zu viel nachgedacht. Nachdenken machte doch nicht so viel Spaß, wie sie immer geglaubt hatte, besonders dann nicht, wenn man hungrig und durstig über eine karge Wiese trabte.

Endlich, als die Sonne schon hoch am Himmel stand, kam Dörthe. Sie sah angestrengt aus, aber immerhin füllte sie die Blechwannen mit Wasser auf und warf ihnen Salat und Brot hin, auf das sich alle sogleich stürzten. Wie immer sicherte Brunst sich die besten und größten Bissen.

Später sah Kim, wie Dörthe durch das Haus lief und unentwegt in den kleinen silbernen Apparat sprach. Ihre Stimmung wurde immer düsterer. Wieso hatte Dörthe sie gar nicht beachtet? Lunke und sie hatten sie doch gestern Nacht aus höchster Gefahr gerettet!

Überhaupt Lunke! Würde er am Abend wiederkommen?

Kim spürte einen leichten Stich, als sie an den wilden Schwarzen dachte.

Und dann stand er plötzlich am Zaun, am helllichten Tag.

»He, Babe!«, brüllte er. »Wie wäre es mit einem kleinen Ausflug?«

Kim spürte, wie ihr Herz einen Moment aussetzte. Was fiel ihm ein, so zu schreien? Die anderen schauten sich erst nach ihm, dann nach ihr um. Che blickte noch grimmiger, und Cecile quiekte aufgeregt: »O ja, lasst uns alle einen Ausflug machen!«

Kim trabte über die Wiese auf Lunke zu. »Bist du verrückt geworden?«, zischte sie. »Die anderen sind sowieso schon komisch drauf – und die Menschen machst du auch auf dich aufmerksam.«

Lunke lachte tief und kehlig. Er wollte gar nicht mehr aufhören zu lachen, kugelte sich förmlich. »Ist mir scheißegal«, stieß er prustend hervor. »Ich will einen Ausflug mit dir machen – will dir was zeigen, Babe.«

»Nenn mich nicht Babe, verdammt«, zischte Kim noch ärgerlicher. »Außerdem dürfte dir aufgefallen sein, dass jemand den Zaun repariert hat.«

Lunke kniff die Augen zusammen. »Oh!«, sagte er, ehrlich überrascht. Dann warf er sich mit einer flinken Bewegung gegen den Zaun, so dass der aufgerichtete Pfahl mit einem leisen Ächzen erneut einknickte. »Jetzt hast du wieder Ausgang!« Er lachte noch lauter und dröhnender. »Nun mach schon, Babe! Ich bring dich auch wohlbehalten zurück!«

Eigentlich ging sie nur mit, damit er aufhörte zu lachen, sagte Kim sich.

»Aber du musst versprechen, mich nicht mehr Babe zu nennen!« Sie schaute ihn streng an.

Er grinste. »Versprochen, Babe!«

Dann drehte er sich um und rannte los. Den anderen auf der Wiese, die sie unverwandt anstarrten, rief er noch ein »Bis später, Schlappschwänze« zu.

Kim hatte Mühe, ihm zu folgen. Zwischendurch brach Lunke immer wieder in tiefes kehliges Lachen aus, das seinen mächtigen Körper bis zur letzten Borste durchschüttelte.

»Was ist los?«, rief sie ihm nach. »Wo führst du mich hin?«

»Ins Paradies«, entgegnete er und lachte wieder. »Komm mit mir ins Paradies!«

Er war eindeutig verrückt geworden, aber irgendwie war sein Lachen auch ansteckend. Kim merkte jedenfalls, wie ihre düstere Stimmung nach und nach von ihr abfiel. Zum Teufel mit Dörthe und dem toten Munk und all den Rätseln, die ihr Kopfzerbrechen bereiteten!

Dann jedoch bemerkte sie, welche Richtung Lunke eingeschlagen hatte. Er lief auf breiten Waldwegen, als müssten sie niemanden fürchten, auf Haderers Hütte zu. Wollte er ihr zeigen, dass der Tote immer noch in den

Zweigen hing? Dass der dicke Ebersbach den Leichnam gar nicht entdeckt hatte?

Kim wurde langsamer, schließlich blieb sie stehen. Sie wollte nichts mehr mit toten Menschen zu tun haben.

Lunke schien zu registrieren, dass sie ihm nicht mehr folgte. Kurz vor dem Feld mit den seltsamen Pflanzen bremste er ab und wandte den Kopf.

»Keine Sorge«, sagte er besänftigend. »Sie haben den Toten abgeholt – da ist niemand mehr!«

Kim machte einen Schritt auf ihn zu. Sie war schwer außer Atem. Mit Lunke zusammen zu sein, war anstrengend.

»Was wollen wir dann hier?«, fragte sie zaghaft.

Lunke deutete auf die Pflanzen. »Wir fressen, dann gehen wir schwimmen, und anschließend fliegen wir ein bisschen!« Seinen Worten schickte er ein dröhnendes Lachen hinterher.

»Fliegen? Wie sollen wir denn fliegen?« Was für einen Unsinn erzählte Lunke da?

Er antwortete jedoch gar nicht, sondern war schon in dem Feld mit den großen grünen Pflanzen verschwunden. Eine breite Bresche wies den Weg zu ihm.

»Babe!«, rief er und schmatzte genussvoll. »Das musst du einfach probieren!«

Vorsichtig riss sie an einer der grünen Pflanzen, dann an der nächsten. Wonach schmeckte das? Ein wenig bitter, aber würzig und höchst interessant. Die nächsten Pflanzen schlang sie förmlich hinunter. Nach der sechsten oder siebten Pflanze spürte sie eine ungeheure Leichtigkeit, bei der neunten begann sie laut loszulachen, einfach so, weil sie da war und der Himmel blau, weil man sie Kim nannte – ach, es war vollkommen gleichgültig, sie lachte ohne jeden Grund.

Lunke tauchte heftig schmatzend neben ihr auf. »Jetzt siehst du, was ich meine!« Er lachte so laut, dass es aus dem Wald widerhallte.

Irgendwo waren Motoren zu hören und Stimmen, die sich näherten, aber es beunruhigte sie keinen Moment. Sollten die Baummörder doch tun, was sie wollten!

»Sind wahrscheinlich nur Menschen!«, sagte Lunke, als würde er von harmlosen Kaninchen oder Feldhasen sprechen, dann biss er sie zart in den Nacken, einmal, zweimal, immer wieder, und ein nie gekannter Schauder durchfuhr sie. Er war so geübt darin, dass sie nicht mal seine scharfen Eckzähne spürte.

Kim verzog das Gesicht und seufzte. Kein unangenehmes Gefühl, ihn so nah zu spüren. Er roch streng und stark, ganz anders als Che oder Brunst, die in Wahrheit gar keine Eber mehr waren, auch wenn sie sich so aufspielten. Kim seufzte wieder und rieb sich an ihm. Als sie schon pflichtschuldig sagen wollte, er solle aufhören, ihr in den Nacken zu beißen, drehte er plötzlich ab und näherte sich ihr von hinten. Sie spürte seine Bewegungen, seine Borsten, die über ihre rosige, empfindliche Haut strichen, und schloss die Augen. Verdammt, sie war verliebt – in einen wilden Schwarzen, der verrückt war und unaufhörlich lachte. Sie schwelgte in diesem Gefühl; es war neu und fremd, aber es gefiel ihr.

Sie hörte, wie er atmete und leise vor sich hin lachte, dann brach auch sie in schrilles Lachen aus, das aber merkwürdigerweise aus ziemlicher Entfernung zu dringen schien. Ihr Lachen veränderte sich auch – wurde lauter, fremder und schrecklicher. Sie sollte damit aufhören, aber irgendwie konnte sie es nicht. Auf einmal wurde ihr auch ein wenig schwindlig, und ihre Beine knickten ein, jedenfalls die Hinterläufe. Sie merkte, dass sie heftiger atmete. Ihr war so heiß, dass sie dringend etwas saufen musste. Lunke – wo war er? War er noch hinter ihr? Ihr war plötzlich übel! Ihr Magen stand in Flammen, nein, ihr ganzer Körper brannte. Lunke – er musste ihr helfen. Sie meinte, seinen Atem zu hören, ganz nah, irgendwo hinter ihr. Sie flüsterte seinen Namen. »Mir ist schlecht, Lunke«, doch er schien es nicht mitzubekommen. Irgendwo fern war eine menschliche Stimme, aber wo genau, wusste sie nicht zu sagen. Sie hatte völlig die Orientierung verloren.

Ihr Zustand verschlechterte sich mit jedem Atemzug. Atmen – konnte sie das überhaupt noch? Sie wusste es nicht. Nun knickten auch ihre Vorderbeine ein.

Lunke, mir ist todschlecht, schrie sie, ich sterbe – mein letztes Stündlein hat geschlagen.

Schrie sie es tatsächlich?

Nein, sie wusste es nicht. Sie brachte keinen Ton mehr heraus.

Sie war tot. Das war es – sie war tot, und es war kein Messer gewesen, kein Gewehr eines Menschen. Ihr eigenes schreckliches Lachen, das sich wie eine heimtückische Krankheit in ihr ausgebreitet hatte, hatte sie umgebracht.

Als sie die Augen wieder öffnete, wusste Kim, dass etwas ganz und gar nicht in Ordnung war. Ihr war so übel wie noch nie, aber sie lebte. Sie war nicht gestorben, es hatte sich nur so angefühlt.

Lunke lag neben ihr; er hatte die Augen geschlossen und lächelte selig. Er schien auch nicht gestorben zu sein.

»Bist du nicht geflogen?«, fragte er sanft, ohne die Augen zu öffnen.

»Geflogen? Nein, mir ist übel.« Ihre Stimme war so heiser, dass sie sich selbst kaum hören konnte. »Was hast du mir da zu fressen gegeben?«

»Schade«, sagte Lunke, »ich dachte, es würde dir gefallen. Ich fliege immer noch – sehe Wolken, Bäume und ein kleines rosiges Schwein, das göttlich riecht …« Er schnaubte, und Kim ärgerte es, wie entrückt und träumerisch er sich anhörte, als wäre er gar nicht bei sich.

»Ich will nach Hause«, sagte sie. Es klang überaus jämmerlich. Dann kam ihr der Gedanke, dass sie sich wahrscheinlich gar nicht auf den Beinen würde halten können.

»Lass mich noch ein wenig dösen«, sagte Lunke. Er

hatte sie noch nicht einmal angeschaut, was sie ebenfalls ärgerte.

Vorsichtig blickte sie sich um. Sie lagen im hohen Gras, ein wenig erhöht auf einem kleinen Wall. Ein ganzes Stück vor ihnen war das Feld mit den bitteren Pflanzen, immerhin in so großer Ferne, dass ihr von dem Geruch nicht gleich wieder übel wurde. Hinter ihnen befand sich der Wald. Wie war sie hierher gekommen? Und überhaupt – was hatte Lunke mit ihr angestellt? Hatte er sie hierher gelockt, um sie ... Kim spürte, wie sie errötete und ihr heiß wurde. Stimmten die Geschichten doch, die man sich über die wilden Schwarzen erzählte? Sie waren rücksichtslose Bestien, die immer nur das eine im Sinn hatten?

Sie rückte ein wenig von Lunke ab. »Ich möchte jetzt gehen«, sagte sie.

»Gleich«, sagte Lunke schläfrig. »So lange sind wir noch gar nicht hier – kommt dir nur so vor, weil die Zeit im Moment keine Rolle spielt. Und schwimmen waren wir auch noch nicht.«

Mühsam rappelte Kim sich auf. Zum Glück gaben ihre Beine nicht nach, auch wenn sie etwas wacklig dastand.

Plötzlich schreckte auch Lunke hoch und riss die Augen auf. »Achtung!«, raunte er ihr zu. Seine Sinne funktionierten viel besser als ihre, aber dann roch auch sie es: Schweine! Sie kamen links von ihnen vorsichtig aus dem Wald geschlichen. Ein größeres mit einem langen weißen Fleck auf dem Rücken, gefolgt von einem fetten, das kaum die Beine heben konnte, und dessen Bauch über den Boden zu schleifen schien, dann ein winziges Schwein, das vor Angst unaufhörlich leise quiekte.

»Sieh mal an«, sagte Lunke und stieß sie in die Rippen. »Deine traurigen Helden haben sich von eurer Wiese gewagt. Fehlt nur der Alte mit den schiefen Zähnen.« Er kicherte leise.

Che schritt mit erhobenem Kopf voran. Alle drei Schritte hielt er inne und raunte den anderen etwas zu, was sich wie ein strenger Befehl anhörte. Doktor Pik fehlte tatsächlich. Er schien als Einziger an diesem Ausbruch kein Interesse gehabt zu haben.

»Gleich kriegen wir richtig was zu sehen.« Lunke lachte noch höhnischer.

Kim bemerkte, dass er den Blick nach rechts gewandt hatte. Sie blinzelte vorsichtig. Ihr war noch immer übel, aber ihre Augen schienen wieder zu funktionieren. Da standen vier mächtige Schwarze, die sich nebeneinander aufgebaut hatten, als hätten sie auf die Weißen gewartet.

»Das gibt eine schöne Keilerei«, flüsterte Lunke. »Bei unangemeldetem Besuch versteht die Rotte keinen Spaß – vor allem Emma, die alte Bache, nicht. Selbst ich gehe ihr aus dem Weg – meistens jedenfalls.«

Kim spürte, dass ihr Maul völlig ausgetrocknet war. Che und Brunst kamen näher. Hatten sie die Gefahr etwa noch nicht erkannt? Sie mussten die Schwarzen doch auch riechen, aber nein, diese verdammten Pflanzen rochen so durchdringend, dass man kaum etwas anderes wahrnehmen konnte, wenn man vor ihnen stand.

»Ich muss sie warnen«, brachte Kim mühsam hervor. Ihr Blick war auf Che fixiert, der ihr auf einmal unglaublich dumm vorkam. Er schritt mit wichtigtuerischer Miene weiter, als wäre er das klügste Schwein der Welt, genau hinein in sein Verderben. Aber wieso waren die wilden Schwarzen überhaupt hier? Am helllichten Tag?

Lunke kicherte wieder. »He«, sagte er, »das ist unser Glückstag. Heute kriegen wir richtig was geboten. Die Schlacht am Waldsee: Weiß gegen Schwarz, Feiglinge gegen Abenteurer, Schlappschwänze gegen erfahrene Kämpfer.« Die Begeisterung riss ihn förmlich mit.

Emma, die muskulöse Bache, gab ein heiseres Geräusch von sich, eine Art Räuspern oder ein geraunter Befehl. Che hob alarmiert den Kopf, sein Rüssel glitt hektisch hierhin und dorthin, als wittere er endlich die Gefahr.

»Gleich kommt der Angriff, aber keine Angst, sie werden ihnen nicht wirklich etwas tun – sie werden ihnen nur einen gehörigen Schrecken einjagen und zeigen, was das Wort ›Revier‹ zu bedeuten hat«, erklärte Lunke.

Die vier Schwarzen rückten im Gleichschritt vor. Nun hatte auch Che sie gesehen. Er hob einen Klaue, wie zum Gruß. »Hallo, Brüder und Schwestern«, rief er unsicher, »wir möchten euch, unseren Genossen im Kampfe, einen freundschaftlichen Gruß entbieten.« Doch die Bache und die drei anderen Schwarzen achteten gar nicht darauf, sondern stießen nur heißen, gefährlichen Atem aus.

»Genossen im Kampfe!«, prustete Lunke. »Der Schlappschwanz wird gleich herausfinden, was das genau heißt – komischer Vogel.« Er blickte Kim kurz an. »Wir sollten uns lieber bereit machen, uns zu verziehen. Kann sein, dass Emma uns längst gerochen hat und meint, du gehörst auch zu diesem traurigen Haufen.«

Kim erhob sich mühsam, und dann bemerkte sie den weißen Wagen, der auf Haderers Haus auf Rädern zuhielt. Die Scheinwerfer waren wie immer eingeschaltet. Eine Tür wurde geöffnet. Kroll stieg aus, aber er war allein, kein zweiter Mann kletterte von dem Beifahrersitz.

Sie stieß Lunke an, der immer noch die Rotte der Schwarzen im Blick hielt. Der Abstand zu den Weißen hatte sich auf zehn Schritte verringert. Die Bache hielt den Kopf gesenkt, als wollte sie gleich lospreschen, während Che immer noch eine Klaue erhoben hatte und irgendetwas von »Freundschaftsbesuch« und »Verständigung« faselte.

»Sieh doch, dort!«, zischte Kim zu Lunke. »Da ist der eine Polizist.«

Unwillig wandte Lunke den Blick, weil er fürchtete, er würde den Angriff verpassen. »Dieser Mensch war gestern Nacht auch da. Ist um das Haus geschlichen.«

»Was?«, fragte Kim verwundert. »Ich dachte, Kaltmann wäre der zweite Mann gewesen.«

»Kaltmann?« Lunke schaute sie überrascht an. »Der Schlächter mit den Messern? Nein, der zweite war viel älter, mit weißen Haaren. Und dieser Mensch da ist abgehauen, als die beiden anderen gekommen sind, wollte ihnen wohl nicht begegnen.«

Kroll hatte sich ein Stück von Haderers Haus auf Rädern entfernt und hielt genau auf die bitteren Pflanzen zu. Er beugte sich über eine und roch an ihr. Lächelnd zog er einen kleinen Gegenstand aus seiner Jacke und schnitt die Blüte der Pflanze ab.

Im nächsten Moment preschte die Bache vor. Che stieß einen entsetzten Schrei aus, Brunst knurrte aus vollem Hals, und Cecile quiekte, als hätte man sie aufgespießt. Die Weißen machten panisch kehrt und rannten in den Wald zurück. So schnell sie konnten, suchten sie ihr Heil in der Flucht, aber die Schwarzen stürmten ihnen nach, dass der Boden zu beben schien. Ein wildes Gegrunze und Gekeife erfüllte den Wald, Äste brachen, Zweige knackten, und auch Kroll, aufgeschreckt von diesem animalischen Lärm, rannte zu seinem Wagen, sprang hinein und raste davon.

11

Auf wackligen Beinen erreichte Kim, nachdem Lunke ihr den Weg gezeigt hatte, die Wiese. Bei ihrem Abschied hatte er ein wenig schuldbewusst ausgesehen. Kim war immer noch übel, als hätte sie mit den seltsamen Pflanzen ein verheerendes Feuer geschluckt, daher überließ sie es Doktor Pik, die anderen, die augenscheinlich noch durch den Wald irrten, in Empfang zu nehmen. Sie wünschte sich nichts sehnlicher, als sich im Schatten des Hauses hinzulegen und von niemandem gestört zu werden. Sie musste schlafen und neue Kräfte sammeln. Erst danach würde sie ein paar Dinge durchdenken können. Eines aber wusste sie genau: Niemals wieder würde sie diese bitteren Pflanzen fressen – da konnte Lunke ihr erzählen, was er wollte.

Als sie sich auf ihrem Lieblingsplatz niederließ, unter dem Apfelbaum, der dem Haus am nächsten war, registrierte sie aus den Augenwinkeln, dass Che und Brunst durch das Loch wankten. Che hatte zwei blutige Striemen, die über seine linke Flanke liefen, und Brunst war so außer Atem, dass er nach drei Schritten auf der Wiese zusammensank und sich nicht mehr regte, obwohl Doktor Pik ihm gut zuredete, sich vor der heißen Sonne in Sicherheit zu bringen, die ihm die Haut versengen würde.

Geschieht ihnen recht, dachte Kim. Warum hatten sie auch nicht aufgepasst und waren ohne jede Vorsicht in das Revier der wilden Schwarzen eingedrungen?

Sie schloss die Augen, schreckte aber im nächsten Moment wieder auf. Ein riesiges Motorenungetüm fuhr auf den Hof. Genau auf so einen Transporter hatte man sie damals gesperrt, und wäre dieses Metallmonstrum nicht verunglückt, wäre sie aller Wahrscheinlichkeit nach im Schlachthaus gelandet. Panik erfasste sie. Was wollte dieser Transporter hier? Plötzlich fiel ihr noch etwas anderes ein: Wo war eigentlich Cecile? Hatte sie etwas übersehen, oder waren Che und Brunst tatsächlich ohne die Kleine zurückgekehrt?

Kim richtete sich mühsam auf, um zu Doktor Pik und den anderen zu traben, als sie bemerkte, dass zwei Männer über die Wiese auf sie zuhielten. Einer trug einen weißen Kittel, und der andere war Ebersbach. Der Kommissar deutete auf sie. Er lächelte falsch.

»Das ist der Anführer der Schweine«, erklärte er mit lauter Stimme. »Ich will, dass Sie das Tier einfangen und untersuchen. Finden Sie heraus, was mit diesem Schwein nicht stimmt.«

»Das Tier sieht wie ein ganz normales Hausschwein aus«, erwiderte der Mann im weißen Kittel mit teilnahmsloser Stimme. »Ist übrigens eine Sau, vielleicht ein bis zwei Jahre alt. Gefährlich sind solche Tiere für gewöhnlich nicht, wenn sie gesund sind. Man sollte sich nur nicht beißen lassen.«

Ebersbach schüttelte den Kopf. Die grauen Haare standen nach allen Seiten ab. Er schwitzte wieder, dass der Kragen seines Hemdes sich ganz dunkel verfärbt hatte. »Treffen Sie alle notwendigen Sicherheitsvorkehrungen. Ich möchte nicht, dass etwas schiefgeht.«

Der Kittelmann winkte einen anderen heran, der einen blauen Overall trug und eben erst aus dem Transporter gestiegen war. Mit zwei langen glänzenden Stangen näherte sich der Mann im Overall.

Kim bemerkte, wie sich ihr Herzschlag beschleunigte. Sie fühlte sich unendlich schwach, und nun wollte man sie auch noch einfangen. Was für ein schrecklicher Tag!

Während Ebersbach sich langsam zurückzog, ohne sie aus den Augen zu lassen, begannen die beiden Männer sie zu umrunden und ihr mit den Stangen leichte Schläge zu versetzen, um sie in Richtung Transporter zu treiben.

Ihr Herz pochte immer lauter. »Hilfe!«, schrie sie, als könnte sie auf diese Weise ihre Panik loswerden, und sah sich nach den anderen um. Doktor Pik und Che blickten mit verständnislosen Mienen zu ihr herüber, ohne jedoch auch nur eine Klaue zu bewegen. Brunst hob nicht einmal den Kopf, und Cecile schien wirklich nicht da zu sein. »Verdammt, seht ihr nicht, dass die Kerle mich einfangen wollen?«

Die Stangen gruben sich in ihre empfindliche Haut und begannen ihr wehzutun. Kim fing an zu hecheln, als könnte sie so die Angst, die in ihr aufstieg, im Zaum halten. Klar, dass von Che keine Hilfe zu erwarten war, aber vielleicht war Lunke noch in der Nähe und würde sie retten. Und wo war eigentlich Dörthe? Wie konnte sie zulassen, dass man sie entführte? Kim stieß einen gellenden Schrei aus, der jedoch irgendwie in ihrer Kehle erstarb.

Die beiden Männer blickten sich ernst an, als hätten sie endlich begriffen, dass Kim tatsächlich gefährlich war. Ebersbach hatte sich neben dem Transporter postiert und beobachtete das Geschehen aufmerksam. In der einen Hand hielt er eine Zigarette, in der anderen einen kleinen silberfarbenen Apparat.

Kim registrierte, dass sie sich unwillkürlich in Richtung der Ladefläche bewegte. Den Ausbruchsversuch, den sie halbherzig startete, vereitelten die Männer sofort, indem sie ihr mit den Stangen zwei Schläge versetzten. Der Transporter war leer und riesig groß. So einen Wagen nur für sie! Wie kann das sein? fragte sie sich. Dann war sie an der Rampe angekommen. Ihr Herz schlug nun so schnell, dass sie glaubte, gleich umzukippen. Der Mann in dem weißen Kittel verpasste ihr einen Hieb auf den Hinterlauf, so dass sie einen Satz nach vorne machte und ins Stolpern geriet. Sie stürzte und schlug schmerzhaft mit ihrem Rüssel auf den harten Planken auf. Als sie sich umwandte, sah sie ganz weit entfernt Doktor Pik, der ihr traurig nachsah. Ja, so war er, begriff sie plötzlich, immer zu traurig, um wirklich etwas zu tun. Wehmut erfüllte sie, weil sie sicher war, dass sie diese Wiese nie wieder sehen würde, auch wenn sie nicht genau wusste, was man mit ihr vorhatte.

Ebersbach und der Mann im weißen Kittel traten zur Rampe und schauten Kim an. Der Polizist lachte triumphierend, als wäre ihm ein besonderer Coup gelungen. Kim schaffte es nicht einmal, ihm einen bösen Blick zuzuwerfen. Die Rampe, auf der sie stand, begann sich zu bewegen, fuhr langsam in die Höhe, doch da hörte sie schnelle, harte Schritte über den Hof kommen.

Eine Stimme rief: »Was tun Sie da?«

Kim durchflutete eine Woge der Hoffnung. Hatte sie schon einmal eine schönere Stimme gehört? Nein, einen wunderbareren Klang konnte es nicht gegeben.

»He, was soll das?«, fragte Dörthe energisch. Sie blickte über die Rampe, die auf halber Höhe verharrte, in den Transporter und sah Kim an. »Was machen Sie mit meinem Schwein?«

Ebersbach räusperte sich. »Wir wollen das Schwein untersuchen. Ich habe den begründeten Verdacht, dass mit diesem Tier und dem anderen, diesem gefährlichen Wildschwein, etwas nicht in Ordnung ist. Die Tiere könnten sich als eine Gefahr für die Allgemeinheit erweisen.«

Dörthe lachte verärgert auf. »Sie können doch nicht

einfach mein Schwein stehlen. Mit der klugen Kim ist alles in Ordnung – das kann ich Ihnen versichern. Weniger sicher bin ich mir allerdings, ob mit der deutschen Polizei alles in Ordnung ist. Ich habe immer gedacht, die Polizei fängt Mörder und nicht Schweine.«

»Ganz recht«, entgegnete Ebersbach, nun ebenfalls verärgert. »Doch im Zuge der Ermittlungen…«

»Lassen Sie sofort mein Schwein wieder frei!« Dörthe wandte sich an den Mann im Overall, der offenbar die Rampe bediente. »Wenn Sie irgendwelche Untersuchungen vornehmen wollen, müssen Sie zuerst mich fragen. Das Schwein wird den Hof jedenfalls nicht verlassen.«

»Frau Miller«, erklärte Ebersbach mit förmlicher Stimme. »Sie stehen noch immer unter Mordverdacht, auch wenn wir Sie vorübergehend freilassen mussten. Daher wäre ich an Ihrer Stelle sehr darum bemüht, die Ermittlungen nicht zu behindern. Es sind Unterlagen aufgetaucht, die Sie schwer belasten. Sie schulden dem Toten mehr als hunderttausend Euro. In seinem Tagebuch hat er Sie der Untreue bezichtigt und…«

Dörthe schob den anderen Mann beiseite und ließ die Rampe wieder herunterfahren. »Das Schwein bleibt auf dem Hof! Nehmen Sie ihm von mir aus hier Blut ab, oder reißen Sie ihm ein paar Borsten aus, damit Ihre tollen Ärzte was zu untersuchen haben! Aber unterstehen Sie sich, es noch einmal abtransportieren zu wollen!«

Kim stand einen Moment unschlüssig da, als die Rampe komplett heruntergefahren war. Dörthe und die drei Männer starrten sie an, als erwarteten sie etwas ganz Besonderes von ihr. Ihr fiel aber nichts Besseres ein, als einen harmlosen Grunzer von sich zu geben. Dann hob sie den Kopf und stolzierte an den Menschen vorbei zurück auf die Wiese. Wie schön ihr dieses kleine Stück Land plötzlich vorkam – nie wieder würde sie auch nur einen Schritt von dieser Wiese tun, schwor sie sich.

»Also gut«, sagte Kommissar Ebersbach hinter ihr und warf ihr wütend seine Zigarette hinterher. »Dann werden diese Männer dem Schwein an Ort und Stelle Blut abnehmen. Ich möchte jedenfalls sichergehen.«

Kim hörte, wie der Mann im weißen Kittel zu der vorderen Tür des Transporters ging und etwas herausholte. Am liebsten wäre sie losgerannt, doch wahrscheinlich wäre sie nicht weit gekommen, bis sie vor Angst und Schwäche wieder gestolpert wäre.

»Tun Sie das, wenn Sie meinen, dass eine solche Untersuchung Ihre Ermittlungen weiterbringt«, erwiderte Dörthe und klang, als würde sie gleich loslachen. »Aber ich hoffe, Sie kümmern sich auch um den Mörder, der hier irgendwo frei herumläuft. Ehrlich gesagt, fühle ich mich zurzeit nicht sehr sicher in dem Haus.«

»Seien Sie ganz unbesorgt, Frau Miller. Wir ermitteln in alle Richtungen«, erwiderte Ebersbach. Er wirkte kurzatmig, als würde er sich nicht wohlfühlen.

Aus den Augenwinkeln bemerkte Kim, dass der Mann

im weißen Kittel nun mit einem silbernen Koffer heran-kam, gefolgt von dem anderen in dem Overall.

»Was das Geld angeht«, erklärte Dörthe, die sich an den Zaun gelehnt hatte und Kim nicht aus den Augen ließ, »so wissen Sie vielleicht, dass Robert vielen Menschen Geld geliehen hat. Er war sehr großzügig. Ich glaube, das halbe Dorf steht bei ihm in der Kreide. Bei mir war das allerdings anders. Er wollte mir das Geld für eine Wohnung in der Stadt schenken, aber ich habe darauf bestanden, es ihm nach und nach zurückzuzahlen. Ich habe ein größeres Engagement in Aussicht…«

»Ach, ich vergaß, Sie sind ja eine ernsthafte Schauspielerin«, unterbrach Ebersbach sie mit spöttischer Stimme. »Und diese Striptease-Show war vermutlich nur eine Art Probe für eine große Rolle.« Sein Lachen ging in einen Hustenanfall über, der seinen ganzen fetten Körper durchschüttelte.

Kim grunzte kurz auf, als der Kittelmann sie am Ohr packte und der Overall ihren Kopf festhielt. Was hatten die beiden denn jetzt vor? Sie starrte vor sich hin. Ein weißer Wagen fuhr auf den Hof. Kroll kam, dachte sie, aber diesmal hatte er die Scheinwerfer nicht eingeschaltet. Nein, es war gar nicht der hässliche Polizist, der ausstieg.

Ein stechender Schmerz, der von ihrem Ohr ausging, durchzuckte ihren Körper. Kim war einen Moment abgelenkt. Der Kittelmann hatte tatsächlich mit einem winzigen Messer in ihr Ohr gestochen.

Als sie den Blick wieder auf Dörthe richtete, bemerkte sie, wie ihre Retterin sich verändert hatte. Sie war totenbleich und hatte den Mund geöffnet, als wüsste sie nicht mehr, wie man atmete, aber auch Ebersbach stand stocksteif da und schnaubte aufgeregt vor sich hin.

Ein älterer, grauhaariger Mann, der hinten aus dem weißen Auto geklettert war, kam mit langsamen, zögernden Schritten auf sie zu.

Kim hatte schon einmal gehört, dass Menschen von den Toten auferstehen konnten. Doktor Pik hatte das in einer sehr dunklen Nacht einmal erzählt, als überall Glocken geläutet hatten, aber irgendwie hatte sie ihm nicht geglaubt. Doch nun sah sie, dass ihre Zweifel falsch gewesen waren.

Munk der Maler lebte wieder. Er ging mit einem verlegenen Lächeln auf die anderen Menschen zu. Er trug einen langen beigefarbenen Mantel und hatte einen Koffer in der rechten Hand, als hätte er eine lange Reise gemacht, und sein Rücken war ganz gesund, jedenfalls steckte kein Messer mehr darin, wenn er sich auch etwas schleppend bewegte.

Für einen Moment rührte sich keiner der anderen Menschen. Sie waren genauso überrascht wie Kim, dass Munk wieder lebte. Selbst der Kittelmann und der Bursche im Overall, die Munk ja gar nicht kannten, bemerkten, dass etwas nicht stimmte.

Munk hob den Arm und grüßte, und da merkte Kim, dass er anders roch, nicht sehr, aber doch nicht so wie der Maler, nicht nach Zigaretten und Farbe. Er sah aus wie der Maler, aber er war es nicht. Er ging auch ein wenig gebeugter, nicht so stolz und selbstsicher wie der richtige Munk.

Dörthe fasste sich als Erste, sie streckte dem Mann ihre Hand entgegen. »Willkommen auf dem Maler-Hof«, stieß sie mit zittriger Stimme hervor. »Sie sind Roberts Bruder, nicht wahr?«

Der Mann nickte. »Ganz recht«, sagte er. »Ich will zu Robert. Habe versucht, mich telefonisch anzukündigen, aber es ist niemand an den Apparat gegangen. Da hab ich gedacht, ich schaue einfach vorbei…« Seine Worte verloren sich, als er den Kommissar erblickte.

Ebersbach schob sich mit gewichtiger Miene vor. »Ja«, sagte er. »Jetzt erinnere ich mich.« Er verzog das Gesicht. »Mein Name ist Ebersbach, Kriminalhaupt-kommissar – fall Sie es vergessen haben sollten.«

Der Mann runzelte die Stirn. »Wie könnte ich das vergessen haben«, sprach er leise vor sich hin. Dann sah er wieder Dörthe an, als würde er von ihr Hilfe erwarten.

»Sie wissen es anscheinend noch nicht«, sagte Dörthe. »Robert… Ihr Bruder ist ermordet worden, vor drei Tagen… Hauptkommissar Ebersbach leitet die Ermitt-lungen.«

Der Mann stellte den Koffer ab und atmete tief durch. Das Sprechen schien ihm schwerzufallen. »Ermordet?«, fragte er. »Mein Bruder?«

Ebersbach nickte. »Mit einem Messer – so wie Ihre Frau damals. Das habe ich doch richtig in Erinnerung, oder?« Er sah den zweiten Munk streng an.

»Vielleicht sollten wir ins Haus gehen«, sagte Dörthe und fuhr sich nervös durch ihr rotes Haar. Sie bedachte erst den Mann, dann Ebersbach mit einem auffordernden Blick. Kim registrierte, dass sie sich unwohl fühlte und leicht zu schwitzen begonnen hatte.

»Ich habe meine Frau nicht umgebracht«, erklärte der zweite Munk unvermittelt. »Ich bin dafür verurteilt worden, aber ich bin es nicht gewesen.«

»Ja«, erwiderte Ebersbach ungerührt. »Klarer Fall von Justizirrtum, aber eigentlich interessiert mich mehr, wo Sie sich vor drei Tagen aufgehalten haben.«

»Da«, sagte der zweite Munk, »bin ich endlich aus dem Gefängnis entlassen worden.«

12

»Wie hast du es bloß geschafft, von diesem Transporter wieder herunterzukommen?«, wollte Doktor Pik wissen, nachdem Kim in den Stall zurückgekehrt war.

Ihr Kopf war ganz schwer. Sie musste über den zweiten Munk nachdenken, der mit Dörthe und Kommissar Ebersbach im Haus verschwunden war. Zusammen hatten die drei Menschen sich an einen Tisch gesetzt, nachdem Dörthe etwas zu trinken geholt hatte. War der falsche Munk gefährlich? Was hatte Ebersbach von dieser Frau und von Messern gesagt?

Doktor Pik schaute sie fragend an. Che hatte sich in eine Ecke verdrückt und jammerte vor sich hin, weil ihm seine Wunden wehtaten, während Brunst wieder auf den Beinen war. Er kaute laut schmatzend an einem Kanten Brot.

Plötzlich fiel es ihr wieder ein, die eine Frage, die viel wichtiger war als alles andere. Kim sah sich im Stall um, der ihr auf einmal leer und öde vorkam.

»Wo ist eigentlich Cecile?«, rief sie wütend. »Warum

habt ihr sie von eurem blödsinnigen Ausflug nicht wieder mitgebracht?«

Brunst knurrte etwas vor sich hin, und als sie Che ansah, zog er leicht den Kopf ein, dann erwiderte er ungewohnt leise: »Sie wird schon noch kommen. Wir konnten keine Rücksicht auf sie nehmen, wir mussten zusehen, dass wir unsere eigene Haut retten... Wir waren in einen heimtückischen Hinterhalt geraten... Die wilden Schwarzen waren uns auf den Fersen, hätten uns todsicher umgebracht, wenn wir nicht...« Er verstummte und sah nun wieder so grimmig aus wie sonst.

»Ein Hinterhalt!« Kim baute sich vor ihm auf. »Ich habe gesehen, was passiert ist. Angst hattet ihr, zwei große Schweine, die nichts als Angst hatten. Ihr seid jämmerliche Feiglinge und habt Cecile im Stich gelassen.«

»Wenn du uns gesehen hast – warum hast du uns nicht gewarnt? Das nenne ich auch feige«, erwiderte Che wütend. Er kam ihr entgegen, ihre Rüssel stießen fast gegeneinander. Sie starrten sich an. »Überhaupt bist du eine Verräterin – machst mit einem wilden Schwarzen herum, zeigst dich unsolidarisch, denkst nur an dich.« Seinen letzten Worten schickte er einen lauten Grunzer nach, der sie wohl beeindrucken sollte.

»Ihr hättet auf Cecile warten müssen«, sagte Kim und erwiderte Ches Blick, aber ihr Zorn schwand. Che war einfach zu dumm, er hatte nur seine Phrasen und blöden Ideen im Kopf. »Wir müssen sie suchen – sie wird niemals allein zurückfinden.«

»Um die Kleine mache ich mir keine Sorgen«, rief Brunst herüber. »Die ist doch viel zu dünn, um geschlachtet zu werden – überhaupt kein Fleisch auf den Rippen.«

»Ihr seid wirklich großartige Freunde.« Kim wandte sich ab. Auch Doktor Pik wich ihr nun aus. Sie legte sich in die hinterste Ecke. Der Stall begann zu stinken, so dreckig war es hier noch nie gewesen, auch wenn jeder aufpasste, dass er sein Geschäft draußen verrichtete. Etwas musste passieren, jetzt, wo Haderer nicht mehr kam.

Kim fühlte sich plötzlich einsam. Streit konnte sie nicht leiden, und bisher hatten sie auch nie einen richtigen Streit gehabt. Che war ein Spinner – das wusste jeder, aber nun war es anders, fast so, als wären sie Feinde geworden. Kim bemerkte, dass sie auf den verwaisten Platz starrte, wo Cecile sonst immer schlief. Das leise Quieken der Kleinen fehlte ihr. Wo mochte sie sein? Da draußen lauerten an jeder Ecke Gefahren auf ein Minischwein. Autos, Menschen, andere Tiere, aber auch Zäune, an denen man sich verletzen konnte, und tiefe Gruben und Gräben. Und Cecile war sehr vertrauensselig, sie würde von jedem, der ihren Weg kreuzte, nur das Beste annehmen.

Als es zu dämmern begann, hielt Kim es nicht mehr aus. Sie erhob sich, trank ausgiebig und drehte sich dann zu den anderen um. »Ich gehe jetzt los«, sagte sie laut in die zarte Dunkelheit des Stalls hinein. »Ich werde Cecile suchen. Will von euch einer mitkommen?«

Niemand antwortete. Brunst tat, als würde er schon schlafen, und stieß einen besonders lauten Schnarcher aus. Che drehte sich mit einem unwilligen Knurren auf die Seite, und Doktor Pik blickte sie nur traurig an und zuckte mit den Schultern.

»Also gut«, sagte Kim und verließ den Stall. Die Tür war zum Glück wieder nicht abgeschlossen worden. Dörthe hatte sich auch nicht mehr gezeigt, offenbar musste sie sich um den zweiten Munk kümmern.

Der Mond war noch nicht aufgegangen. Es war so dunkel wie schon lange nicht mehr, irgendwo in weiter Ferne verglühte ein Rest Sonnenlicht am Himmel. Sie schritt über die Wiese und blickte zum Haus hinüber. Da brannten überall Lichter, und sie sah, dass der zweite Munk tatsächlich geblieben war. Er saß immer noch mit Dörthe zusammen am Tisch, nur Ebersbach war verschwunden, und der furchtbare Transporter stand auch nicht mehr auf dem Hof.

Ein Nachtvogel schrie hoch am Himmel. Kim zuckte zusammen, dann war sie an dem Loch im Zaun angekommen. Es war nicht repariert worden. Drei vorsichtige Schritte, und sie befand sich jenseits des Zauns. Aber wohin sollte sie sich wenden? Sie beschloss, zuerst in den Wald hineinzulaufen, dorthin, wo sie Cecile zuletzt gesehen hatte, vielleicht hielt sich die Kleine da irgendwo versteckt.

Obwohl ein letzter Hauch von Licht in der Luft zu schweben schien, war es im Wald noch dunkler. Zaghaft ging Kim einen schmalen Pfad entlang, von dem sie meinte, dass er zu Haderers Hütte auf Rädern führen würde. Andere Gerüche schwirrten umher, von Nachttieren, von Gräsern und Blüten, die sich erst in der Dunkelheit öffneten. Kim war verwirrt; nie hätte sie gedacht, dass es so einen großen Unterschied machte, ob man allein oder zu zweit durch einen nahezu schwarzen Wald lief. Einmal glaubte sie zwei funkelnde Augen in einem Gebüsch zu sehen, die sie anstarrten, doch als sie leise »Cecile, bist du das?« rief, verschwanden sie sofort.

Nach weiteren zehn Schritten überfiel sie eine ungeheure Verzagtheit. Was hatte sie eigentlich geglaubt, als sie losgezogen war? Sie würde Cecile niemals finden. Wahrscheinlich würde sie sich selbst verirren und nicht mehr zurück in den Stall gelangen. Vor ihr bewegte sich etwas durch den Wald, sie blieb mit angehaltenem Atem stehen. Alles Unglück hatte mit Munks Tod begonnen, vorher hatte sie ein schönes Leben geführt, ohne jede Sorge, geschlachtet zu werden, weil Dörthe ja auf sie aufpasste. Doch dann, mit dem Mord hatte das Denken begonnen – und nun rumorte es unaufhörlich in ihrem Kopf. Die Menschen hatten den Mörder noch nicht gefasst, sie waren nervös, leicht reizbar und rochen schlecht – besonders Ebersbach.

Plötzlich meinte Kim Wasser zu wittern, irgendwo in der Nähe musste der kleine See sein, wo sie mit Lunke gebadet hatte. Sie schämte sich auf einmal. Lunke hatte sie ausgenutzt, er hatte gewollt, dass sie diese bitteren

Pflanzen fraß und dann nicht mehr wusste, was mit ihr geschah. Er war ein Betrüger, ein Lügner …

Das Wasser roch immer intensiver, und da brach ein dicker Schatten mit so lautem Getöse aus dem Gebüsch, dass sie bis ins Mark erschrak und einen erstickten Schrei ausstieß.

Ein kehliger Grunzer erklang. »Verdammt, weißt du nicht, dass Emma hier durch die Gegend streift?« Lunke grinste sie an.

Kim brachte kein Wort heraus, aber sie konnte nicht verheimlichen, dass sie froh war, ihn zu sehen.

»Hallo, Lunke«, sagte sie schüchtern. Ließ er sich etwas anmerken? Sah er sie anders an als bei ihrer letzten Begegnung?

»Was tust du hier?«, fragte er mit ehrlichem Interesse.

»Ich suche Cecile, die Kleine … Sie ist nicht mit den anderen zurückgekommen, nachdem die wilden Schwarzen sie gejagt haben.«

Lunke legte sein Gesicht in Falten. »Verstehe«, erwiderte er. »Ist aber ziemlich leichtsinnig von dir, hier allein herumzulaufen. Emma versteht da keinen Spaß – hast du ja gesehen.« Er gestattete sich ein noch breiteres Grinsen. »Aber nun bin ich ja bei dir.«

»Wo könnte Cecile sein?«, fragte Kim. Gegen ihren Willen erinnerte sie sich daran, wie Lunke sie sanft in den Nacken gebissen hatte. Aber was hatte er noch mit ihr getan, bevor ihr schlecht geworden war? Verdammt, sie konnte sich nicht erinnern.

Er hielt seinen Rüssel in die Höhe, als könnte er die Kleine in der Nähe wittern. »Ich bin fast sicher, dass sie nicht mehr im Wald ist. So kleine Schweine suchen die Nähe von Menschen, Häusern, Straßen. Wenn sie nicht zu euch zurückgekommen ist, wird sie ins Dorf gelaufen sein – das heißt, leider in die völlig verkehrte Richtung.«

Kim überlegte, woher Lunke das wissen konnte. »Du meinst, wir sollten wieder ins Dorf laufen?« Zu dem Schlächter Kaltmann? hätte sie beinahe hinzugefügt, tat es aber nicht.

»Ich fürchte, ja.« Er nickte. »Wir sollten aber noch eine Weile warten, bis es ganz dunkel geworden ist. Vorher könnten wir baden und danach …«

»Nein«, unterbrach Kim ihn heftig. »Lass uns Cecile gleich suchen gehen.«

Lunke schaute sie an, als versuchte er ihre Gedanken zu erraten. Er war ein wenig zurückhaltender, das gefiel ihr.

Seite an Seite liefen sie durch den Wald. Kim überlegte, wie sie am besten ein unverfängliches Gespräch anfangen sollte, um herauszufinden, was genau mit ihr passiert war, nachdem sie die bitteren grünen Pflanzen gefressen hatte. Leider fielen ihr keine geeigneten Worte ein, daher begann sie von Ebersbach und den Männern mit den Stangen zu erzählen.

»Wenn sie noch einmal kommen, dann brate ich ihnen eins über«, erklärte Lunke mit finsterer Miene. Richtig erschreckt hatte ihn diese Geschichte nicht.

Als sie den Wald verließen und zur Straße gelangten, stellte Kim fest, dass es mittlerweile völlig dunkel geworden war, doch längst nicht alle Menschen schliefen. In den Häusern brannte da und dort noch Licht, und in einiger Entfernung fuhr ein Auto vorüber.

Lunke schaute sie an. »Ich habe einen beinahe untrüglichen Geruchssinn – ich bin fast sicher, dass deine Kleine hier gewesen ist.«

Kim stieß einen leisen Grunzer aus. Sie wusste nicht, ob sie ihm glauben sollte oder ob er nur wieder angeben wollte. Trotzdem folgte sie ihm weiter in Richtung Dorf. Sie hielten sich abermals in der Böschung, um möglichst von niemandem gesehen zu werden.

Kurz vor dem Dorf jedoch mussten sie ihre Deckung aufgeben und kletterten zur Straße hinauf.

»Zu Kaltmann gehe ich nie mehr – das habe ich mir geschworen«, sagte Kim endlich. Sie spürte, wie sich die Furcht vor dem Schlächter wieder in ihr ausbreitete.

Lunke hob seinen Rüssel. »Ich weiß nicht«, meinte er ein wenig ratlos. »Vielleicht habe ich mich auch geirrt. Ich rieche nur Hunde und Katzen.« Als er bemerkte, dass Kim zusammenzuckte, fügte er hinzu. »Keine Angst, mit denen werde ich schon fertig.«

Von dem großen Turm schlug die Glocke zehnmal. Kim war sehr stolz, dass sie so weit zählen konnte. Sie schaute sich um. Von der kleinen Cecile war nichts zu sehen. Menschen hielten sich zum Glück auch nicht auf der Straße auf. Ein Kaninchen saß in einem Vorgarten, fraß an einer Blume und blickte sie gebannt an, doch als Lunke vernehmlich schnaubte, sprang es hastig davon. Er kicherte. »Ist immer lustig, diesen kleinen Feiglingen ein wenig Angst einzujagen.«

Für ihn schienen diese Ausflüge vor allem ein großer Spaß zu sein. Kim merkte, dass sie langsamer wurde. Nun lag das mächtige steinerne Gebäude mit dem Turm vor ihnen, aber von Cecile gab es nicht die geringste Spur.

»Ich schlage vor«, meinte Lunke, »wir fressen ein paar Blumenzwiebeln, und dann verschwinden wir wieder – zurück in den Wald.«

Kim hatte den Verdacht, dass er nur wegen der Blumenzwiebeln gekommen war und keine Lust gehabt hatte, allein ins Dorf zu laufen. Mit einem Satz war er in dem Beet vor dem steinernen Gebäude und begann, mit seinem Rüssel in der Erde zu wühlen, dabei gab er ein wohliges und nicht besonders dezentes Grunzen von sich.

Kim hingegen war jeder Appetit vergangen. Ängstlich sah sie sich um. Wenn sie sich nicht irrte, dann lebte nur eine Ecke weiter der Schlächter mit seinem Kettenhund. Plötzlich fiel ihr eine Frage ein, die wichtig war, die sie Lunke aber noch nicht gestellt hatte. Wer war der zweite Mann gewesen, den er mit seinem Eckzahn malträtiert hatte?

Vorsichtig näherte sie sich ihm. Er blickte kurz auf und schmatzte. »Köstlich«, sagte er. »Solltest du auch probieren. Es gibt nichts Besseres. Nicht einmal frische Eicheln sind schmackhafter.«

»Lunke«, begann sie, doch im nächsten Moment verstummte sie und stellte die Ohren auf. Hörte sie da ein leises Quieken? Nein, da waren Stimmen, zwei Männer redeten, einer war Kroll … Ja, ganz sicher, der hässliche Kroll musste in der Nähe sein.

»Warum kommst du nicht?«, fragte Lunke viel zu laut.

»Sei still!«, zischte sie, und da sie sehr ernsthaft klang, gehorchte er ihr sogar.

Mit größter Vorsicht schlich sie um das große steinerne Gebäude herum. Dort gab es noch ein anderes Haus, viel kleiner, aber aus denselben groben Steinen errichtet. Ein erleuchtetes Fenster stand offen.

»Wir müssen umsichtig vorgehen und die Ernte fürs Erste verschieben – so leid es mir tut.« Krolls Stimme flog förmlich aus dem Fenster heraus. »Feld eins ist vorerst gesperrt, auch wenn ich es geschafft habe, Ebersbach davon abzuhalten, eine Hundertschaft loszuschicken. Wir haben nur die unmittelbare Nähe des Tatorts untersucht. Trotzdem, ich denke, auch Feld zwei und drei sind im Moment zu gefährlich, solange der Täter nicht gefasst ist.«

»Warum kommt ihr auch mit den Ermittlungen nicht weiter?«, fragte der zweite Mann. »Alle im Dorf sind besonders wegen Munk ziemlich nervös. Hat er eigentlich ein Testament hinterlassen?«

Kim brauchte einen Moment, um zu begreifen, wer da sprach. Natürlich hatte sie sofort wieder Kaltmann in Verdacht, aber da irrte sie sich. Diese Stimme gehörte dem älteren weißhaarigen Mann, der mit dem Fahrrad auf den Hof gekommen war und ihr erst das süße Bonbon gegeben und dann das schreckliche Wort »Grill« in den Mund genommen hatte.

»So einfach ist das nicht«, erwiderte Kroll. »Wir tun, was wir können, aber einen Doppelmord klärt man nicht innerhalb von ein paar Tagen auf. Der Täter ist sehr schlau vorgegangen und hat keine Spuren hinterlassen.«

»In sechs Wochen kommt der Bischof, um die neue Orgel einzuweihen. Wenn dann hier keine Orgel steht, werde ich wohl…« Die Stimme klang weinerlich, dann verstummte sie.

Kim war unter dem Fenster angekommen. Lunke schob sich neben sie. »Das ist der andere Mann«, flüsterte er. »Der zweite, der gestern Nacht einbrechen wollte und abgehauen ist.«

»Ja, ich weiß«, erklärte Kroll genervt, »dann wirst du nach Afrika versetzt und kannst Negerkinder missionieren. Hättest du dir überlegen müssen, bevor du hunderttausend Euro verzockst.« Er lachte auf. »Ein Pfaffe, der auf Pferde und Hunde wettet, die irgendwo in Honolulu im Kreis laufen – darüber wird der Herr Bischof nicht sehr erfreut sein.«

»In Hongkong«, erklärte die Stimme beleidigt. »Die

Rennen finden in Hongkong statt, und eigentlich waren es todsichere Wetten. Ich hätte die Hälfte der Kirche gespendet. Außerdem wäre ich an deiner Stelle ganz still. Wie viel hast du denn schon verzockt?«

»Auch egal.« Kroll öffnete eine Flasche und trank geräuschvoll. Schweigen trat ein, dann erklärte eine dritte Stimme, die bisher nichts gesagt hatte. »Ich brauche auch zwanzigtausend Euro bis zum Monatsende – habe ich meinem Vater versprochen. Das Geschäft läuft nicht mehr so gut, der neue Supermarkt mit dem riesigen Parkplatz, die allgemeine Wirtschaftskrise …«

Kim runzelte die Stirn. Das musste der jüngere Kaltmann sein. Anscheinend konnte er schon wieder laufen.

Mühsam setzte sie ihre Vorderläufe auf einen winzigen Sims unter dem Fenster, dann reckte sie den Hals und schaffte es, in das Zimmer zu spähen. Tatsächlich, da saßen sie, Kroll, der junge Kaltmann und der alte Mann mit der rosigen Haut, der Altschneider hieß, wenn sie sich richtig erinnerte. Sie hockten an einem Tisch und tranken Bier aus Flaschen. Nein, nur Kroll und Kaltmann hatten eine Flasche vor sich stehen, Altschneider trank aus einem großen gewölbten Glas. Glücklich sahen sie nicht aus. Im Hintergrund hing ein Kreuz an der Wand, viele Bücher drängten sich auf langen Regalbrettern zusammen, und da war auch einer dieser leuchtenden Bildschirme. Menschen in kurzen Hosen liefen über einen grünen Rasen hinter einem Ball her. Zu hören war aus dem Gerät allerdings nichts.

»Vielleicht sollten wir noch einmal versuchen, ein Bild zu stehlen«, meinte der junge Kaltmann.

Altschneider verzog das Gesicht, ohne etwas zu sagen, und Kroll lachte. »Na, das hat ja schon das letzte Mal ganz prima geklappt«, rief er höhnisch. »Wildschweine sind gefährlicher als Haie – habe ich irgendwo gehört oder gelesen.« Er hob die Flasche an den Mund, trank und rülpste.

»Hättest sehen sollen, wie das Wildschwein auf mich losgestürmt ist.« Der junge Kaltmann starrte Kroll angstvoll an.

»Wie hast du eigentlich deinem Alten die Wunde erklärt?«, wollte Kroll wissen.

Der junge Kaltmann rülpste auch. »Bin betrunken vom Fahrrad gefallen – hat er mir sofort geglaubt. Und dem Dorfbullen habe ich fünfzig Euro gegeben, damit er mich nicht verrät. Ich hoffe, er hält sich dran.«

Kroll lachte, während Altschneider an seinem Bier nippte. »Ein bestechlicher Dorfbulle – was es hier nicht alles gibt!«

Plötzlich tauchte Lunke neben Kim auf und spähte ebenfalls in den Raum. »Das sind die beiden«, raunte er ihr zu. »Der Junge und der Alte waren auf dem Hof, und der andere hat sich versteckt, als die beiden gekommen sind.«

Kim nickte. Einen Moment später war Lunke wieder abgetaucht. Sie versuchte sich jedoch noch ein wenig länger auf dem Sims zu halten, obwohl es sie größte

Mühe kostete, nicht aus dem Gleichgewicht zu geraten. Wieso war Kroll auch auf dem Hof gewesen, ohne sich jedoch den anderen beiden zu erkennen zu geben?

»Wir müssen die Schweine ausschalten«, sagte der Junge heftig, als hätte er länger darüber nachgedacht. Im nächsten Moment führte er wieder seine Flasche an den Mund.

Kroll nickte. »Hat mein Chef heute auf die elegante Weise versucht, hat aber nicht geklappt, weil diese rothaarige Schlampe es ihm verboten hat. Die geht wahrscheinlich mit diesen Viechern ins Bett.«

»Fallen«, warf der ältere Mann ein. »Könnte man keine Fallen aufstellen? Wildschweine sind doch eine Plage.«

»Nein, erschießen – erschießen wäre am besten«, warf der junge Kaltmann ein.

Lunke schnaubte plötzlich so laut, dass die drei erstarrten und zum Fenster blickten. Kim schaffte es im letzten Moment, den Kopf einzuziehen.

»War da was?«, fragte der Ältere. »Wäre nicht gut, wenn man euch hier sehen würde.«

»Wahrscheinlich schleichen die Schweine schon ums Haus«, erklärte Kroll vollkommen ernst, lachte aber im nächsten Moment aus vollem Hals. »Oder der Bischof hat seine Späher ausgeschickt, und die fragen sich nun, wo denn die nagelneue Orgel steht, die der liebe Onkel Pfarrer vor ein paar Monaten für seine schöne Kirche bestellt hat.«

Niemand sonst lachte.

»Ich verstehe nicht, wie du so ruhig bleiben kannst«, meinte Altschneider. Nun klang seine Stimme gereizt. »Ihr fangt euren Mörder nicht, und wir kommen nicht zu unserem Geld. Haderer hat alles vermasselt. Er hätte sich nicht umbringen lassen dürfen. Wahrscheinlich können wir die Felder abschreiben.« Er schnaubte verächtlich. »Hätte mich nie darauf einlassen dürfen.«

»Glaubt ihr, er hat versucht, auf eigene Rechnung zu arbeiten?«, fragte der jüngere Kaltmann.

»Unsinn«, meinte Kroll unwirsch. »Er ist dem Mörder in die Quere gekommen, hat was mitgekriegt. Darum musste er sterben.«

»Aber warum hat er dir nichts gesagt?«, fragte Altschneider.

»Keine Ahnung.« Kroll trank noch einen Schluck und seufzte dann. »Vielleicht wollte er sein Wissen zu Geld machen – der Idiot.«

Plötzlich hörte Kim ein leises Schnarchen. Hastig wandte sie sich um. Lunke lag da, die Augen geschlossen, und war friedlich eingeschlafen. Sie wich vom Sims zurück und versetzte ihm einen leichten Tritt.

»Bist du verrückt geworden?«

»Was soll das?« Lunke öffnete mühsam ein Auge.

Der Junge redete wieder von dem Bild, das er stehlen wollte, doch Kroll schnitt ihm barsch das Wort ab. »Hast du immer noch nicht kapiert, dass es da eine ganz moderne Alarmanlage gibt? Da habt ihr noch nicht piep gesagt, und schon steht einer meiner Kollegen auf der Matte. So läuft das nicht – wir müssen Geduld haben.«

Lunke schüttelte sich. »Mir ist langweilig«, nörgelte er, »und wenn mir langweilig ist, schlafe ich ein.«

Kim bedachte ihn mit einem strengen Blick. »Also gut«, flüsterte sie. »Gehen wir, bevor wir uns noch durch deine Schnarcherei verraten.«

Sie wandte sich ab, und da entdeckte sie es – einen kleinen akkuraten Haufen, mitten auf dem Weg. Das sah nicht nach Hund oder Katze, geschweige denn Kaninchen aus, sondern eindeutig nach dem organischen Abfall, den ein Minischwein, das in Stress geraten war, von sich gab.

Das ließ nur einen logischen Schluss zu: Cecile war hier gewesen.

13

Lunke schnüffelte den Haufen ab. »War das deine kleine Freundin?«, fragte er, allerdings eher mäßig interessiert.

»Ich bin ziemlich sicher«, erwiderte Kim. Sie sah sich suchend um. Wo konnte Cecile stecken? Vor ihr befand sich eine Art Schuppen, links lag eine Garage, an deren Längsseite Holz gestapelt war. Da konnte man sich nicht verstecken. Rechts ging es in einen Garten, in dem Sonnenblumen sich gen Himmel reckten. Allerdings war er mit einem hohen Holzzaun gesichert.

Lunke verzog das Gesicht. »Ich finde, wir sollten abhauen. Mit diesen Leuten ist nicht zu spaßen, und heute habe ich keine Lust auf eine neue Keilerei.«

»Gleich«, sagte Kim. Sie hob ihren Rüssel in den sanften Wind. Täuschte sie sich, oder meinte sie tatsächlich den typischen Geruch des Minischweins wahrzunehmen? Sie schritt auf den winzigen Schuppen vor ihr zu. »Cecile«, flüsterte sie, »bist du da?«

Weit hinter ihnen fuhr ein Auto mit heulendem

Motor vorüber, gefolgt von einem Motorrad. Ein Hund bellte, er meinte aber offenkundig nicht sie.

Lunke wurde immer ungeduldiger. »Lass uns abhauen«, drängte er.

Kim schnüffelte die Tür ab und versuchte es noch einmal. »Cecile – ich bin es, Kim!«

Im nächsten Moment hörte sie einen Atemzug, dann einen Laut, den sie überhaupt nicht einordnen konnte. Ein Gähnen vielleicht, gefolgt von einem schläfrigen Kichern, das eindeutig von Cecile stammte.

»Was machst du denn da drin, Cecile?«, raunte sie der Kleinen zu.

»Schlafen«, erwiderte sie und kicherte leise.

Nun war anscheinend auch das Minischwein völlig verrückt geworden.

Kim besah sich die Tür, die aus massivem Holz war. Sie wandte sich zu Lunke um, der schon wieder ein paar Schritte in Richtung Straße gemacht hatte. Das Fenster, hinter dem Kroll, Kaltmann und Altschneider saßen, stand immer noch offen. Ihre Stimmen waren jedoch nicht mehr zu verstehen.

»Lunke«, zischte sie ihm zu. »Ich brauche deine Hilfe.«

»Ist die Kleine tatsächlich da drinnen?«, meinte er.

Kim nickte. »Kannst du die Tür öffnen, am besten so leise, dass niemand etwas mitkriegt?« Sie schaute ihn erwartungsvoll an.

Lunke kniff die Augen zusammen und betrachtete

die Tür nachdenklich. »Ohne dass jemand etwas mitkriegt?«, wiederholte er. »Das wird schwierig. Und was bekomme ich dafür?«

Cecile kicherte wieder. »Erst hatte ich furchtbare Angst«, sagte sie, und ihre Stimme wurde immer lauter, »dann habe ich mich aber erst mal satt gefressen, und jetzt…« Sie brach ab und begann plötzlich zu würgen, als wäre ihr schlecht geworden.

Kim blickte erst zur Tür, dann zu Lunke. »Was soll das heißen?«, fragte sie. »Was soll man denn dafür haben wollen, wenn man einem anderen Schwein hilft?«

Lunke lächelte sie an. »Es wäre schon mal ein Anfang, wenn du ein wenig netter zu mir wärest«, meinte er. »Du bist heute so… steif, und dann würde ich dir gerne Emma vorstellen… irgendwann, wenn es sich ergibt.«

Kim riss die Augen auf, während sie gleichzeitig auf Geräusche aus dem Inneren des Schuppens lauschte. Cecile würgte noch immer. »Ich soll mit zu eurer fetten Bache kommen? Willst du mit mir angeben? Soll sie eifersüchtig werden?« Sie konnte es nicht fassen.

»Ich möchte dich ihr nur vorstellen«, erklärte Lunke scheinbar gleichgültig. »Nichts weiter.«

Cecile begann zu wimmern.

»Also gut – aber nur wenn du diese Tür aufkriegst.« Kim hoffte, dass sie nicht allzu verärgert klang.

Lunke nickte. »Dann ist es also abgemacht.« Ohne auf eine Antwort zu warten, bewegte er sich mit gesenktem Kopf auf die Tür zu. Kim war sicher, dass er versuchen würde, sie einzurennen, so wie er es bei dem Zaun gemacht hatte, und das würde gewiss nicht ohne furchtbaren Lärm abgehen. Unruhig blickte sie zu dem erleuchteten Fenster hinüber. Plötzlich tauchten dort zwei Hände auf, und das Fenster wurde zugezogen. Das Licht blieb jedoch an.

»Leise«, raunte sie Lunke zu.

Er blickte kurz hoch, grinste siegessicher und begann, die Türfuge abzuschnüffeln. Dann setzte er seine Eckzähne unter das Holz und fing an, mit seinem Kopf hin und her zu rucken. Es sah so komisch aus, dass Kim beinahe laut gelacht hätte. Die Tür hob sich, sank dann jedoch wieder zurück.

Lunke stöhnte. »Das ist ja fast so schwer wie Bäume fällen.«

Bäume fällen?, dachte Kim und spürte, dass sich wieder eine gewisse Bewunderung für ihn einstellte. Hatte er da gerade behaupten wollen, er würde Bäume fällen? Aber nein, das konnte nicht sein. Er war nur ein Angeber.

Cecile gab ein klägliches Wimmern von sich. »Mir ist auf einmal todschlecht«, jammerte sie, »und jetzt habe ich wieder Angst. Es ist so dunkel und überhaupt… Ich will nach Hause.«

»Sei ruhig, Cecile«, unterbrach Kim die Kleine. »Wir holen dich da raus.«

Lunke setzte noch einmal an. Kim musste zugeben, dass er sich geschickt und für seine Verhältnisse auch recht intelligent anstellte. Er wollte die Tür ausheben, und das Holz bewegte sich auch. Während er schnaubte und prustete, hob es sich Stück für Stück, und dann schien es irgendwie zu schweben, in der Luft zu stehen, bis es langsam nach vorn kippte. Lunke tat einen beherzten Sprung zur Seite, und die Holztür krachte auf die Pflastersteine. Es klang beinahe so schrecklich wie neulich, als Kaltmann auf sie geschossen hatte.

Kim spürte, dass ihr Herz einen Satz machte, dann stürmte sie vor.

»Na, was sagst du?«, meinte Lunke und reckte stolz seine Eckzähne.

»Du bist ein Held«, flüsterte Kim ein wenig ironisch, »doch nun müssen wir Cecile retten.«

Die Kleine versuchte sich mühsam aufzurichten, sie hatte einen glasigen Blick, so viel war selbst bei dem ersten blassen Mondlicht zu erkennen. Um sie herum lagen aufgerissene kleine Plastiktüten, in denen sich offenbar grüne, trockene Pflanzen befunden hatten, die einen leicht bitteren Geruch verströmten. Kim musste unwillkürlich schlucken. Das waren die gleichen Pflanzen, die sie gemeinsam mit Lunke gefressen hatte.

»Komm auf die Beine, Cecile«, zischte sie ihr zu. »Wir müssen weg.«

Cecile lächelte gequält. »Schön, dass du kommst«, meinte sie mit schwankender Stimme. »Du bist eine echte Freundin, nicht wie die anderen … Au!«

Kim versetzte ihr einen harten Stoß. »Komm jetzt!«

Während Lunke sich neben sie schob und höchst interessiert die aufgerissenen Tüten abschnüffelte, mühte sie sich, Cecile aufzuhelfen. Als die Kleine es fast geschafft hatte, hörten sie eine Tür klappen, dann näherten sich unregelmäßige, hinkende Schritte.

Jemand rief etwas, einen knappen Abschiedsgruß, dann erklang eine zweite Stimme, die dem jungen Kaltmann gehörte. »Großer Gott!«, rief er mit überschnappender Stimme. Er stützte sich auf zwei Krücken. »Die Schweine – die Schweine sind wieder da.«

Ein neuerlicher Tritt ließ Cecile einen Satz nach vorne machen.

»Wir müssen weg!«, kreischte Kim ihr ins Ohr.

Aus den Augenwinkeln sah sie, dass nun auch Kroll aus dem Haus getreten war. Der hässliche Polizist brauchte einen Moment, um sich zu sammeln, dann lief er jedoch ohne Zögern auf sie zu.

Cecile wankte vor, sie hatte die Gefahr nun auch bemerkt, Lunke aber wühlte schnaubend und als könne ihm keinerlei Ungemach drohen, in den Tüten. Er fraß das Zeug. Ja, tatsächlich! Kim traute ihren Augen nicht, er machte sich über die trockenen Pflanzen in den durchsichtigen Plastiktüten her.

»Nun komm schon, Lunke!«, schrie sie und steuerte die schwankende Cecile nach links, in Richtung Garten, dem einzigen Ausweg, der ihnen geblieben war.

Kroll war mittlerweile herangekommen, er ergriff einen Knüppel von dem Holzstapel und fixierte Lunke mit bösem Blick. Anscheinend hatte er seine Pistole nicht dabei.

»Komme gleich«, erklärte Lunke. Er schmatzte laut, doch schon traf ihn der Knüppel, den Kroll schwang, genau zwischen die Augen.

Sie liefen an dem Holzzaun entlang, sprangen über einen schmalen Wasserlauf, durchquerten eine Siedlung mit verlassenen Gartenhäuschen und gelangten endlich in den Wald. Dort ließen sie sich in die erstbeste Senke fallen. Eine nie gekannte Erschöpfung überfiel Kim. Den ganzen Weg hatte sie die kleine Cecile vor sich her geschoben und angetrieben, und währenddessen hatte sie gelauscht, um herauszufinden, ob Lunke ihnen folgte. Sich umzudrehen, hatte sie nicht gewagt.

Die Kleine japste und war unfähig, auch nur ein Wort zu sagen. Einmal hatte sie ein paar der grünen Pflanzen hervorgewürgt und erbrochen.

Kim stellte die Ohren auf und horchte. Die Nacht war still, viel zu still – jedenfalls waren von nirgendwo die hastigen Klauen eines wilden Schwarzen zu vernehmen. Kroll hatte Lunke erwischt, und sie hatte nichts unternommen, hatte ihm nicht geholfen, im Gegenteil, sie war geflohen und hatte nur ihre eigene Haut gerettet. Was sie Che vorgeworfen hatte, hatte sie nun selbst verbrochen und einen Artgenossen im Stich gelassen.

Das Leben war nicht gerecht – Lunke hatte nichts anderes getan, als ihr beizustehen, und nun hatte er bitter dafür bezahlen müssen.

Kim schloss für einen Moment die Augen, und sofort erschien ein toter Lunke – er lag auf der Seite, Blut lief aus seinem Maul, und er rührte sich nicht mehr, keine müde Borste. Verdammt. Tränen traten ihr in die Augen.

Plötzlich regte sich etwas neben ihr. Cecile schmiegte sich an sie und blickte sie mit großen Augen an. »Ist das die Freiheit?«, fragte das Minischwein mit piepsiger Stimme. »Ist es da immer so gefährlich?«

Kim nickte. »Die Freiheit ist wohl so – sehr schön und sehr gefährlich«, erwiderte sie. »Wie bist du überhaupt in den Schuppen gekommen?«

»Ich weiß nicht«, sagte Cecile leise, »auf einmal waren Che und Brunst nicht mehr neben mir. Sie rannten so schnell vor den wilden Schwarzen davon, dass ich nicht mitkam. Vor Angst habe ich mich erst einmal hinter einem Farn versteckt. Dann, als ich sicher war, dass die Schwarzen nicht mehr zurückkommen würden, bin ich losgelaufen. Ich wollte immer schon mal ins Dorf zu den Menschen.«

»Du bist absichtlich ins Dorf gelaufen?«, fragte Kim ungläubig.

Cecile schaute sie mit ihren großen braunen Augen an. »Ja, ich wollte doch die große Freiheit ausprobieren.«

Für einen Moment vergaß Kim ihre Sorge um Lunke. Das Minischwein war viel mutiger, als sie angenommen hatte. »Und dann?«, fragte sie weiter.

»Zuerst hat mich gar keiner gesehen. Ich habe wunderbare Blumenzwiebeln gerochen, aber plötzlich stand wie aus dem Nichts ein riesiger schwarzer Hund vor mir und fletschte die Zähne. Da bin ich in den Schuppen gelaufen und habe mich nicht mehr herausgetraut. Die Tür stand noch offen, weil ein Mann gerade etwas herausgeholt hatte.«

»Ein älterer weißhaariger Mann?«, fragte Kim. »Das muss Altschneider gewesen sein.«

»Ich weiß nicht«, piepste die Kleine. »Jedenfalls ging dann die Tür zu, und ich war eingesperrt. Erst habe ich geweint, doch später bekam ich Hunger. Ein Schwein muss schließlich auch dann fressen, wenn es traurig ist.«

»Ja.« Kim nickte. Diese verdammten Pflanzen brachten einfach kein Glück. Plötzlich musste sie wieder an Lunke denken. Sollte sie sich zurückwagen und nachschauen, was Kroll mit ihm gemacht hatte?

»Ich glaube, die Freiheit gefällt mir nicht mehr.« Cecile drückte sich an sie und seufzte tief. »Wollen wir nicht zurückgehen? Ich habe nun genug Freiheit gehabt. Außerdem ist mir immer noch schlecht.«

Kim schwieg. Sollte sie der Kleinen gestehen, dass sie nicht sicher war, ob sie den Weg zurück finden würde? Obendrein versteckte sich der Mond gelegentlich hinter den Wolken, die aufgezogen waren.

»Wir sollten noch einen Moment warten«, sagte sie vage. Wieder lauschte sie. Nachtvögel waren zu hören, und in der Ferne ein Auto. Würde Dörthe sie suchen, wenn sie morgen früh nicht im Stall waren? Nein, auf Dörthe war bei all dem Durcheinander kein Verlass mehr. Kim wünschte sich, sie würde einschlafen, und wenn sie aufwachte, wäre alles wie früher, Munk war da und auch der missmutige Haderer. Selbst nach ihm begann sie sich zu sehnen. Aber noch mehr sehnte sie sich nach Lunke – ja, er war ein Angeber, und vielleicht hatte er sie sogar absichtlich die bitteren Pflanzen fressen lassen, damit er sie verführen konnte. Trotzdem war er kein schlechter Kerl.

»Babe«, hörte sie plötzlich aus dem Gebüsch neben ihr, »war gar nicht so einfach, euch zu finden.«

Lunke! Er tauchte tatsächlich zwischen zwei Tannen auf. Sie wäre ihm am liebsten entgegengestürzt und hätte ihn sanft in den Nacken gebissen.

»Du bist es!«, rief sie stattdessen. »Ich dachte schon …« Abrupt verstummte Kim, als sie das Blut auf seinem Kopf schimmern sah. »Du bist verletzt!«, rief sie aus, und auch Cecile quiekte entsetzt.

Lunke lächelte. »Das ist nichts, nur ein Kratzer. Habe einen Moment nicht aufgepasst, aber der hässliche Kerl hat ganz schön geschrien, als ich ihn über den Haufen gerannt habe. Beim nächsten Mal nehme ich ihn mir richtig vor.«

Kim konnte sich nicht erinnern, einen menschlichen Schrei gehört zu haben, aber das spielte nun keine Rolle. Im nächsten Moment bemerkte sie etwas anderes: An Lunkes kaputtem Eckzahn hing ein Rest von einer Plastiktüte und ein Stück Papier. Sie kniff die Augen zusammen. Bücher kannte sie, weil Dörthe manchmal mit einem Buch auf dem Gatter gesessen und laut daraus vorgelesen hatte. Das Papier stammte eindeutig aus einem Buch, und in der Plastiktüte steckte noch der Rest einer bitteren Pflanze.

»Du bist klug«, sagte sie zu Lunke, der daraufhin triumphierend lächelte. Den leichten Spott in ihrer Stimme hatte er augenscheinlich nicht registriert.

»Du meinst, weil ich die Tür geöffnet habe? War eine Kleinigkeit für mich – nicht der Rede wert!«

»Ja, und weil du etwas aus dem Schuppen mitgebracht hast.« Kim deutete mit dem Kopf auf das Papier auf dem Eckzahn. »Das war eine gute Idee.«

Lunke verdrehte die Augen, um seinen Eckzahn anzublicken. »Ja, klar«, sagte er vage, weil er offensichtlich immer noch nicht wusste, was Kim meinte. »Ich denke stets an alles – eine Spezialität von mir.«

»Vielleicht können wir die beiden Sachen noch gebrauchen.« Sie begann nachzudenken. Kroll konnte zu einer ernsten Gefahr werden, wenn er noch wütender auf Lunke wurde.

»So wie wir es mit dem Stiefel gemacht haben?« Lunke schaute sie an, als würde ihm ganz allmählich dämmern, was sie meinte.

Kim nickte. »Vielleicht, aber nun müssen wir zurück. Cecile ist müde und hat genug von der großen Freiheit.« Sie bemerkte, dass die Kleine mit offenem Maul dastand und Lunke anstarrte, als müsste sie sich alles an ihm einprägen – seine mächtige Brust, seine dunklen Borsten, die beiden leuchtenden Eckzähne und das Blut an seinem Kopf.

»Sie sind wirklich sehr stark«, piepste Cecile ehrfürchtig. »Das sieht man sofort.«

»Kleine, du hast mich noch gar nicht richtig in Aktion gesehen«, erwiderte Lunke und reckte den Kopf ein wenig höher. »Da fangen selbst Hunde vor Angst das Pfeifen an.«

»Hunde können pfeifen?«, fragte Cecile und machte große Augen.

»Ist so eine Redensart bei uns Schwarzen«, erwiderte Lunke jovial lächelnd.

»Du musst ihm nicht alles glauben, was er sagt, Cecile«, meinte Kim. »Er ist ein ziemlicher Angeber.« Sie schlug den Weg ein, von dem sie hoffte, dass er zurück zum Stall führte.

Lunke lachte dröhnend. »Wenn du weiter so unfreundlich zu mir bist, erzähle ich der Kleinen, was du neulich mit mir angestellt hast.«

Kim wandte sich um und funkelte den Schwarzen wütend an. »Und was – bitte schön – habe ich mit dir angestellt?«

Lunke warf Cecile einen komplizenhaften Blick zu, als würden die beiden sich schon eine Ewigkeit kennen. Es ärgerte Kim, zu sehen, wie die Kleine diesen Blick genoss und sich aufplusterte.

»Erst«, sagte Lunke und begann obendrein noch zu zwinkern, »hat sie mich diese würzigen Pflanzen fressen lassen, dann hat sie mich an den See gelockt, hat mir schöne Augen gemacht und mich in den Nacken gebissen und dann… dann hat sie…«

»Noch ein Wort«, unterbrach Kim ihn drohend, »und du bekommst meine Hinterläufe da zu spüren, wo es wilden Schwarzen besonders wehtut.«

»Liebste Kim, kaum etwas würde ich mir sehnlicher wünschen.« Mit einem heftigen Rempler stürmte er an ihnen vorbei in den dunklen Wald.

Kim blieb nichts anderes übrig, als ihm hinterherzulaufen.

Am liebsten hätte Cecile jedem sofort in aller Ausführlichkeit von ihrem großen Abenteuer und von Lunke erzählt, doch die Wiedersehensfreude der drei Eber hielt sich in Grenzen. Che öffnete kaum die Augen, und Brunst grummelte: »Ist die Nervensäge also wieder zurück.« Einzig Doktor Pik rang sich ein schläfriges Lächeln ab und meinte: »Na, kleine Ausreißerin, komm und leg dich neben mich.« Dann schob er eine Klaue über sie, als müsse er sie beschützen.

Kim kratzte ein paar Reste Stroh zusammen und legte sich in eine eigene Ecke. Sie wollte nachdenken, wie das alles zusammenhing – Kroll und Altschneider und der Schuppen, aus dem sie Cecile befreit hatten… Man musste nicht das klügste Schwein weit und breit sein, um zu begreifen, dass da etwas nicht mit rechten Dingen zuging. Die drei Menschen hatten sich heimlich getroffen und hatten diese Pflanzen heimlich gesammelt, und Haderer hatte auch dazugehört, aber was hatte das alles mit dem toten Munk zu tun?

Als sie mit Cecile zurückgekommen war, hatte im Haus kein Licht mehr gebrannt, nur über dem Eingang hatte eine Lampe geleuchtet und riesige Schatten auf den Hof geworfen. Alles war still gewesen, ja, beinahe stiller als still.

Plötzlich jedoch vernahm sie Musik. Verwundert hob sie den Kopf. Irrte sie sich, oder sang da ein Mensch mit lauter, schmeichelnder Stimme? Cecile war mittlerweile auch eingeschlafen und murmelte undeutliche Worte vor sich hin, als würde sie all ihre Abenteuer des Tages noch einmal durchleben und sich im Traum selbst erzählen. Nein, stellte Kim fest, sie irrte sich nicht. Draußen sang ein Mensch, genauer gesagt sang ein Mann von seiner großen, übergroßen Liebe und von einer schönen Frau namens Julia, die er unbedingt zurückgewinnen musste, sollte sein Leben nicht verwirkt sein.

Trotz ihrer Müdigkeit erhob Kim sich und trabte aus dem Stall. Geräuschlos näherte sie sich dem Zaun auf der Hofseite, aber der Mann, der da auf einem wuchtigen Wagen saß, der im Licht der Lampe silbern glänzte, hätte sie ohnehin nicht bemerkt. Er sang sich nicht die Kehle aus dem Leib, wie Kim vermutet hatte, sondern hockte auf der Motorhaube und starrte stumm und reglos zu einem Fenster hinauf. Die Stimme drang aus einem winzigen Gerät, das er in der Hand hielt.

»Julia«, schallte es über den Hof, »Julia, ohne dich bin ich verloren, aber mit dir wie neugeboren…«

Dann flammte ein Licht auf, und das Fenster, auf das der Mann starrte, wurde geöffnet.

Dörthe tauchte schläfrig und mit zerzausten Haaren auf. »Gerald, bist du verrückt geworden?«, rief sie wütend. »Was soll dieses alberne Theater?«

Der Mann schaltete das Gerät ab – ein letztes gedehntes »Julia« hallte durch die Nacht, dann sprang er von der Motorhaube herunter und ging in Richtung Fenster. »Darling«, sagte er, »ich musste dich einfach sehen. Es hat ein paar Missverständnisse gegeben… Ich verstehe ja, dass du sauer bist, aber diese neue Situation… Ich musste mich erst…«

»Weiß deine Frau, dass du hier bist?«, fragte Dörthe. Sie klang nun nicht mehr ganz so wütend.

»Ich bin nicht gekommen, um über Helga zu sprechen.« Der Mann zögerte. Kim sah nun, dass er eine ungesund wirkende braune Gesichtsfarbe hatte, als würde er sich zu viel in der Sonne aufhalten, und dass seine zurückgekämmten Haare glänzten, als wären sie nass. »Es geht doch um uns – um unsere Zukunft, wo Munk nun…«

»Du hättest der Polizei sagen müssen, dass ich bei dir war.« Dörthe lehnte mit verschränkten Armen im Fenster. »Damit hättest du mir ein unangenehmes Verhör erspart.«

»Es ist nicht so einfach, wie du denkst«, erwiderte der Mann. »Meine Wähler … Ich kann es mir zurzeit einfach nicht leisten …« Er machte ein Zeichen zur Tür. »Willst du mich nicht hereinbitten … Wir könnten über alles reden.«

»Nein«, sagte Dörthe. »Ich kann dich nicht hereinbitten. Ich habe Besuch. Roberts Zwillingsbruder ist ganz unvermutet aufgetaucht.«

»Der Mörder?« Der Mann runzelte vor Entsetzen die Stirn. »Der Bruder, der im Gefängnis war? Du schläfst mit einem Mörder unter einem Dach?« Seine Stimme klang nun nicht mehr so fest und zuversichtlich wie noch Momente zuvor.

»Er sagt, dass er unschuldig ist, dass man ihm eine Falle gestellt hat.« Dörthe flüsterte beinahe, so dass Kim noch näher an den Zaun herantreten musste.

»Der Mann ist gemeingefährlich – er hat seine Frau umgebracht.« Der Mann machte zwei Schritte auf die Tür zu. »Ich will, dass du sofort mit mir kommst. Wir suchen uns ein verschwiegenes Hotel und besprechen alles. Hat der alte Maler, ich meine, hat Robert Munk eigentlich ein Testament hinterlassen?«

Dörthe lachte. »Darum geht es also? Das Testament! Braucht der Herr Doktor Michelfelder vielleicht noch ein paar tausend Euro für die klamme Wahlkampfkasse? Bedaure, aber ich kann dir nichts mehr geben.« Mit einer schnellen Bewegung trat sie zurück und schlug das Fenster zu. Einen Moment später erlosch das Licht.

Kims Augen wanderten zu dem Mann. Er fuhr sich nervös über das Haar, dann schritt er erst zu seinem Wagen, im nächsten Moment wieder zurück in Richtung Haustür. Unschlüssig verharrte er, in der Hand das Gerät, aus dem die Musik gekommen war. Im Licht der einzigen Lampe wirkte sein Gesicht plötzlich wie versteinert.

»Dörthe!«, rief Michelfelder flehend. »Wir sind doch ein Team – du und ich. Ich rede mit Helga und verschaffe dir ein Engagement am Staatstheater, und du … Ein verdammtes Bild würde ausreichen, um meinen ganzen Wahlkampf zu finanzieren, und wenn ich erst im Landtag sitze, dann lasse ich mich scheiden, und wir …«

Er blickte zu dem dunklen Fenster hinauf, als wartete er darauf, dass es wieder geöffnet würde.

Genau das aber würde Dörthe nicht tun, so viel wusste Kim mit absoluter Sicherheit. Sie hob den Rüssel und sog den Geruch des Mannes ein; er roch nach Bier, nach Leder und nach etwas anderem – nach Lüge. Ohne Zweifel, Michelfelder war ein Mann, mit dem Dörthe ganz bestimmt nie glücklich werden würde.

Als Kim einen leisen Grunzer ausstieß, zuckte er zusammen und blickte ängstlich über die Wiese, ohne sie jedoch zu entdecken.

»Ist da wer?«, rief er ängstlich.

Kim grunzte erneut, diesmal lauter und so tief sie konnte. Fast gelang es ihr, wie ein leicht gereizter Lunke zu klingen.

Lächelnd beobachtete sie den Mann. Er eilte zu seinem Wagen, warf einen letzten Blick zu Dörthes dunklem Fenster hinauf und fuhr davon.

Dann fiel Kim das Kind ein, von dem Dörthe gesprochen hatte. War dieser Mann etwa der Vater? Da hatten es Schweine doch besser – bei ihnen spielten Väter keine Rolle. Man konnte sie getrost vergessen.

14

Manchmal, im Schlaf, erinnerte sie sich an ihre Mutter. Paula hatte stets eine ungeheure Sanftmut an den Tag gelegt, auch wenn sich acht gierige Ferkel um ihre Zitzen gedrängt hatten. Für Kim hatte es nie einen Zweifel daran gegeben, dass sie der Liebling ihrer Mutter gewesen war – die Art, wie Paula sie angesehen oder wie sie ihr zart mit dem Rüssel über den Kopf gestrichen hatte, waren eindeutige Zeichen. Dann jedoch hatte sie von einem ihrer vorwitzigen Brüder erfahren, dass auch jedes der sieben anderen Ferkel dieser Meinung gewesen war. Ihre Mutter hatte stets wunderbar nach Milch gerochen, und außerdem hatte sie Geschichten erzählt. Sie war offenbar viel herumgekommen, nicht so viel wie Doktor Pik und dessen Wanderzirkus, aber sie hatte auf mindestens vier Bauernhöfen mit vielen anderen Schweinen gelebt – so genau wusste sie das selbst nicht mehr. In der Nacht, bevor sie abgeholt worden war, hatte ihre Mutter erklärt, dass jeder von ihnen viele gute Gründe hatte, Stolz darüber zu empfinden, als Schwein geboren zu sein. »Es gibt nicht viele Wesen, die so klug sind wie wir – wir können besser riechen als die meisten Hunde, wie Katzen sehen wir auch in der Nacht, wir finden immer etwas zu fressen und zu trinken, und wir wissen, wie man sich verteidigt. Sogar manche Menschen wissen unseren Wert zu schätzen – nicht diese Schweinefresser, aber die anderen, die mehr von unserer Welt und den Anderwelten verstehen. Sie wissen, dass wir Glück bringen, wenn man uns gut behandelt.« Dann begann sie in vielen farbenprächtigen Worten zu erzählen, dass es Menschen gab, die Schweine verehrten, die sie auf einen Thron setzten und anbeteten. Kim hatte sich das damals nicht vorstellen können, aber eines hatte sie durch die Worte ihrer Mutter begriffen: dass sie nie ihren Stolz verlieren würde und dass sie darauf zählen konnte, etwas herauszufinden, wenn sie nur lange genug darüber nachdachte.

Und vielleicht, nein, ganz sicher würde sie in Erfahrung bringen, wer Munk ermordet hatte. Sie musste sich nur richtig anstrengen und alles gut durchdenken.

Im Traum sah sie wieder den Schatten in der Tür stehen. Einen Moment hatte er da verharrt, während Munk vor ihren Vorderläufen lag, ein letztes Wort flüsterte, die rechte Hand ausstreckte und starb. Wie hatte der Schattenmann in der Tür genau ausgesehen? Oder war es vielleicht eine Frau gewesen? Hatte das fahle Licht aus dem Korridor hinter ihr sie nur ein wenig unförmiger wirken lassen?

Sosehr Kim sich auch bemühte – sie bekam das Bild in ihrem Kopf nicht mehr zusammen.

Plötzlich schrak sie auf. Sie war erwacht. Der diffuse Traum war längst verflogen, aber vor ihr, in dem Gang zum Wohnhaus stand jemand – ein Schatten, genau wie in der Nacht, in der Munk…

Kim kniff die Augen zusammen und atmete ganz vorsichtig ein und aus.

Der Schatten bewegte sich nicht – er hatte einen Kopf, breite, mächtige Schultern und war recht groß, viel größer als Dörthe.

Die anderen hinter ihr schliefen noch tief und fest, nur Doktor Pik wälzte sich herum und schnaubte einmal, wie er es immer tat, bevor er endgültig erwachte. Es war bereits hell draußen, aber der Schatten hatte sich so postiert, dass man ihn nicht genau ausmachen konnte.

Plötzlich spürte Kim, dass sich die Borsten in ihrem Nacken aufrichteten. Sie hatte Angst, eine tiefe Angst, die sich durch ihre Eingeweide wühlte. War es der Mann aus der Mordnacht? War er gekommen, um sie zu töten, weil sie alles mit angesehen hatte?

Sie stieß einen furchtsamen Grunzer aus, um die anderen aufzuwecken – auch wenn sie wusste, dass keiner der vier ihr eine Hilfe sein würde.

Endlich löste sich der Schatten von der Tür und trat in die breite Lichtbahn, die durch das kaputte Fenster fiel.

Kim hielt den Atem an. Es war Munk, der zweite,

der falsche Munk, der gestern gekommen war und alle durcheinandergebracht hatte. Der Mann, den Michelfelder Mörder genannt hatte!

Aber er hatte kein Messer in der Hand. Er bewegte sich unschlüssig, beinahe so, als hätte er selbst Angst, den Stall zu betreten. Langsam kam er näher, lehnte sich an das Gatter und blickte Kim an. Er lächelte schmerzhaft.

»Hallo, kluge Kim«, sagte er.

Kim war überrascht. Hatte Dörthe von ihr erzählt? Etwa dass Munk, der richtige Munk, bei ihr gelegen hatte, als er gestorben war?

Sie stieß ein leises Schnauben aus. Wenn der Mann tatsächlich ein Mörder war, tat sie vermutlich gut daran, ihn freundlich zu behandeln.

»Hier ist es also passiert?«, sprach der Mann vor sich hin, während er seinen Blick durch den Stall schweifen ließ. »Hier ist der Scheißkerl abgekratzt? Der große Munk, das Malergenie stirbt in einem schmutzigen Schweinestall! Na, das ist der richtige Stoff für eine Legende.«

Er hob den Riegel am Gatter hoch, öffnete es, trat in den Pferch und schloss das Tor wieder sorgsam. Einen Moment später stand er genau vor ihr.

Kim wusste nicht, ob sie zurückweichen sollte, aber der falsche Munk beachtete sie gar nicht, sondern drehte sich einmal um sich selbst. Er hatte wirklich eine täuschende Ähnlichkeit mit dem Toten – die gleiche leicht gebückte Haltung, die gleichen groben Hände, und selbst seine Gesichtszüge schienen die gleichen zu sein: die große, ebenmäßige Nase, der schmale, leicht verkniffene Mund, der dunkle Schatten auf den stoppeligen Wangen, die grauen, an den Ohren leicht gelockten Haare, die sich über der Stirn längst gelichtet hatten.

Er wandte sich wieder Kim zu, während Doktor Pik und Brunst sich in ihrer Ecke zu regen begannen.

»Soll ich dir etwas sagen, Schweinchen? Ich bin froh, dass der Dreckskerl tot ist. Er hat mein Leben zerstört… hat sich an Merle, meine Frau, herangemacht, hat sie in sein Bett gelockt und sie getötet, als sie sich von ihm trennen wollte. Er war der Mörder meiner Frau – mein eigener Bruder.«

Kim spürte die harten, unerbittlichen Augen des Mannes auf sich. Sie trat schnaubend den Rückzug an und blickte durch die offene Tür nach draußen. Die Sonne stand bereits hoch am Himmel, und doch wirkte es wie ein dunkler Tag. Sie hatte sich getäuscht. Dieser Munk mochte bis auf das letzte Härchen seinem toten Bruder gleichen, doch im Innern war er vollkommen anders – düster und ohne Hoffnung, dass ihm noch einmal etwas Gutes widerfahren würde.

»Merle«, fuhr der falsche Munk leise fort, die Augen nun auf das kaputte Fenster gerichtet, »sie war schwach – es hat sie beeindruckt, dass ein berühmter Mann wie Robert sie attraktiv fand, aber sie wäre …« Er hielt inne, lächelte flüchtig und seufzte. »Bestimmt wäre sie zu mir zurückgekehrt.« Er breitete die Hände aus, streckte sie Kim entgegen – sie rochen nicht nach Farbe. »Aber dann… Diese verdammten Spuren… Robert war immer klüger als ich, doch nun stehe ich hier und lebe, und er ist tot.«

Schritte waren an der Tür zu hören, die Kim vor dem zweiten Munk wahrnahm. Den Geruch, der heranwehte, kannte sie – der ewig schwitzende Ebersbach watschelte in den Stall, in seinem Schlepptau der hässliche Kroll, der laut schmatzend an irgendetwas kaute.

Munk schnellte herum. Unsicher blickte er zur Tür. »Herr Kommissar!«, sagte er dann mit leicht schriller Stimme, die seine Überraschung und seinen Schrecken verbergen sollte. »So früh hätte ich Sie nicht erwartet.« Er eilte zum Gatter, als müsse er sich in Sicherheit bringen.

Ebersbach schob sich an das Gatter, presste seinen Bauch dagegen, so dass Munk es nicht öffnen konnte. Einen langen Moment stand der Kommissar nur da, als wäre er mit nichts anderem beschäftigt, als durchzuatmen, weil er sich so schnell bewegt hatte. Nein, fiel Kim dann auf, die sich an der offenen Tür zur Wiese postiert hatte, er will dem falschen Munk das Gefühl geben, eingesperrt zu sein.

»Sehen Sie sich an, wo Ihr Bruder gestorben ist? Ja, genau an der Stelle, wo Sie jetzt stehen, hat er seinen letzten Atemzug getan. Ein elender Tod – mit einem Messer im Rücken bei den Schweinen zu sterben. Finden Sie nicht auch?«

Der falsche Munk nickte. Seine Schultern waren nach vorne gesunken.

Dass Kroll sich im Hintergrund hielt, registrierte Kim mit einem Blick von der Seite. Auf seiner Stirn leuchtete ein weißes Pflaster. Also hatte Lunke ihn doch erwischt. Kim verkniff sich ein Lächeln. Mit düsterer Miene blickte Kroll zu ihr herüber, dann nahm er eine Hand hoch und biss in etwas hinein. Er hielt eine lange Wurst zwischen den Fingern. Kim hörte das Knacken, als Kroll seine Zähne in das Fleisch bohrte, und spürte einen Schauder. Dieser Widerling! Als hätte er ihre Angst erkannt, richtete Kroll die Wurst wie eine Waffe auf sie und schnalzte mit der Zunge. Kim hielt die Luft an. Das war eindeutig eine Drohung! Offenbar hatte er doch bemerkt, dass Lunke gestern Abend nicht allein am Schuppen gewesen war. Im nächsten Moment segelte die Wurst in einem hohen Bogen vor ihre Füße, doch sie schaffte es, mit keiner Borste zu zucken und so zu tun, als hätte sie es nicht bemerkt.

»Lass doch den Unsinn, Kroll!«, sagte Ebersbach und wandte sich rasch zu seinem Gehilfen um.

Kroll lächelte, ohne den Blick von Kim zu wenden. »Ich wollte dem Schwein nur klarmachen, wie seine Zukunft aussieht. Wird nicht mehr lange dauern, bis die kleine Sau im Schlachthaus hängt. Man sollte schon mal anfangen, sie zu mästen.«

Ebersbach richtete seine Augen wieder auf den zweiten Munk.

Kim war so aufgewühlt, dass sie seine nächsten Worte nicht mitbekam. Am liebsten wäre sie auf die Wiese geflohen, aber dann wandte sie sich nur ab, um Krolls Blick zu entgehen, und verharrte in der Tür.

»Sie haben damals Ihren Bruder beschuldigt, den Mord an Ihrer Frau begangen zu haben«, fuhr Ebersbach fort. »Ist das richtig?«

Es dauerte einen Moment, bis der falsche Munk antwortete. Zuerst stieß er die Luft aus – ungeduldig und verärgert. Sein Geruch veränderte sich. »Das wissen Sie doch alles, Herr Hauptkommissar Ebersbach. Sie haben damals doch auch zu den Ermittlern gehört.«

Ebersbach schnaubte. »Ich habe die meiste Zeit im Krankenhaus gelegen – schwere Gehirnerschütterung, weil ein Verdächtiger mich angegriffen hat. Schon vergessen?«

Der falsche Munk sagte nichts darauf. Kim hörte lediglich, wie er mit den Füßen scharrte und wie Doktor Pik herzhaft gähnte. Brunst schnaubte leise, und sein Rüssel zuckte. Vermutlich hatte er im Schlaf die Wurst gerochen.

»Aber wir sind nicht gekommen, um über alte Zeiten zu plaudern«, sagte Ebersbach in einem sehr selbstsicheren Tonfall. »Schließlich haben Sie Ihre Strafe abgesessen. Wir haben eine ganz andere Frage. Wann genau sind Sie entlassen worden?«

»Vor einer Woche«, erwiderte Munk so leise, dass es kaum zu verstehen war.

»Nicht vor vier Tagen?« Ebersbach machte eine bedeutungsvolle Pause. »Haben Sie uns gestern nicht weismachen wollen, Sie wären vor vier Tagen aus dem Gefängnis gekommen?«

»Ich war noch woanders«, erwiderte Munk. Kim hörte, dass er in Richtung Gatter ging und versuchte, es zu öffnen, doch Ebersbach wich nicht zur Seite.

»Wo waren Sie in der Zeit seit Ihrer Entlassung aus dem Gefängnis?«, fragte Ebersbach streng.

»In einer kleinen Pension, fünfzehn Kilometer entfernt von hier«, antwortete Munk, dessen Stimme nun wieder lauter klang.

»Und was haben Sie da gemacht?«

»Ich habe darüber nachgedacht, wie ich meinen Bruder bestrafen kann«, sagte der zweite Munk. »Er war der Mörder meiner Frau, aber das wissen Sie ja selbst. Schließlich muss ihm jemand von der Polizei geholfen haben. Wie hätte die Tatwaffe damals sonst in meinen Wagen gelangen können?«

Kim hörte hastige Schritte und wandte blitzschnell den Kopf. Kroll war neben Ebersbach gestürmt und versuchte, an dem dicken Kommissar vorbeizukommen. »Passen Sie auf, was Sie da sagen, Munk!«, rief er drohend. Das Pflaster auf seiner Stirn legte sich in Falten.

Ebersbach hob die linke Hand und schob Kroll ganz ruhig zurück. »Herr Munk«, sagte er. »Vor dem Mord hat Ihre Frau Sie dreimal wegen Körperverletzung angezeigt…«

»Sie hat alle Anzeigen zurückgezogen!«, rief Munk aufgebracht. »Das war seine Idee gewesen, um mich ...«

»Und was hätte Ihr Zwillingsbruder für ein Motiv haben sollen, Ihre Frau zu töten? Er war schon damals ein gefeierter Maler, dem die Frauen zu Füßen lagen. Nicht so ein Verlierer wie Sie – ein verkrachter Versicherungsvertreter, der mit einer Internetfirma pleite gegangen war.«

»Merle wollte zu mir zurückkommen – das war der Grund!«, stieß der zweite Munk hervor. »Einmal im Leben gab es etwas, das mir gehörte und das Robert nicht haben konnte.«

Kim bemerkte etwas, das die Menschen noch nicht bemerkt hatten. Dörthe kam heran, sie trug einen weißen Schlafanzug, ihre roten Haare hingen ihr in wirren Strähnen ins Gesicht. Sie war barfuß. Mit ernster, aufmerksamer Miene setzte sie einen Fuß vor den anderen.

»Was haben Sie da gesagt? Robert hat Ihre Frau getötet?« Ihre Augen funkelten den zweiten Munk wütend an.

Er schwieg und sah zu Boden; auch die beiden Polizisten sagten kein Wort.

»Wie kommen Sie darauf?« Dörthes Haar leuchtete, als würde es in Flammen stehen, als das Sonnenlicht auf sie fiel.

Sie war eine besondere Frau – das sah Kim ganz deutlich und fühlte einen gewissen Stolz, dass ausgerechnet Dörthe sie stets die »kluge Kim« nannte.

»Nun…« Munk zögerte. Langsam hob er den Kopf. »Ich war es nicht, und bei seinem einzigen Besuch im Gefängnis hat er es mir gestanden… Oder besser gesagt, er hat es nicht abgestritten.«

Kroll grinste und sah Dörthe an, als würde er nun einen Wutausbruch erwarten, während Ebersbach nur vor sich hin schnaufte.

Dörthes Hände umfassten das Gatter, dann blickte sie zu den Schweinen, als müsste sie sich vergewissern, dass noch alle da waren. Auch Che und Brunst waren mittlerweile erwacht, doch ganz gegen ihre Gewohnheit verhielten sie sich still.

»Einmal habe ich mit Robert hier oben auf dem Heuboden gelegen. Wir haben die Schweine betrachtet, die selig schliefen, und da hat Robert so etwas gesagt… dass er Schuld auf sich geladen habe. Er werde versuchen, es wiedergutzumachen. Ich fand seine Worte überaus seltsam… Ich habe an eine Frau gedacht, die er betrogen oder verlassen hat, aber doch nicht an einen Mord…«

Dörthe hob den Blick wieder, schaute zum Heuboden hinauf.

»Ein Beweis ist das nicht«, entgegnete Ebersbach kühl. »Schließlich sind damals die Tatwaffe und ein wichtiges Indiz bei Herrn Matthias Munk gefunden worden.«

Dörthe schüttelte den Kopf. »Ja«, sagte sie und blickte Ebersbach dankbar an. »Sie haben recht. So ein wunderbarer Künstler wie Robert kann kein Mörder sein.«

Einen langen Augenblick schwiegen die Menschen, und jeder schien seinen Gedanken nachzuhängen. Dann unterbrach plötzlich ein Klingeln die Stille.

Ebersbach griff in sein Jackett und holte einen dieser kleinen silberfarbenen Apparate hervor.

Energisch nannte er seinen Namen. Dann, nach ein paar Sekunden, murmelte er: »Interessant ... ja, leiten Sie die erforderlichen Maßnahmen unverzüglich ein.«

Nachdem er den Apparat wieder eingesteckt hatte, wanderte sein strenger Blick zu dem zweiten Munk.

Nein, bemerkte Kim, die noch immer an der Tür verharrte, der Blick glitt an Munk vorbei und fiel direkt auf sie.

»Liebe Frau Miller«, erklärte der Kommissar mit einer Stimme, die von falscher Freundlichkeit durchsetzt war. »Das war das Labor der veterinärmedizinischen Abteilung der Universität. Die Experten dort machen sich sehr früh an die Arbeit. Wir hatten ihnen als Eilauftrag die Blutprobe Ihres Schweins geschickt. Nun, da sind einige interessante Fragen aufgetaucht. Kann es sein, dass Ihr Schwein drogenabhängig ist? Oder anders gefragt: Hat jemand dieses Schwein möglicherweise als Drogenkurier eingesetzt?«

Kim hätte sich am liebsten unsichtbar gemacht, um sich den forschenden Blicken Krolls und Ebersbachs zu entziehen. Sie trottete scheinbar gleichmütig nach draußen, suchte sich einen Flecken auf der Wiese, wo sie sich nach letzten Grashalmen umschaute, als wäre es ein ganz gewöhnlicher Tag und sie ein ganz gewöhnliches Schwein. Sollte sie vielleicht fliehen? Das Loch im Zaun lockte sie, doch dann verließ sie der Mut. Wenn sie gewusst hätte, dass Lunke draußen im Wald irgendwo auf sie wartete – aber allein abhauen? Um dann vielleicht ausgerechnet der wilden Emma über den Weg zu laufen?

Auch die anderen schienen schlechter Stimmung zu sein. Brunst durchwühlte die Erde in der Nähe des Stalls nach Käfern. Kim war sicher, dass er Krolls Wurst gefressen hatte – wenn es ums Fressen ging, hatte er keinen Funken Ehre im Leib. Doktor Pik starrte gedankenverloren vor sich hin, während er nach Gräsern suchte, und Che hatte noch kein einziges Wort von sich gegeben. Die langen blutigen Striemen auf seinem Rücken waren ein deutliches Zeichen seiner Niederlage.

Nur Cecile rannte von einem zum anderen, um endlich die Geschichte ihrer Flucht loszuwerden, doch niemand interessierte sich dafür. Überall erntete sie lediglich ein widerwilliges Grunzen. Auch Kim hatte keine Zeit, sich um die Kleine zu kümmern. Während Ebersbach sich mit dem zweiten Munk zurückgezogen hatte, stand Kroll auf dem Hof und blickte andauernd auf die Uhr.

Worauf mochte er warten? Ohne dass sie es eigentlich wollte, wandte Kim ihren Kopf immer wieder in seine Richtung. Sie hatte keine Ahnung, was die beiden

Polizisten vorhatten, aber sie war sicher, dass es nichts Gutes war.

Dann brach das Chaos über den Hof herein. Drei große grüne Transporter rauschten heran. Uniformierte Polizisten sprangen heraus, einige führten riesige Hunde an der Leine, die sogleich wild zu bellen begannen, während sie sich um das Gebäude verteilten.

Gebannt schaute Kim zu, wie diese Bestien den Boden abschnüffelten. In jede Ecke schienen sie zu kriechen. Che und die anderen hatten sich am Loch im Zaun versammelt, als würden sie überlegen, das Weite zu suchen, doch da tauchten auch schon Polizisten mit einem Hund auf, der sie mit Bellen und Zähnefletschen wieder auf die Wiese trieb.

Kim ahnte, dass sie wegen der bitteren grünen Pflanzen gekommen waren. Dann fiel ihr etwas ein. Wohin hatte Lunke das Stück Papier und den Plastikbeutel gelegt, der sich in der Nacht an seinem kaputten Eckzahn verfangen hatte? Sie schaute sich um, konnte aber nichts entdecken und sich auch nicht erinnern.

Kaum hatten die Hunde, von denen zwei anscheinend auch in den Stall eingedrungen waren, sich ein wenig beruhigt, fuhr ein weiterer Transporter auf den Hof – dieser war weiß und deutlich kleiner.

Kim ahnte sofort, dass die beiden weiß gekleideten Männer, die ausstiegen, ihretwegen gekommen waren.

Kroll gab ihnen beflissen die Hand und öffnete dann einladend das Gatter zur Wiese. Lächelnd kamen die

Männer auf Kim zu. Sie hatten keine Stangen dabei, was Kim für einen Moment zuversichtlich stimmte. Dann jedoch zog einer der beiden ein silberfarbenes langes Ding hervor, das er sich vor das Auge hielt und direkt auf sie richtete. Es war, als würde ein schwarzes gefährliches Auge sie anstarren. Kim fiel zu spät ein, dass Kaltmanns Gewehr so ähnlich ausgesehen hatte, nur deutlich größer gewesen war. Im nächsten Augenblick spürte sie einen grellen Schmerz in ihrer linken Flanke und sank zu Boden. Der Mann mit der Waffe lächelte, während sie fiel. Das sah sie genau. Sie war voller Zorn, wollte sich aufrichten, um sich auf den Mann zu stürzen, doch merkwürdigerweise versagten ihr die Beine den Dienst. Auch ihre Augen funktionierten nicht mehr einwandfrei. Der weiße Kittel, der auf sie zukam und sie an den Vorderläufen packte, verschwamm zu einem undeutlichen hellen Fleck.

Lediglich ihr Gehör arbeitete noch einigermaßen. Sie hörte, wie sie über die Wiese geschleift wurde, ohne dass sie nur den leisesten Schmerz empfand, und bevor man sie in den Transporter lud, vernahm sie Krolls schnarrende Stimme. »Leute, wenn ihr das Schwein untersucht habt, könnt ihr es ins Schlachthaus bringen und Hackfleisch aus ihm machen – ganz wie ihr wollt.«

15

Sie hörte die Stimme ihrer Mutter aus dem undurchdringlichen Nebel, der sie umgab. »Wir können den Menschen Glück bringen, wenn sie uns gut behandeln«, sagte ihre Mutter mit ihrer sanftmütigen freundlichen Stimme wieder und wieder. Aber auch ihre Mutter hatte man am Ende abgeholt und auf einen schmutzigen Transporter verfrachtet. Die Menschen wollten kein Glück, sie wollten einen vollen Magen, nichts weiter.

Kim versuchte ihre Sinne beisammen zu halten, doch es gelang ihr nicht. Dinge wischten vor ihren Augen vorbei, die gar nicht da sein konnten: Lunke und die kleine Cecile und die drei Männer hinter dem erleuchteten, geöffneten Fenster, Dörthe und der sterbende Munk, der »Klee« gesagt hatte. Immerhin dieses Wort fiel ihr wieder ein, oder hatte sie es falsch verstanden? Hatte er wegen des Messers im Rücken gar nicht mehr richtig sprechen können?

In dem Transporter, wo es klein und eng war, wurde

sie kräftig durchgeschüttelt. Es ruckelte und rumpelte, so dass sie die paar Gräser, die sie gefressen hatte, nicht bei sich behalten konnte, und auch sonst kräftig unter sich machte.

Doch es war ihr gleichgültig. Mochte kommen, was wollte. Sie würde sich für nichts schämen und sich vor nichts fürchten – das nahm sie sich jedenfalls vor.

Aber in Wahrheit fürchtete sie sich sehr. Auch an ihre Mutter dachte sie – es wäre sehr schön gewesen, wenn ihre Mutter in diesem Moment bei ihr gewesen wäre und ihr Geschichten erzählt hätte – von guten Menschen und Schweinen. Etwa von dem glücklichen Mann, der mit einem Schwein durch die Welt gelaufen war und an jeder Ecke etwas geschenkt bekommen hatte.

Als die Klappe geöffnet wurde, fiel so grelles Licht in ihre Augen, dass Kim ihre Lider sofort wieder schließen musste. Sie hechelte leicht, als man sie seltsam behutsam auf eine Trage legte.

Als sie unter Mühen ein Auge öffnete, erblickte sie eine rothaarige Frau, die leicht Dörthes Schwester hätte sein können, nur dass sie eine überdimensionale Brille trug und ein wenig älter war. Mit schnellen Kommandos dirigierte die Frau drei junge Männer, die eine Trage hielten, in ein weiß gefliestes Gebäude, das hoffentlich kein Schlachthaus war.

»Passt auf, dass der kleinen Sau nichts passiert!«, rief die Frau.

Kim schöpfte Hoffnung. Nein, das war wohl kein

Schlachthaus, wo Kaltmann oder Männer, die ihm ähnlich sahen, mit ihren scharfen Messern auf sie warteten.

Der Geruch, der sie einhüllte, war ekelhaft. Sie wurde auf eine kalte Metallplatte gelegt, und dann begann die rothaarige Frau, die sich leuchtend gelbe Handschuhe übergestreift hatte, an ihr herumzutasten und seltsame Apparaturen an ihr anzulegen, die zwar nicht wehtaten, Kim aber erschauern ließen.

Die meiste Zeit hielt Kim die Augen geschlossen und atmete still vor sich hin. Ihre Augen funktionierten immer noch nicht richtig, doch zumindest spürte sie keine Schmerzen. Nicht einmal ihr Herz hämmerte heftig, wie es sonst stets geschah, wenn sie sich unwohl fühlte oder vor etwas Angst hatte.

Viel später, nachdem sie eingeschlafen war, ohne es bemerkt zu haben, erwachte sie, weil die rothaarige Frau ihren Kopf umfasst hatte und ihr leuchtend orangefarbene Möhren vor die Schnauze hielt. Kim schnappte sofort zu. Sie war hungrig wie noch nie. Wenn sie es recht bedachte, hatte sie ohnehin seit Munk tot war viel zu wenig gefressen und geschlafen.

»Einen Test müssen wir noch machen«, sagte die Frau freundlich und brachte nach den Möhren auch noch einen Eimer Wasser, über das sich Kim ebenfalls ohne Zögern hermachte.

Danach leuchtete die Frau ihr mit einem Licht in die Augen und rief zwei Männer heran, die Kim von dem Metalltisch auf den Boden stellten.

Unschlüssig stand sie im Raum. Was wollten die Menschen von ihr? Sechs Augenpaare – vier davon hinter Brillengläsern – musterten sie misstrauisch. Kim begann sich umzudrehen und zu schnüffeln, obwohl sie sicher war, dass es in dem Raum nichts Interessantes gab. Apparate standen herum, ein paar Metalleimer, die einen widerwärtigen, ätzenden Geruch verströmten, Stühle, Schränke, der Boden war gefliest, und nirgendwo gab es etwas zu fressen.

»Scheint, als wäre unser kleines Drogenschwein wieder auf dem Damm«, erklärte die Frau und nickte den Männern zu.

Im nächsten Moment wurde Kim bei den Beinen gepackt und auf ein schwarzes Stück Gummi gestellt. Die Hände der Frau legten vorsichtig einen Gurt um sie herum, und nur Augenblicke später ruckelte die Gummimatte unter ihren Füßen und setzte sich in Bewegung. Kim spürte Übelkeit und Schwäche in sich aufsteigen, und gleichzeitig begannen ihre Füße sich wie von selbst zu regen. Sie tat, als würde sie laufen, ihre Beine und Klauen bewegten sich im Laufschritt, ohne dass sie jedoch von der Stelle kam. Vor Anstrengung und Überraschung starrte sie vor sich hin, doch bemerkte sie durchaus, dass die Menschen sie immer noch aufmerksam beobachteten. Irgendwelche Apparate blinkten, und ein penetrantes Piepen erfüllte den Raum.

Schließlich, als sie kaum noch atmen konnte, stand die Gummimatte unter ihren Klauen plötzlich still. Kim spürte, wie sie in den Gurt sank. Das war alles zu viel für sie. Noch mehr von diesen Tests würde sie nicht durchstehen. Das Herz klopfte ihr bis ins Maul hinauf, und wenn sie nicht gleich einen riesigen Eimer Wasser bekam, würde sie auf der Stelle tot umfallen.

»Alles in Ordnung!«, rief die rothaarige Frau erfreut und klatschte in die Hände. »Nun ist unser Wunderschwein erlöst.«

Wunderschwein? Was sollte dieses Gerede nun schon wieder?

Das alles hatte mit den bitteren grünen Pflanzen zu tun, die Lunke und sie gefressen hatten – davon war Kim mehr denn je überzeugt.

Doch bevor sie noch weiter nachdenken konnte, wurde sie von der Gummimatte gehoben und an einem Halsband in einen winzigen, ebenfalls gefliesten Raum geführt, in dem es kein Fenster gab, sondern eine hässliche Neonröhre an der Decke hing, die jener in ihrem Stall glich.

Hier roch es ekelhaft nach Medikamenten und den Putzmitteln, die Dörthe manchmal im Garten anwendete, wenn sie Schuhe saubermachte. Und der intensive Geruch von furchtbarer Angst lag in der Luft. Viele Tiere waren hier schon eingesperrt gewesen, nicht nur Schweine, auch Hunde, Katzen und dann noch Tiere, die Kim im Wald gerochen hatte und gar nicht genau kannte.

Sie beschloss, sich in eine Ecke zu legen und abzuwarten. Erst als sie den Blick hob, bemerkte sie, dass sie das Wichtigste nicht gerochen hatte: Da lagen drei riesige Kohlköpfe und Kartoffeln und Möhren und Äpfel – wunderbare Leckereien, die sie gewiss der rothaarigen Frau zu verdanken hatte.

Als wüsste sie genau, dass sie nie wieder im Leben etwas zu fressen bekommen würde, sprang Kim auf die Beine und machte sich über die Sachen her. Sie konnte kaum sagen, was besser schmeckte; alles schlang sie in Rekordzeit in sich hinein, als könnte gleich Brunst auftauchen, um es ihr wegzunehmen. Es war das größte Festmahl, das jemals ein Schwein gesehen hatte – davon war sie überzeugt.

Erst als sie sich mit vollem Bauch in eine Ecke legte, kehrten wirre, bunte Gedanken in ihren Kopf zurück. Was war, wenn sie die anderen niemals wiedersehen würde? Wenn man sie nur ein letztes Mal mästen wollte, bevor man sie schlachtete? Sollte sie darauf vertrauen, dass alle rothaarigen Menschen freundlich waren und keine Schweine aßen? War das so eine Art Gesetz bei den Menschen? Blonde wie Kroll und Grauhaarige wie Ebersbach fraßen Fleisch und Rothaarige wie Dörthe und die Frau mit den Gummihandschuhen Möhren und Brot?

Kim wusste es nicht, und eigentlich wollte sie auch nicht weiter darüber nachdenken. Sie begann sich nach den anderen zu sehnen, sogar nach dem gierigen Brunst, dem sie am liebsten von diesem Festmahl vorgeschwärmt hätte, dass ihm vor Neid das Wasser aus dem

Maul getropft wäre. Als sie die Augen vor Erschöpfung schloß, sah sie plötzlich Lunke vor sich. Wahrscheinlich saß er wieder in dem Feld mit den bitteren Pflanzen und schlang sie in sich hinein – und wartete auf sie. Ja, ganz sicher würde er an den Zaun kommen und schauen, wo sie blieb … Traurigkeit erfüllte sie, und sie erhob sich und schnüffelte den Türspalt ab. Nicht einmal wenn sie so kräftige Eckzähne wie Lunke gehabt hätte, wäre es ihr möglich gewesen, die Tür zu öffnen. Das Ding war aus dem gleichen kalten Blech wie der Transporter, mit dem man sie hergebracht hatte. Aber vielleicht würde man ihr öffnen, wenn sie laute Geräusche machte.

Sie versuchte es mit Grunzen und Schnauben, ohne dass sich etwas regte.

Dann begann sie zu singen – ihre Mutter hatte das manchmal am Abend getan, damit ihre acht Ferkel endlich einschliefen. Kim selbst hatte sich vor Che und den anderen stets geschämt, ihre Stimme zu einer Melodie zu erheben. Das war doch Singen, oder irrte sie sich? Die Stimme in einem bestimmten Rhythmus zu heben und zu senken.

Sie probierte es, aber irgendwie klang es selbst in ihren Ohren lächerlich und alles andere als wohltönend. Dann versuchte sie sich an das zu erinnern, was Michelfelder, der Mann auf dem Auto, in der Nacht hatte singen lassen, damit Dörthe ihm das Fenster öffnete: »Julia, ohne dich bin ich verloren, aber mit dir wie neugeboren …« Sie lächelte vor sich hin. Ja, genau diese Worte hatten über den dunklen Hof geklungen und Dörthe dazu gebracht herauszuschauen.

Kim probierte es und merkte schließlich, als sich ihre Stimme einigermaßen melodiös anhörte, dass sie etwas anderes sang: »Lunke«, sang sie mit einer solchen Eindringlichkeit und Kraft, dass es von den gefliesten Wänden widerhallte, »Lunke, ohne dich bin ich verloren, aber mit dir wie neugeboren ...«

Zwischendurch, als sie einmal eine Verschnaufpause einlegte, meinte sie zu vernehmen, dass jemand heftig gegen die Tür klopfte. Gefiel den Menschen ihr Gesang? Wollte man, dass sie weitermachte? Wahrscheinlich hatte nicht einmal die rothaarige Frau jemals eine so schöne, ausdrucksstarke Stimme gehört, obwohl sie sich mit Schweinen auszukennen schien. Singen half jedenfalls dabei, die Traurigkeit ein wenig zu vertreiben.

Kim fühlte sich durch das Klopfen animiert, sich etwas Neues auszudenken. »Lunke«, sang sie in allen Tonlagen, die sie hervorbringen konnte, »Lunke, du bist mein liebstes Schwein, komm, hol mich hier raus und lass uns glücklich sein.«

Stolz erfüllte sie. Sie konnte sich sogar etwas Eigenes ausdenken. Wenn sie das Doktor Pik erzählen könnte, der ja früher eine Art Künstler gewesen war, dann wäre selbst er wahrscheinlich neidisch geworden.

Nachdem sie versucht hatte, den Vers so glockenhell zu singen, wie die kleine Cecile das ihrer Vorstellung nach tun würde, wurde die Tür abrupt aufgerissen. Das

Gesicht der rothaarigen Frau tauchte auf. Zum ersten Mal sah sie ganz und gar nicht freundlich aus, sondern eher… wütend und gereizt.

»Werte Frau Miller«, sagte sie mit strenger Stimme und kniff die Augen hinter ihrer riesigen Brille zusammen, so dass sie plötzlich viel älter und strenger wirkte. »Ihr Schwein raubt uns den letzten Nerv. Es quiekt seit Stunden wie ein Eber bei der Kastration. Nehmen Sie es bitte mit, bevor unsere Mordlust überhandnimmt! Unsere Tests sind abgeschlossen. Den Bericht bekommt die Polizei.«

Eine abgehetzt wirkende Dörthe schob sich in die Tür. Ihr ungewohnt ängstlicher Blick traf Kim, die darauf sofort verstummte.

»Kluge Kim«, sagte Dörthe atemlos, »wenn du brav bist, fahren wir jetzt nach Hause.«

Die rothaarige Frau versteht offenbar nichts von Gesang, dachte Kim. Für einen Moment war sie beleidigt, aber dann spürte sie ein so freudiges Gefühl in sich, als hätte Lunke sie zärtlich in den Nacken gebissen. Nach Hause – zu den anderen! Hätte ihr ein größeres Glück widerfahren können!

Ohne einen Laut von sich zu geben, trottete sie mit gesenktem Kopf an einer Leine neben Dörthe her. Die Blicke der Menschen spürte sie trotzdem. Jemand lachte schallend, nachdem sie das große weiße Gebäude verlassen hatten; ein Kind zeigte mit dem Finger auf sie und schrie: »Igitt – was ist das denn für ein Tier?« Und ein Mann rief spöttisch: »He, schöne Lady, führen Sie da einen Schweinehund spazieren?«

Dörthe atmete tief ein, wie sie es manchmal tat, wenn sie etwas ärgerte, und rief: »Bei diesem Prachtexemplar handelt es sich um ein *Sus scrofa domestica*, aber da sage ich einem Saukerl wie Ihnen wahrscheinlich nichts Neues.«

Kim beobachtete aus den Augenwinkeln, wie der Mann weiterlief, ohne noch ein Wort zu sagen, und stieß ein dankbares Grunzen aus, das Dörthe aber nicht registrierte, weil sie sich suchend umblickte. Es war immer noch hell, der Himmel riesig und wunderbar blau. All das hatte Kim in ihrem gefliesten, fensterlosen Gefängnis nicht mitbekommen. Dörthe zerrte sie ungeduldig an vielen bunten Blechautos vorbei, die aufgereiht auf einem Platz standen, auf dem nicht ein einziger Grashalm wuchs. Sie spürte nur harten, unangenehmen Asphalt unter den Klauen.

»Wo, verdammt, habe ich nur meinen Wagen geparkt?«, murmelte Dörthe vor sich hin.

Plötzlich roch Kim Wasser und wunderbares Gras und wäre am liebsten in eine andere Richtung abgebogen, aber Dörthe zog sie unerbittlich auf eine laute Straße zu. Autos rauschten so laut vorbei, dass es in den Ohren wehtat, und ganz oben am Himmel zerteilte eine donnernde Maschine das Blau in zwei Hälften. Kim duckte sich unwillkürlich. Es gab viele Dinge, die sie noch niemals gesehen hatte, begriff sie. Dann jagte ein riesiges gelbes Ungetüm an ihr vorbei, in dem eine Menge Menschen saßen und sie anstarrten. Sie zuckte zusammen und hatte das Gefühl, dass ihr das Herz gleich in der Brust explodieren würde.

Dörthe seufzte laut auf und steuerte auf ihren gelben Wagen zu. »Endlich«, sagte sie erleichtert. »Ich hatte mich so beeilt, dass ich glatt vergessen hatte, mir zu merken, wo mein Golf steht.« Sie schaute Kim mit einem Gesichtsausdruck an, als wolle sie sich tatsächlich bei ihr entschuldigen.

Kim schenkte ihr ein besonders nachsichtiges Lächeln, das Dörthe aber vollkommen missverstand. Jedenfalls verdüsterte sich ihr Gesicht mit einem Schlag. »Ich weiß, Schweine sind nicht stubenrein, aber ich wäre dir sehr verbunden, wenn du meine Polster schonen würdest«, sagte sie ernst.

Sie öffnete die hintere Tür und machte eine Geste, die wohl bedeutete, dass Kim auf die schmale Sitzbank springen sollte. Zwei Plastiktüten lagen da, eine leere Flasche, die nach Alkohol roch, und eine Zeitung, von der ihr Munks Gesicht entgegenblickte. Kim war so irritiert, einen deutlich jüngeren, lächelnden Munk zu sehen, dass sie sich ein paar Atemzüge lang nicht rühren konnte.

»Komm schon«, sagte Dörthe und stemmte sich gegen ihr Hinterteil, »beweg dich ein bisschen. Ich kann deinetwegen schlecht einen Anhänger mieten.«

Es war verwirrend, den toten Munk auf einem Stück Papier zu entdecken, aber noch merkwürdiger war es, sich auf ihn zu stellen. Ein kurzes Misstrauen erfasste Kim. Vielleicht würde Dörthe sie gar nicht nach Hause fahren? Aber nein, wenn sie sich nicht mehr auf Dörthe verlassen könnte, dann könnte sie niemandem mehr trauen. Sie sog die Luft ein und sprang, so geschickt sie es vermochte, in den engen Wagen.

»Brave Kim«, sagte Dörthe und schlug die Tür zu. Mit erschöpfter Miene ging sie um das Auto herum und stieg vorne ein. Kim wagte nicht, sich hinzulegen. Stocksteif stand sie da, das schräge Dach ein winziges Stück über ihrem Kopf, und wurde so stark hin und her geschaukelt, dass ihr übel wurde. Sie hatte eindeutig zu viel gefressen. Ihr Magen fühlte sich an, als hätte sie Steine geschluckt, und wenn sie den Blick nur für einen Moment senkte, schaute Munk zu ihr herauf, was sie auch nicht gerade beruhigte.

Immer wieder drehte sich Dörthe nach ihr um. »Alles in Ordnung, kluge Kim?«, fragte sie. »Genieß die Fahrt! Ich glaube nicht, dass es irgendwo auf der Welt ein Schwein gibt, das schon einmal in einem Golf-Kabrio gefahren ist.«

Kim grunzte leise. Was draußen an ihr vorbeiflog, konnte sie kaum richtig erfassen. Häuser, die viel imposanter waren als Munks Haus mit ihrem Stall, und andere Autos, die es offenbar in allen Größen und Farben gab. Gelegentlich starrten Menschen zu ihr herüber –

einige begannen zu lachen und deuteten auf sie, andere rissen den Mund auf oder erbleichten überrascht oder entsetzt, so genau konnte sie das nicht erkennen.

Einmal, als Dörthe so scharf gebremst hatte, dass Kim fast von der Rückbank gefallen wäre, begann sie lauthals zu lachen. »Die Leute gucken dich an, als wäre ihnen ein Geist erschienen!«, rief sie und lachte wieder. »Kim – das Geisterschwein, das mit Drogen dealt.«

Später, als die Straße endlich nicht mehr so viele Kurven hatte und sie auch nicht mehr an jeder Ecke anhalten mussten, schrillte ein Apparat. Kim kannte das mittlerweile. Fast jeder Mensch schien so ein Ding zu haben, der tote Munk, Ebersbach, Kroll, nicht zu vergessen der mürrische Haderer, der sich oft mit so einem Ding in die Ecke gelegt und unaufhörlich vor sich hin geredet hatte.

»Schredder, was wollen Sie?«, fragte Dörthe so unfreundlich, wie sie mit den Schweinen nie gesprochen hatte. Geschickt hatte sie sich das winzige Ding unters Ohr geklemmt.

Kim meinte zu beobachten, wie sich ihr Gesicht immer weiter verdüsterte, während sie der blechernen Stimme zuhörte, die aus dem Apparat drang.

»Ich weiß, dass Robert Sie beauftragt hat, alle seine Werke zu katalogisieren und zu verkaufen, aber ich kann Ihnen leider nicht sagen, was die Bilderfolge Richter 1 bis 8 zu bedeuten hat. Wenn die Bilder fehlen, wird es einen Grund haben. Vielleicht hat Robert…« Dörthe verstummte abrupt. Die blecherne Stimme klang plötzlich auch sehr unfreundlich, wobei Kim den genauen Wortlaut leider nicht verstehen konnte, sosehr sie auch die Ohren spitzte.

»Ich weiß nichts über die Bilder – ich kenne sie nicht«, erwiderte Dörthe mit schneidender Stimme. »Und es hat mich auch nie interessiert, was in Roberts Testament steht. Vielleicht hat er die Bilder verschenkt, ohne Ihnen und mir davon etwas mitzuteilen. Es gibt doch diesen anderen berühmten Maler, der Richter heißt… Gut, dann weiß ich es auch nicht.«

Kim sah, dass eine Ader an Dörthes Schläfe heftig zu pochen begann. Sie fuhr auch immer schneller und unvorsichtiger und bog so unvermittelt in eine andere Straße ein, dass Kim aus der Balance geriet und mit dem Rüssel schmerzhaft gegen das Fenster vor ihr stieß.

»Nein!«, rief Dörthe, nachdem sie den Wagen wieder unter Kontrolle hatte. »Ich finde es empörend, dass Sie hinter mir herspionieren. Ich habe dieses Bild an mich genommen, weil Robert es mir geschenkt hat… Er hat es in drei Tagen gemalt, nachdem wir… Es ist mein Eigentum.« Die letzten Worte hatte Dörthe beinahe geschrien. So zornig hatte Kim sie noch nie erlebt – nicht einmal in der Nacht, als der junge Kaltmann ins Haus einbrechen wollte.

»Ich weiß nicht, was Sie mir da unterstellen wollen«, sagte Dörthe dann in einem leiseren Ton. »Ich bin keine Bilderdiebin – ich bin… Ich war die Muse eines großen Malers, der leider auf tragische Weise…« Wieder verstummte sie und hörte aufmerksam zu. Dann riss sie beide Hände vom Lenkrad, so dass Kim schon Angst hatte, der Wagen könnte von der Straße abkommen, und rief: »Gut, bis morgen. Wir werden ja sehen, wer von uns beiden der Erbschleicher ist.«

Sie warf den kleinen Apparat mit einer so heftigen Bewegung auf den Sitz neben sich, dass Kim erschrak und zurückwich.

»Schredder hätte man ein Messer in den Rücken stechen sollen, diesem Scheißkerl«, murmelte Dörthe vor sich hin. Zum Glück hatte sie das Lenkrad wieder umklammert.

Kim richtete ihren Blick aus dem kleinen Fenster. Das war eindeutig ein Streit gewesen – mit dem Mann mit der riesigen Sonnenbrille, der neulich auf den Hof gefahren war. Was nur konnte es mit den Bildern auf sich haben? Warum waren diese Bilder, die vor allem bunt waren und seltsam rochen, überhaupt so wichtig? Ein Jemand wie Munk malte eine Frau, die auf einem Schwein ritt, und alle Welt interessierte sich dafür.

Nachdenklich blickte Kim hinaus. Häuser mit riesigen Fenstern säumten die Straße, und dann sah sie ein Stück Wiese, auf der Menschen in der Sonne lagen und Hunde hin und her liefen. Schweine waren nirgendwo zu entdecken, aber davon war Kim nicht sonderlich überrascht. Sie war so fasziniert von dem Ausblick, dass sie kaum mitbekam, dass Dörthe schon wieder den winzigen Apparat an ihr Ohr hielt und leise sagte: »Ich muss dich sehen. Wir haben vielleicht ein Problem – Roberts Galerist ist das Arbeitsbuch durchgegangen und hat herausgefunden, dass ich ein Bild an mich genommen habe … Ja, am besten heute Abend.« Dann warf sie den Apparat erneut auf den Sitz neben sich und hatte Tränen in den Augen.

Kim beugte sich vor. Tatsächlich! Da liefen zwei große Tränen Dörthes Wangen hinunter. Schon wieder war etwas geschehen, das Kim nicht zu deuten wusste. Erst der Streit um Bilder, die anscheinend verschwunden waren, und dann die Tränen? Warum?

Plötzlich trommelte Dörthe mit ihren Fäusten auf das Lenkrad, dann, als wäre ihr plötzlich eingefallen, dass Kim auch noch da war, wandte sie kurz den Blick und erklärte: »Tut mir leid, kluge Kim, aber dieser verdammte Galerist … Acht Bilder, die Robert in sein Arbeitsbuch eingetragen hat, sind unauffindbar, und nun will Schredder, dieser Miesling, mir einen Diebstahl anhängen. Wahrscheinlich hat er auch dem Kommissar schon davon erzählt.« Sie lächelte und wischte sich mit der Hand über die Wange. »Ach egal!«, sagte sie dann und lächelte noch einmal. Im nächsten Moment machte der Wagen einen mächtigen Sprung nach vorn, und das Dach bewegte sich. Mit einem unangenehm klingenden Surren glitt es zurück. Kim zog den Kopf ein und grunzte leise. Sie wollte die weinende Dörthe nicht beunruhigen, aber irgendwie ging da etwas nicht mit rechten Dingen zu, wenn ein Auto sich während der Fahrt auf eine solch seltsame Art veränderte.

»Ist das nicht herrlich!«, rief Dörthe, als über ihnen der blaue Himmel schon halb zu sehen war. »Es ist Sommer, ich bin schwanger, ohne zu wissen, von wem, und fahre mit einem lebendigen Schwein spazieren!«

Der Motor heulte auf, und der Wagen sprang abermals nach vorn.

Kim beschloss, sich so klein zu machen, wie es irgend ging. Sie ließ sich auf dem lächelnden Munk nieder und legte den Kopf auf die Vorderläufe. Der Wind zerzauste Dörthe das Haar, doch das schien ihr zu gefallen. Sie lächelte wieder, und einen Moment später erklang auch noch laute, rhythmische Musik, die Kim in den Ohren wehtat. Sie versuchte auch nicht mitzusingen, sondern beschloss, den weiten Himmel über sich zu betrachten und die Landschaft, die an ihr vorbeizog. Die Häuser waren verschwunden. Nun rauschten sie an grünen Wiesen vorüber, die genauso endlos zu sein schienen wie der Himmel.

He, wollte sie Dörthe am liebsten zurufen, können wir nicht anhalten und auf eine dieser endlosen Wiesen laufen, bis wir müde werden und ich wieder Hunger habe?

Auf manchen dieser Wiesen standen seltsame Wesen – braune, große Vierbeiner mit riesigen Köpfen, andere waren schwarz-weiß gescheckt und wandten langsam ihre Köpfe, wenn sie an ihnen vorbeifuhren. Und dann… dann sah sie es, und eine Welle von Sehnsucht durchflutete sie: eine Wiese, die viel größer und grüner war als ihre und auf der friedlich Schweine grasten, eine Menge dicker, rosiger Schweine. Vielleicht war ihre Mutter auch dabei, ja, eine schwere, ältere Sau sah auf die Entfernung genau wie die fette, gutmütige Paula aus. Gemächlich, als könnte nichts sie aufschrecken, trabte sie über die Wiese.

»Anhalten!«, schrie Kim. »Sofort anhalten! Ich muss aussteigen. Meine Mutter – da vorne habe ich meine Mutter gesehen!« Sie entschied, dass es nicht schaden konnte, überzeugter zu tun, als sie war.

Doch Dörthe drehte sich nur kurz um und rief gegen den Wind. »Hast ja recht, kluge Kim. Die Musik ist wirklich zu laut für Schweine mit empfindlichen Ohren – und außerdem führe ich mich auf wie ein hysterisches Mädchen, das nicht wahrhaben will, dass es jetzt allein dasteht.«

Im nächsten Moment wurde die Musik leiser, und die Wiese mit den Schweinen war aus ihrem Blickfeld verschwunden.

Beleidigt zog Kim den Kopf wieder ein. Dörthe hatte wie die meisten Menschen ein Talent, alles gründlich misszuverstehen. Wahrscheinlich hatte sie gar nicht ihre Mutter gesehen, redete sie sich ein, um sich zu trösten. Paula war vermutlich längst in einem Schlachthaus gelandet…

Der Geruch veränderte sich plötzlich, auch wenn am

Himmel nichts Besonderes zu entdecken war. Es roch nach Feuer, registrierte Kim. Ja, wenn Haderer früher manchmal Laub und Äste verbrannt hatte, dann hatte es genauso gerochen.

Als sie aus dem Fenster blickte, erkannte sie, dass sie in dem Dorf angekommen war, das sie zweimal mit Lunke aufgesucht hatte.

Der Wagen wurde abrupt langsamer. Nun hatte offensichtlich auch Dörthe den Geruch bemerkt. Vor dem mächtigen steinernen Gebäude mit dem Turm kam das Kabrio zum Stehen. Ein riesiger roter Wagen versperrte die Straße. Menschen liefen aufgeregt hin und her. Der Geruch wurde immer intensiver, er kam eindeutig aus dem großen Gebäude. Lunke hatte vor dem Eingang nach Blumenzwiebeln gegraben, erinnerte Kim sich, und eine Ecke weiter hatte man die kleine Cecile eingesperrt.

Dörthe beugte sich neugierig aus dem Fenster. Zwei weitere rote Lastwagen standen da, die in etwa die Größe eines Transporters hatten.

»Hat es in der Kirche gebrannt?«, fragte Dörthe einen Mann in einer blauen Uniform, der an ihrem Wagen vorbeilief.

Der Mann schaute sie kurz an; er sah seltsam aus, weil er einen weißen, merkwürdig gebogenen Helm auf dem Kopf trug. »Nicht die Kirche, ein Nebengebäude ist abgebrannt«, erwiderte er und eilte weiter.

Neugierig blickte Kim ihm nach. Der Mann nahm

genau denselben Weg, den sie gestern Abend mit Lunke gegangen war – um das große Gebäude herum zu dem Haus, wo sie Kroll und die beiden anderen Menschen und schließlich Cecile entdeckt hatten. Kim hob ihren Rüssel in den Wind, und dann nahm sie, ohne richtig nachzudenken, all ihre Kraft zusammen und sprang hinten aus dem Wagen. Ihre Klauen kratzten über den Lack, aber darauf konnte sie keine Rücksicht nehmen.

Dörthe schrie schrill und voller Überraschung ihren Namen, aber Kim hörte gar nicht hin. Klar, sie tat ein paar Dinge, die ein einfaches Schwein nicht tun sollte – es war nicht sonderlich klug, dem einzigen Menschen, der sie wirklich mochte, davonzulaufen und geradewegs in eine Ansammlung aufgeregter Zweibeiner hineinzumarschieren, aber sie musste einfach wissen, was hier los war. Außerdem roch sie noch etwas anderes, nicht nur Wasser und verbranntes Holz. Eine schreckliche Ahnung beschlich sie.

Zwei uniformierte Menschen waren so überrascht, dass sie zur Seite sprangen, als Kim an ihnen vorbeitrabte. Hinter ihr war auch Dörthe aus dem Auto gesprungen und folgte ihr laut und aufgeregt rufend.

Ein anderer Mann baute sich vor Kim auf und schrie: »Was, zum Teufel, macht dieses Schwein hier?« Aber er klang nicht wirklich gefährlich.

Kim erkannte Altschneider sofort, auch wenn er nun ganz anders aussah. Man hatte ihn ein Stück beiseite gelegt. Eine Decke war von seinem Körper gerutscht. Seine Kleider und sein einstmals weißes Haar waren verbrannt, auch seine linke Gesichtshälfte war grausam entstellt. Ein Auge starrte zum Himmel hinauf, das andere hingegen war gar nicht mehr da. Seine Hände waren schwarz, und seine Beine wirkten seltsam verformt. Ob er noch Schuhe trug oder seine Füße bis auf die Knochen verbrannt waren, ließ sich nicht mehr genau erkennen.

Kim blieb stehen und starrte den Leichnam an. Ja, das war dieser scheinbar freundliche Mann, der sie »Ferkelchen« genannt und sie auf einen Grill hatte legen wollen. Nun hatte ein Feuer ihn getötet.

Dörthe tauchte atemlos neben ihr auf und griff nach ihrem Halsband.

»Der Pfarrer!«, stieß sie hervor und presste eine Hand auf den Mund. »Oh, wie schrecklich!«

Kims Blick wanderte zu dem Schuppen, in dem Cecile eingesperrt gewesen war. Dort hatte das Feuer getobt. Rauch stieg zwischen Wasserlachen auf. Andere Uniformierte liefen umher und machten ernste Gesichter. Gab es da noch einen Toten? Kroll oder den jungen Kaltmann? Nein, offensichtlich nicht.

»Sind Sie verrückt geworden?«, rief ein Mann mit einem besonders großen Helm und trat auf Dörthe zu. »Nehmen Sie Ihr Schwein, und machen Sie, dass Sie verschwinden!« Dann wandte er sich an einen anderen Mann. »Sind in diesem Ort alle verrückt geworden?«

Dörthe nickte, stumm vor Entsetzen, und versuchte, Kim mit sich zum Auto zu zerren.

Munk, Haderer, Altschneider – der dritte Tote, rechnete Kim sich in Gedanken vor.

Die Menschen starben, als litten sie an einer schlimmen Krankheit.

Ohne sich zu widersetzen ließ sie sich von Dörthe zum Auto führen und sprang bereitwillig hinein. Sie hatte nun schon beinahe Übung darin. Auf der anderen Seite der Straße hatten sich ein paar Kinder postiert, die sogleich losschrien, als sie Kim entdeckten, und da stand auch der ältere Kaltmann und starrte sie feindselig an, als würde er ihr die Schuld an dem Feuer geben und daran, dass Altschneider tot war.

16

Wortlos fuhr Dörthe auf den Hof zurück. Sie weinte zwar nicht, aber das Entsetzen ließ ihr Gesicht starr und gealtert aussehen. Kim hätte gerne etwas getan, um sie zu trösten, aber außer leise zu grunzen, fiel ihr nichts ein. Dörthe reagierte nicht darauf.

Der Himmel war glutrot, als das Kabrio vor dem Haus hielt. Kim wartete brav, bis Dörthe ihr die Tür öffnete und sie herausspringen konnte. Der Hof war verlassen, kein Auto stand mehr da, und auch die Hunde, die alles durchschnüffelt hatten, waren verschwunden – nur ihr penetranter, unangenehmer Geruch hing noch in der Luft. Einige hatten tatsächlich gewagt, hier unter sich zu machen.

»Danke, dass du meine Polster geschont hast«, sagte Dörthe, aber es klang abwesend und tonlos. Dann nahm sie Kim das lästige Halsband ab und ließ sie auf die Wiese.

Erleichtert trabte Kim auf den Stall zu. Das ist der längste Tag meines Lebens gewesen, dachte sie.

Als sie sich noch einmal umdrehte, sah sie, dass der falsche Munk aus dem Haus getreten war und Dörthe ihm die Hand reichte, während sie gleichzeitig begann, ihm mit lauten, aufgeregten Worten zu berichten, was geschehen war. Wenn sie es nicht besser gewusst hätte, hätte Kim in dem Abendlicht, das alles weich und schattenhaft wirken ließ, geglaubt, der richtige Munk sei zurückgekehrt und begrüße seine Geliebte.

»Bist du also zurück«, sagte eine dunkle Stimme hinter ihr.

Überrascht wandte Kim den Kopf.

Doktor Pik stand allein mitten auf der dämmrigen Wiese und lächelte sie an. »Hab mir schon Sorgen gemacht«, erklärte er. »Dein wilder schwarzer Freund ist auch schon zweimal hier gewesen.«

Kim dachte an den toten Altschneider und daran, dass sie unbedingt in Erfahrung bringen musste, was Lunke mit der kaputten Plastiktüte und dem Fetzen Papier gemacht hatte, den Dingen, die sich gestern Abend an seinem Eckzahn verfangen hatten.

»Ich muss schlafen«, sagte sie zu Doktor Pik. »Im Dorf hat es gebrannt, und jemand ist tot, und ich habe gesungen und bin untersucht worden …« Vor Erschöpfung flossen die Worte so leise und tonlos aus ihr heraus, dass man sie kaum verstehen konnte.

»Das wird nicht sofort möglich sein«, sagte Doktor Pik. »Che … Er hat … Er ist zu einem Entschluss gekommen.«

»Will er schon wieder ausbrechen und die Revolution ausrufen?« Kim lächelte erschöpft. »Tja, das muss wohl bis morgen warten.«

»Ich werde bald sterben«, sagte Doktor Pik. »Ich spüre es in meinen Knochen ... Dann kann ich nichts mehr für dich tun ... die anderen nicht mehr besänftigen ...« Er klang zärtlich und traurig zugleich.

»Die anderen nicht mehr besänftigen?« Kim blieb abrupt stehen. Vor ihr lag der Stall in der Dämmerung, und sie war beinahe sicher, dass Che und Brunst irgendwo auf der Lauer lagen, um zu lauschen. Leiser fuhr sie fort: »Wieso musst du die anderen besänftigen?«

»Ach, kluge Kim.« Doktor Pik seufzte. »Du bist schon immer anders gewesen, aber nun ... Seit der wilde Schwarze aufgetaucht ist und du die Wiese verlassen hast, ist Che regelrecht wütend auf dich. Wenn er könnte, würde er dich verbannen ... dich ausschließen aus unserer Gemeinschaft.«

Kim spürte einen Stich in ihrem Herzen. Verbannen? Ausschließen? Was sollte das denn bedeuten? Sie waren fünf Schweine, die sich, wenn alles glatt lief, um ihr Fressen keine Gedanken machen mussten und die das unvergleichliche Glück gehabt hatten, dass Dörthe sie vor dem Schlachthaus gerettet hatte, und nun redete einer davon, einen anderen aus ihrer Gemeinschaft zu verbannen?

Sie schaute Doktor Pik fragend an. Zum ersten Mal fiel ihr auf, dass er magerer geworden war, nicht Haut und Knochen, das nicht, aber verglichen mit Brunst und Che allenfalls eine halbe Portion. Vielleicht war er auch deshalb so schweigsam geworden. War er krank, hatte er Würmer oder war mit seinen Innereien etwas nicht in Ordnung?

»Zu welchem Entschluss ist Che denn gekommen?«, fragte sie mit fester Stimme.

»Das wird er dir selbst sagen«, erwiderte Doktor Pik. »Ich möchte dich nur bitten, ein wenig freundlicher zu sein und … vielleicht kooperativer.«

Kim nickte. Klar, dachte sie, kooperativ sein konnte nichts schaden. Außerdem würde Che, da man ihm das Kostbarste, was ein Eber besaß, schon vor langer Zeit geraubt hatte, auch nicht den Satz aussprechen können, den sie aus seinem Maul absolut gehasst hätte: He, Kim, ich will ein paar Ferkel von dir.

»Also gut«, sagte sie, während sie sich wieder dem Stall näherten, »zeige ich mich lieb und nett und kooperativ, so wie es Eber bei einer Sau mögen.«

Doktor Pik nickte ihr freundlich zu.

Es war offenbar zur Gewohnheit geworden, dass niemand abends die Tür zum Stall verriegelte. Auch der falsche Munk tat das nicht.

Die anderen hatten sich bereits auf ihre angestammten Schlafplätze zurückgezogen.

Cecile sprang sofort auf die kurzen Beine und quiekte freudig. »Kim, endlich – wo bist du gewesen? Hast du was Tolles erlebt? War Lunke auch dabei?«

Kim steuerte ihre Ecke an. »Nee«, sagte sie, »ich habe nichts Tolles erlebt. Die Menschen haben mich untersucht, und dann …« Dass sie mit Dörthe in einem offenen Wagen gefahren war, sollte sie lieber verschweigen, überlegte sie, während sie Ceciles neugierigen Blick auf sich spürte. Und von Lunke wollte sie auch nicht sprechen.

Brunst hob kurz den Kopf. Statt einer Begrüßung grunzte er: »Du riechst seltsam …«

»Nach Rauch – im Dorf hat es ein Feuer gegeben«, erwiderte Kim beiläufig, um seine Neugier nicht anzustacheln.

Brunst schüttelte den schweren Kopf. »Das meine ich nicht. Hast du Möhren gefressen? Ich rieche frische Möhren.«

Vor Staunen vergaß Kim einen Moment zu atmen. Wie konnte das sein? Hatte Brunst den absoluten Geruchssinn, was all die Dinge betraf, die man fressen konnte? Es war eine halbe Ewigkeit her, dass die rothaarige Frau mit der überdimensionalen Brille sie mit Möhren gefüttert hatte.

Als sie antworten wollte, hörte sie, wie Che in dem dunklen Stall herankam. Er funkelte sie mit seinen braunen Augen wütend an, und es interessierte ihn offenbar auch nicht, ob sie nach Rauch oder Möhren roch.

»Hast du dich wieder mit den Menschen gemein gemacht?«, zischte er ihr zu.

Mit den Menschen gemein gemacht? Wo hatte er denn diesen Ausdruck her?

»Ich wäre lieber hier bei euch gewesen – das kannst du mir glauben«, entgegnete sie, so freundlich sie konnte.

Aus den Augenwinkeln registrierte sie, dass Doktor Pik ihr zunickte. Ja, so war es gut, schien er ausdrücken zu wollen. Sei nett – und brich bloß keinen Streit vom Zaun.

»In letzter Zeit bist du mehr unter Menschen als unter Schweinen«, erklärte Che streng. »Nein, ganz so kann man es auch nicht sagen«, korrigierte er sich selbst. »Da gibt es ja noch diesen wilden Schwarzen, der dir auflauert – diesen Halunken. Wahrscheinlich hat er dich auch schon …«

Kim spürte, wie eine heftige Wut in ihr aufwallte. Im Gegensatz zu dir ist Lunke wenigstens kein Feigling, wollte sie Che entgegenschleudern, doch dann sagte sie nur: »Ich bin schrecklich müde. War ein langer Tag. Können wir nicht morgen weiterreden?«

Che schob sich noch näher heran, so dass sich ihre Rüssel beinahe berührten. Er roch nicht gut – nach Zorn, nach zu vielen schlechten Gedanken. Die Wunden aber, die ihm seine Flucht vor den Schwarzen eingetragen hatte, schienen allmählich zu heilen.

»Ich wollte dir nur etwas mitteilen«, sagte er. »Ich habe einen Entschluss gefasst. Es ist schmerzlich, aber wohl nicht zu ändern. Die Erfahrung neulich …« Er verstummte abrupt, wie er es immer tat, wenn er sich besonders wichtig nahm und auch andere von seiner Wichtigkeit überzeugen wollte.

»Teil mir deinen Entschluss mit, und dann ist es gut«, erklärte Kim leicht gereizt.

Doktor Pik schnaubte besorgt und runzelte warnend die Stirn.

»Ganz so einfach ist es nicht«, erwiderte Che steif, aber nicht unfreundlich. »Ich habe meine Lebensplanung ändern müssen.«

Kim schloss für einen Moment die Augen. Lebensplanung – was redete er da? Sein Leben hatte darin bestanden, tagein, tagaus über die Wiese zu laufen, nach Fressen zu suchen und oft, leider viel zu oft leere Reden zu schwingen.

»Ich musste schmerzlich erkennen, dass die Zeit für die Revolution noch nicht reif ist, dass ich mit meinen Ideen zu früh gekommen bin. Ich stehe vollkommen allein da – ja, so krass muss ich es ausdrücken. Die wilden Schwarzen haben noch nicht annähernd das Bewusstsein, das nötig wäre, um sich gegen die Menschen zu erheben. Wir müssen einen anderen Weg finden, um...«

Er brach wieder ab und starrte sie an, als würde er darauf warten, dass sie seinen Satz vollendete.

»Was für einen anderen Weg?«, fragte sie nach kurzem Zögern.

Doktor Pik lächelte, und auch Brunst und Cecile hatten sich nun neben ihm postiert und hörten aufmerksam zu.

»Ich habe beschlossen, mein Vermächtnis zu formulieren... Eine Art Testament, damit nachfolgende Generationen die Chance zur Revolution ergreifen können, wenn die Zeit reif dafür ist.«

Kim musste sich eingestehen, dass sie nun überhaupt nichts mehr verstand. Welche nachfolgenden Generationen sollten das sein? Weder Che noch Brunst oder Doktor Pik waren fähig, Nachwuchs zu zeugen.

»Am besten wäre es natürlich«, fuhr Che fort und gönnte sich zur Abwechslung ein altkluges Lächeln, »ich könnte einem Menschen, der auf unserer Seite steht, mein Vermächtnis diktieren, aber da gibt es ja leider gewisse Verständigungsprobleme. Bleibt also nur ein Weg.«

Er verstummte und sog tief die Luft ein, dann wartete er ab. Die anderen, von denen Kim sicher war, dass sie diesen Weg bereits kannten, weil er den ganzen Abend von nichts anderem gesprochen hatte, verharrten regungslos.

»Welcher andere Weg?«, fragte Kim ungeduldig. Sie konnte sich vor Müdigkeit kaum noch auf den Beinen halten.

»Ich brauche einen Jünger, dem ich alles erkläre und der sich alles merkt«, rief Che feierlich aus. »Genauer gesagt – eine Jüngerin, die mutig genug ist, meine Botschaft in die Welt hinauszutragen.«

Brunst, Doktor Pik und Cecile atmeten gleichzeitig aus.

Das ist es also, dachte Kim, das ist die große Nachricht, aber was hat das alles mit mir zu tun?

Doktor Pik lächelte sie altersmilde an, dann verstand sie plötzlich.

»Du willst, dass ich mir dein ganzes Gerede anhöre, es mir merke und es dann anderen Schweinen erzähle, dem wilden Schwarzen vielleicht?«, rief Kim aus.

Che lächelte so selig, wie sie es noch nie gesehen hatte, dann wandte er sich an die anderen: »Endlich hat sie es kapiert«, sagte er laut. Im nächsten Moment drehte er sich wieder um und betrachtete sie forschend. »Ein großartiger, weitsichtiger Plan, nicht wahr?«

Kim nickte. »Ja, großartig«, sagte sie leise und begab sich in ihre Ecke. »Ich muss jetzt schlafen, und außerdem ist im Dorf wieder ein Mensch getötet worden – in dem Feuer.«

Sie kratzte ein wenig Stroh zusammen und legte sich nieder. Niemand reagierte auf ihre Nachricht, nicht einmal Cecile sagte etwas. Die Kleine hatte sich an Doktor Pik geschmiegt.

»Ich arbeite noch am ersten Satz«, erklärte Che in der Dunkelheit. »Der erste Satz ist in einem Vermächtnis besonders wichtig. Was meinst du, Kim, wie sollte er lauten?«

Sie hörte am Scharren seiner Klaue, dass er sich in Position stellte, obwohl sie es nicht sehen konnte, weil noch kein Mondlicht in den Stall fiel.

»Also, ich habe vorläufig zwei Versionen – den anderen habe ich sie schon vorgetragen.« Che räusperte sich. »Version eins lautet: ›Am Anfang war das Schwein.‹

Kurz und prägnant, nicht wahr? Aber vielleicht nicht dynamisch genug. Daher...« Wieder ein gewichtiger Räusperer. »Daher habe ich lange über eine zweite Version nachgedacht.«

Kim schloss die Augen. Sie sah Lunke vor sich. Gut, er war auch ein wenig verrückt, aber wenigstens ging er ihr nicht mit seinem wichtigtuerischen Gerede auf die Nerven.

»Also, Version zwei«, schallte es durch den Stall. »›Schweine aller Weiden und Ställe vereinigt euch!‹ Das klingt zupackender, oder nicht?«

Che schien beinahe vor Stolz zu platzen.

»Finde ich beides gut«, erwiderte Kim leicht gereizt, während sie sich zur Wand herumrollte. »Aber vielleicht gibt es ja noch eine dritte Lösung, in der beides zum Ausdruck kommt – das Prägnante und das Zupackende. Denk noch mal darüber nach.«

Dann schloss sie die Augen und sah einen riesigen Trog mit frischen Möhren vor sich, die sie gerne fressen wollte, die aber leider schrecklich nach Rauch rochen, während sie langsam in den Schlaf glitt.

17

Ihr Schlaf war unruhig. Immer wieder zuckte sie zusammen, weil sie meinte, furchterregende Geräusche zu hören – dann stand ein Mann mit einer langen Peitsche vor ihr, die er laut knallen ließ, damit sie im Kreis lief, immer wieder, immer schneller, bis sie fast zusammenbrach. Der Mann hatte Kaltmanns Gesicht, entdeckte sie und erschrak noch heftiger.

Doktor Pik hatte ihr so etwas einmal von seinem Zirkus erzählt – dass es da große, merkwürdig gestreifte Tiere gegeben hatte, die von morgens bis abends unaufhörlich im Kreis laufen mussten, bis sie müde wurden und keinen Knochen mehr regen konnten.

Als Kim erwachte, bemerkte sie, dass es längst hell war und die anderen schon auf die Wiese getrabt waren, nur Doktor Pik lag genauso kraftlos wie sie in einer Ecke.

Das Gatter wurde geöffnet, und der falsche Munk trat ein. Er stützte sich auf einen Besen und lächelte sie an, und er bewegte sich in genau denselben Stiefeln auf sie zu, die der Maler Munk immer getragen hatte.

Er tut gerade so, als wäre er der richtige Munk, dachte Kim. Sie erhob sich mühevoll. Das Laufen auf dem Band gestern hatte sie fürchterlich angestrengt, jeder Muskel tat ihr weh. Diesem Munk würde sie mit Vorsicht begegnen – er war ein Mörder, auch wenn er es Dörthe gegenüber abgestritten hatte.

»Na, faule Bande«, rief Munk mit freundlicher Stimme. »Raus mit euch – ich möchte den Stall ausmisten. Habt ziemlichen Dreck gemacht.«

Kim grunzte kurz und knapp ihre Zustimmung. Auch wenn sie reinliche Schweine waren – seit Haderer tot war, hatte hier keiner mehr sauber gemacht. Diese Idee, auszumisten, konnte sie nur begrüßen. Langsam setzte sie ein Bein vor das andere. Doktor Pik jedoch regte sich immer noch nicht.

Was hatte er gestern Abend gesagt? Dass er bald sterben würde? Ein heißer Schreck fuhr Kim in die Glieder. Er hatte schon häufiger dunkle Bemerkungen über sein Alter gemacht, dass er dreizehn Winter und vierzehn Sommer gesehen habe, aber vom Sterben hatte er noch nie gesprochen.

Der zweite Munk begann, Stroh und Exkremente zusammenzufegen, die eindeutig von Cecile stammten, die mal wieder nicht aufgepasst hatte. Leise pfiff er vor sich hin. Dass sein Bruder tot war, schien ihn nicht besonders zu beschäftigen oder traurig zu stimmen. Dabei war der Tod doch immer eine schlimme Sache. Was wäre, wenn Doktor Pik in der Nacht, ohne einen Laut von sich zu geben, gestorben wäre? Dann wäre sie jetzt gewiss furchtbar traurig und würde sich verlassen fühlen.

Kim näherte sich ihm vorsichtig und schob ihren Rüssel vor.

Doktor Pik hatte die Augen geschlossen und rührte sich nicht. Sie hatte sich nicht getäuscht – er war tatsächlich magerer geworden, unter den Augen lagen tiefe Schatten, und sein Fell war stumpf und fleckig.

Atmete er überhaupt noch? Sie hielt ihren Rüssel über seine faltige Schnauze.

»Ich möchte noch einen Moment liegen bleiben«, flüsterte Doktor Pik, ohne die Augen zu öffnen.

Kim wich zurück und lächelte. »Alles klar«, sagte sie. »Dieser andere Mann – der Bruder ist dabei, unseren Dreck wegzumachen, aber er lässt dich bestimmt noch ein Weilchen in Ruhe.« Dass dieser Munk ein Mörder war, brauchte der alte Eber ja nicht zu wissen.

Doktor Pik nickte. »Ich bin so müde«, sagte er. »So wie damals – Madame Pompadour.«

»Madame Pompadour?«

»Das war ein Pferd in unserem Zirkus – das weißeste Pferd, das die Welt jemals gesehen hat. Es konnte zählen und sich auf Kommando um sich selbst drehen und solche Sachen. Eines Morgens ist es nicht mehr aufgestanden, und drei Tage später ist es friedlich gestorben.«

»Du solltest aber wieder aufstehen«, sagte Kim und bemühte sich, möglichst sorglos zu klingen. »Ich bin sicher, dass draußen Futter für uns liegt. Ich glaube, ich kann Brunst bis hierhin schmatzen hören.«

Doktor Pik nickte wieder, aber ohne etwas zu sagen oder auch nur eine Klaue zu regen.

Der zweite Munk fegte und pfiff noch immer vor sich hin.

Der erste Munk hat hier nie gearbeitet, fiel Kim ein, aber der war ja auch ein berühmter Maler gewesen, der den ganzen Tag und manchmal auch in der Nacht im Atelier mit seinen bunten Bildern beschäftigt gewesen war.

Plötzlich aber hielt Munk inne, als wäre ihm etwas eingefallen. »Ist der Zaun immer noch kaputt?«, redete er vor sich hin und blickte Kim in die Augen, aber irgendwie hatte sie nicht den Eindruck, als würde er sie ansehen. »Darum muss ich mich dringend kümmern«, fuhr er nachdenklich fort. »Dörthe wäre am Boden zerstört, wenn ihren Schweinen etwas zustoßen würde. Jetzt, wo die Jäger auf die Wildschweine schießen…« Er stellte den Besen beiseite und ging zur Tür, die zur Wiese führte, doch Kim stürmte an ihm vorbei.

Wildschweine schießen? Bedeutete das, Ebersbach und Kroll hatten Leute engagiert, die Lunke jagen sollten?

Sie rannte auf die Wiese, und Che und Brunst, die sich soeben über einen Haufen Gras und Kohl hermachen wollten, hoben neugierig die Köpfe.

»Da ist ja meine Jüngerin«, rief Che, ohne dass es

klang, als würde er sich einen schlechten Scherz erlauben. Der helle Fleck auf seinem Rücken leuchtete im Sonnenlicht, und seine Wunden waren kaum mehr als dunkle Striemen.

Kim galoppierte, ohne auf ihn zu achten, zu dem Loch im Zaun.

»Was soll die Panik?«, fragte Brunst schmatzend. »Hat Nachschub gegeben. Ist genug zu fressen für alle da.«

Der Zaun war nicht repariert worden. Nichts hatte sich verändert, nur dass ein paar dicke schwarze Borsten, die Lunke gehört hatten, an einem Stück Draht hingen. Sollte das ein Zeichen sein? Kim lauschte. Schüsse waren zum Glück nicht zu hören.

Die kleine Cecile trabte heran. »Wartest du auf den Krach?«, fragte sie mit piepsiger Stimme.

Kim nickte. »Was weißt du darüber?«

Das Minischwein versuchte ein ernstes Gesicht zu machen, aber sein Schwanz wedelte freudig hin und her. »Heute Morgen, als es hell wurde, hat es im Wald gekracht, immer wieder. Ich habe mich richtig erschrocken. Wundert mich, dass du es nicht gehört hast.«

»Schüsse? Waren das Schüsse?«

Cecile zuckte mit den Schultern. »Schüsse? Keine Ahnung. Es war wie bei einem Gewitter, ohne dass ein Blitz zu sehen war, aber es war ja auch schon hell.«

Che kam heran und blickte misstrauisch auf das Loch im Zaun.

Kim versuchte ihn zu ignorieren. Sollte sie in den Wald laufen und Lunke suchen? Vielleicht lag er irgendwo, war verletzt und blutete. Außerdem hatte sie immer noch nicht die Tüte und das Stück Papier, das sie Dörthe unbedingt geben musste – jetzt, wo auch Altschneider tot war.

»Ich habe weiter nachgedacht«, erklärte Che mit nie gekannter Freundlichkeit. »Vielleicht hast du recht: Der erste Satz müsste alles in sich vereinen und den Zuhörer so fesseln, dass er alles vergisst und gebannt an deinen Lippen hängt.«

Kim hatte für einen Moment Mühe zu begreifen, wovon er sprach. Dann fiel ihr wieder die Rede über sein Vermächtnis ein. Sie mied seinen Blick und sah suchend zum Wald hinüber. Wenn Jäger da gewesen waren, waren sie vermutlich wieder abgezogen. Zumindest waren keine verdächtigen Geräusche zu hören.

»Also«, sagte Che und lächelte ein wenig unsicher. Ein typisches Räuspern folgte. »Was hältst du von diesem ersten Satz?« Ein weiteres bedeutungsvolles Räuspern. »›Schwein sein ist alles.‹«

Fragend schaute er sie an. Seine braunen Augen weiteten sich, als sie nicht sogleich antwortete.

»Genial, nicht wahr?«, fügte er hinzu, doch nun hatte sich eine leichte Unsicherheit in seine Stimme geschlichen.

Kim lauschte noch immer. Wie nur konnte sie Lunke anlocken, ohne in den Wald laufen zu müssen?

»Ja, sehr eindrucksvoll«, sagte sie dann, weil sie noch immer Ches Blick auf sich spürte, »aber vielleicht fängst du besser mit dem zweiten Satz an. Vielleicht fällt es dir dann leichter, das Vermächtnis zu formulieren.«

Als sie ihn wieder anblickte, sah sie Verwirrung in seinem Gesicht. Er runzelte die Stirn.

»Meinst du wirklich?«, rief er aus. »Den zweiten Satz zuerst?«

»Ja.« Kim nickte heftig. Dann sah sie, dass ein großer Transporter auf den Hof fuhr, gefolgt von mehreren anderen Autos. Menschen stiegen aus. Einige trugen verräterische weiße Kittel.

O nein, nicht schon wieder!, dachte sie. Noch eine Untersuchung würde sie nicht ertragen, da würde sie auf der Stelle in den Wald abhauen und sich im Gebüsch verstecken.

Schredder, der Mann mit der riesigen Sonnenbrille, gehörte auch zu den Neuankömmlingen, und Ebersbach und Kroll waren ebenfalls eingetroffen. Wie immer leuchteten an ihrem Wagen die Scheinwerfer.

»Den zweiten Satz zuerst«, wiederholte Kim. »Daran ist nichts Ungewöhnliches.«

Dann lief sie zum Loch im Zaun und stieß ein lautes Grunzen aus, das Lunke hören musste, falls er irgendwo in der Nähe war und die Jäger ihn nicht am frühen Morgen erschossen hatten.

Sie fraß ein wenig, etwas Kohl, Kartoffeln, ein paar Äpfel und beobachtete dabei die ganze Zeit den falschen Munk. Er kümmerte sich gewissenhaft um sie, schaffte Ceciles Dreck aus dem Stall, brachte Stroh heran, füllte die Wassertröge auf und stellte auch die Eimer mit dem Körnerfutter bereit, wie Haderer es früher getan hatte. Dabei redete er unaufhörlich vor sich hin, ohne dass man genau verstehen konnte, was er sagte, aber jeder, der ihn beobachtete, begriff sofort, dass er viel allein gewesen war.

»Vielleicht mache ich Musik«, sagte er laut vor sich hin. »Fange in einer Bar an und suche mir dann eine Sängerin. Oder ich versuche mich als Maler. Genau wie Robert. Aber dann würden die Leute mich immer mit ihm vergleichen. Oder nein, ich fotografiere. Vielleicht sollte ich Dörthe fragen, ob sie eine Kamera hat und ich ein paar Fotos von ihr machen dürfte …«

Als Kim einmal laut aufgrunzte, um ihn zum Schweigen zu bringen, lächelte er sie an. »Meinst du auch, ich sollte sie fragen, kluge Kim?«, sagte er.

Sie wandte sich ab und suchte sich ein ruhigeres Plätzchen.

Nachdem sie gefressen hatte, legte sie sich in die Nähe des Lochs, vor das der falsche Munk lediglich eine Schubkarre geschoben hatte. In dem Schatten des einzigen Apfelbaumes, der im letzten Jahr zwei Früchte getragen hatte, ließ es sich aushalten. Leider hatte Brunst damals die beiden Äpfel erwischt. Wo blieb Lunke? Immer wieder suchte Kim den Wald ab und hob ihren Rüssel in den Wind, ob sie einen wilden Schwarzen in der Nähe riechen konnte. Doch der Wald schien verlassen zu sein. Nichts regte sich, nicht einmal ein Kaninchen hoppelte heran. Es war, als würden sie aus Angst vor den Jägern alle in ihren Verstecken hocken und sich nicht heraustrauen.

Auf dem Hof war dagegen große Hektik ausgebrochen. Schredder und Dörthe liefen umher, sahen sich jedes Bild an, das in Munks Atelier stand, und zwischendurch kamen auch Kroll und Ebersbach. Die beiden anderen, in weiße Kittel gekleideten Männer, von denen einer lange graue Haare hatte und der andere ein wenig hinkte, liefen zwischen dem Transporter und dem Haus hin und her und trugen Tische und Stühle hinein.

Kim spürte eine gewisse Erleichterung, während sie die beiden beobachtete. Also war der Transporter diesmal nicht ihretwegen gekommen.

Dann, als die Stühle alle in einer Ecke im Atelier aufgestapelt worden waren, begannen die Männer unter der Aufsicht von Schredder vorsichtig, die Bilder in den Transporter zu schaffen. Der Galerist trug wieder seine überdimensionale Sonnenbrille und gab bei jedem Gemälde, das aus dem Haus befördert wurde, laute, unfreundliche Anweisungen, die über die ganze Wiese zu hören waren.

Hinter seinem Rücken zogen die Arbeiter Grimassen und machten sich über sein Gebaren lustig.

Gelegentlich kam auch Dörthe an den Transporter und warf einen Blick hinein, aber sie hatte ein stilles, trauriges Gesicht, als würde man ihr etwas wegnehmen, das sie eigentlich nicht weggeben wollte.

»He, Babe!«, hörte Kim plötzlich eine Stimme hinter sich.

Sie fuhr herum. Lunke hockte im Gebüsch, nur seine braunen Augen lugten zwischen den Blättern hervor.

»Warum hast du vorhin nach mir gerufen?«, fragte er leise.

»Lunke! Endlich – bist du verletzt?« Kim sprang auf die Beine und bewegte sich auf das Loch zu. Der Schubkarre verpasste sie einen Stoß, so dass sie auf die Seite fiel.

»Hast du dir etwa Sorgen um mich gemacht?« Kim ahnte mehr, als dass sie es sehen konnte, dass Lunke spöttisch lächelte.

»Nicht direkt«, erwiderte sie zögernd, »aber Cecile hat etwas von Jägern erzählt, und da habe ich mich gefragt…« Sie verstummte. Nun, er brauchte ja nicht allzu genau zu wissen, wie sehr sie ihn vermisst hatte.

Ein paar Zweige im Gebüsch bewegten sich. Lunke kam jedoch nicht hervor. »Besser, ich halte mich ein wenig zurück. Dieser Mann, den ich über den Haufen gerannt habe… Er ist heute beim ersten Licht mit drei Jägern durch den Wald gelaufen. Zum Glück waren sie ziemlich laut. Ich glaube, sie haben nicht einmal einen Hasen erwischt.« Er kicherte vor sich hin. »Freunde werden dieser Mensch und ich aber wohl nicht mehr.«

»Kroll!«, sagte Kim und atmete erleichtert auf. »Das muss Kroll, der Polizist, gewesen sein. Er sucht dich – und der andere Mann ist tot, verbrannt.«

»Egal«, sagte Lunke. »Ich sollte mich jedenfalls bei Tag ein wenig vorsehen – ist ohnehin nicht meine Zeit. Aber warum hast du so ein Geschrei gemacht?«

Kim räusperte sich; es würde fast so blödsinnig wie Ches Gerede klingen, fiel ihr auf, doch dann brach es aus ihr hervor: »Es ist viel passiert, ich war in einem Haus mit vielen Fliesen, ich musste irgendwelche Tests machen, und ich bin Kabrio gefahren und habe einen Toten gesehen, der vorher Altschneider gewesen war, und dann habe ich von den Schüssen gehört, und ich brauche unbedingt die Tüte und das Blatt Papier, die du aus dem Schuppen mitgenommen hast, wo der Mann verbrannt ist, der mich ›Ferkelchen‹ genannt hat…« Atemlos hielt sie inne.

Lunke sagte nichts, sondern schaute sie nur an. Sie meinte zu riechen, dass mit ihm wieder alles in Ordnung war. Jedenfalls lag kein Geruch von Blut in der Luft. Die Blöße, nach seiner Kopfwunde zu fragen, würde sie sich aber nicht geben.

»So, du hast dir also Sorgen gemacht«, sagte er, als hätte er nichts von dem verstanden, was sie eben von sich gegeben hatte. Er räusperte sich, fast so wie sie vor ein paar Momenten. »Nun, wenn ich ehrlich bin, ist es mir genauso gegangen. Der alte Schlappschwanz aus eurer Rotte hat mir gesagt, dass sie dich… abgeholt haben, und ich hatte schon ... irgendwie Angst ... dich vielleicht nie mehr wieder zu sehen ...« Seine letzten Worte brachte er stockend und beinahe flüsternd hervor.

»Das war Doktor Pik«, fiel sie ihm ins Wort. »Rede nicht so von Doktor Pik – er ist klug, er hat viele Tricks auf Lager und ist früher mit einem Wanderzirkus umhergezogen.« Ihre Stimme klang wieder fester. Lunke sollte bloß nicht anfangen, sentimental herumzusäuseln. Das passte nicht zu ihm. »Ich brauche diese Tüte und das Papier – unbedingt! Wo hast du sie?«

Lunke schien nachzudenken. Aus dem Gebüsch war ein unruhiges Scharren zu hören.

»Schön, dass du wieder ganz die Alte bist«, erklärte er dann leicht beleidigt, und im nächsten Moment verriet eine heftige Bewegung von Zweigen und Ästen, dass er in den Wald verschwunden war.

Kim überlegte einen Moment, ihm nachzulaufen. Ja, wollte sie schreien, ich habe mir Sorgen gemacht, aber dann sah sie, wie Doktor Pik auf die Wiese schwankte. Er hatte sich erst jetzt aus dem Stall hervorgewagt. Die Sonne stand hoch und heiß am Himmel, und er schien kaum atmen zu können.

»Doktor Pik!« Kim lief auf ihn zu und schob sich neben ihn. »Du musst unbedingt etwas fressen – Kohl, am besten frischen Kohl. Sieh her! Der falsche Munk hat eine Schubkarre voll mit Gemüse abgeladen.«

Doktor Pik nickte müde. »Kim«, sagte er, »du musst mir eines versprechen – dass du die anderen niemals im

Stich lässt. Che wäre fähig, große Dummheiten zu begehen, nur um seine Botschaft in die Welt hinauszutragen, dass sich die Schweine gegen die Menschen erheben sollten. Dabei sollten Schweine die besten Freunde des Menschen sein und umgekehrt.«

»Alles klar – ich verspreche es«, sagte Kim und führte Doktor Pik zu dem nächstgelegenen Wassertrog. Er sollte jetzt keine Reden halten, sondern sich erholen. Ohne ihn würde Che ihr wahrscheinlich noch mehr auf die Nerven gehen.

Sie beobachtete, wie der alte Eber soff und sich dann über den frischen Kohl hermachte, genau gesagt über das wenige, was Brunst übrig gelassen hatte.

»Iss alles auf«, redete sie ihm gut zu. Als sie zwischendurch zum Hof blickte, hatte sie das Gefühl, dass Kroll immer wieder zu ihr herüberstarrte. Was taten die Menschen da? Suchten sie im Haus etwas? Mittlerweile waren alle Bilder aus dem Atelier in den Transporter geladen worden. Der falsche Munk hatte sich nun auch zu ihnen gesellt, allerdings hielt er sich ein wenig abseits, und noch jemand war gekommen, bemerkte Kim: eine ältere Frau mit kurzen Haaren und ein Mann, der wie Kaltmann aussah.

Ein heftiges Schnauben riss sie aus ihrer Beobachtung. Doktor Pik kaute gehorsam und blickte sie dankbar an. Von ihm war das Schnauben jedoch nicht gekommen, auch die anderen waren noch dabei, sich vollzustopfen. Brunst schien über Nacht noch dicker geworden zu sein.

Da sah sie es – ein Schimmern in der Sonne, neben der umgekippten Schubkarre.

Lunke war am Loch gewesen und hatte die Plastiktüte gebracht. Hatte er dieses wichtige Beweisstück also wiedergefunden. Dörthe würde hoffentlich verstehen, was es zu bedeuten hatte – eine Tüte mit ein paar Blättern der bitteren Pflanze, die Kroll, der junge Kaltmann und Altschneider in dem Schuppen versteckt hatten, dazu das Stück Papier, das genauso roch wie das große Gebäude mit dem Turm.

Ja, dachte Kim, Dörthe ist schlau genug, das alles in einen Zusammenhang zu bringen, auch wenn der Schuppen nun abgebrannt ist.

Kim machte Anstalten, das Stück Plastik behutsam in die Schnauze zu nehmen, als etwas sie zögern ließ. Lunke war umsichtig genug gewesen, das Papier ebenfalls in die Tüte zu stopfen. Es war zerknittert, aber das, was darauf stand, würde Dörthe noch entziffern können. Nein, registrierte Kim, als sie vorsichtig mit dem Rüssel über die Tüte strich. Nicht Lunke hatte das Papier zuletzt berührt, sondern ein anderer wilder Schwarzer – vielmehr eine wilde Schwarze. Kim spürte einen heftigen Stich. Sie war nicht eifersüchtig, überhaupt nicht, aber warum hatte er immer so getan, als würde er allein durch die Gegend streifen, ein einsamer Schwarzer, der niemandem Rechenschaft ablegen musste und der vor nichts Angst hatte? Ohne jeden Zweifel hatte eine wilde Schwarze sich an dem Papier zu schaffen gemacht.

Lunke war ein elender Lügner! Dieser Gedanke setzte sich in ihrem Kopf fest. Kim drehte sich um und blinzelte in die Sonne. Sie würde die Tüte liegen lassen, und auch Lunke würde sie keine Beachtung mehr schenken, wenn er das nächste Mal auftauchte, um anzugeben und irgendwelche Geschichten zu erzählen, in denen er der Held war.

Nein, das wäre lächerlich! Schließlich hatte sie ihn gebeten, die Tüte herbeizuschaffen, und es ging um Dörthe und den toten Munk.

Mit einer heftigen Bewegung senkte sie den Kopf, schnappte wütend zu und trabte über die Wiese in Richtung Hof. Sie würde dafür sorgen, dass Dörthe die Tüte bekam, und dann würde sie das Ganze nichts mehr angehen.

Auf dem Hof standen die Menschen nun alle zusammen. Schredder hatte sich in der Mitte postiert und hielt eine Rede. Er bewegte die Hände und wandte immer wieder den Kopf. »Das Vermächtnis von Robert bewahren …«, hörte Kim. »… eine Mission, die nicht beendet ist … Bilder der Öffentlichkeit zugänglich machen …«

Dörthe hatte sich mit verschränkten Armen ein wenig abseits postiert. Sie machte ein ernstes Gesicht und sah aus, als würde sie gleich anfangen zu weinen. Vor ihr standen Ebersbach, die blonde Frau sowie die beiden Männer im weißen Kittel und Kaltmann. Ja, es war tatsächlich der Schlächter, nur hatte er sich in einen schwarzen Anzug gezwängt. Missmutig starrte er vor sich hin. Der falsche Munk war der Einzige, der sich hinter Schredder gestellt hatte; fast schien es, als wolle er dessen Gesicht nicht sehen.

Kim grunzte leise, um Dörthe auf sich aufmerksam zu machen, und dann, als sie einen leichten Windhauch spürte, der die Tüte mir ihrer kostbaren Fracht über den Zaun tragen würde, öffnete sie ihr Maul.

Die Tüte hob sich in die Luft, als wüsste sie, was sie zu tun hatte, und wehte sanft und ohne Hast davon. Kim musste unwillkürlich lächeln, weil sie alles richtig berechnet hatte. Das Papier und die grünen Blätter trudelten, gefangen in der Plastiktüte, genau auf Dörthe zu, die dieses unbekannte Flugobjekt nun auch zu bemerken schien. Jedenfalls wandte sie für einen Moment den Kopf und blickte gedankenverloren in Richtung Wiese.

Plötzlich jedoch begann sich die Tüte in der Luft zu drehen. Sie tanzte wirr um sich selbst, verlor die Richtung, wirbelte herum, als wolle sie geradewegs in den endlos blauen Himmel davontreiben.

Dann jedoch, als sie noch ein Stück an Höhe gewonnen hatte, pflückte eine Hand sie mit einer hastigen Bewegung herunter.

Kim fühlte Erleichterung. Atemlos hatte sie dem Tanz der Tüte zugesehen. Ihr Plan wäre zunichte gewesen, wäre der wertvolle Inhalt auf Nimmerwiedersehen verschwunden.

Dann aber begriff sie, wessen Hand, unbemerkt von Dörthe und den anderen Menschen, zugepackt hatte.

Kroll – wie hatte sie nur Kroll aus den Augen verlieren können?

Er hingegen hatte sie die ganze Zeit beobachtet.

Neugierig starrte er auf seine Beute herab und bewegte sich dabei langsam in Richtung Stall, während Schredder unentwegt redete und die anderen ihm weiterhin zuhörten.

Kim grunzte hilflos, doch weder achtete man auf sie noch auf Kroll.

Er hielt sich die Tüte an die Nase, zog das Papier hervor und ließ seine Augen darüber gleiten, genauso wie Dörthe es immer getan hatte, wenn sie mit einem Buch in den Stall gekommen war und ihnen vorgelesen hatte. Leise formte sein Mund ein paar Worte, die Kim aber nicht verstehen konnte, sosehr sie auch die Ohren spitzte.

Abrupt, als hätte er ihren forschenden Blick bemerkt, riss Kroll den Kopf herum. Er suchte sie auf der Wiese, und dann ruckte sein Schnurrbart hoch. Breit und selbstsicher grinste er sie an und leckte sich über seine braunen Zähne. Das Pflaster leuchtete auf seiner Stirn.

»Macht hoch die Tür, die Tor macht weit – ein wirklich schönes Lied«, sagte er in ihre Richtung und wandte die hässlichen Augen nicht von ihr ab. »Schade, dass wir noch nicht Weihnachten haben – könnte aber sein, dass für dich bald Bescherung ist, Schwein.«

Macht hoch die Tür, die Tor macht weit? Was sollte das zu bedeuten haben? Waren das die Worte, die auf dem Papier standen?, fragte Kim sich mit klopfendem Herzen.

Während Schredder immer noch von Robert Munk, von ewiger Kunst und Tragik sprach, zog Kroll ein winziges Ding aus seiner Tasche hervor. Eine schmale Flamme begann aus seiner Hand aufzuflackern, und einen Atemzug später war das Papier nur noch ein Häufchen Asche, das in alle Richtungen davonwehte.

Kim quiekte auf, als hätte ihr jemand einen heftigen Schlag versetzt.

Was tat Kroll da?

Dörthe war mit einem schnellen Satz am Zaun und funkelte Kim wütend an: »Sei leise, Kim«, zischte sie. »Du kannst nicht immer im Mittelpunkt stehen, verdammt, nicht an einem solchen Tag.«

Alle Menschen auf dem Hof hatten sich mit finsteren Mienen zu ihr umgedreht; Kaltmann starrte sie so zornig an, dass sie erschauerte.

Passt doch auf!, wollte Kim ihnen zurufen. Kroll verbrennt Dinge, die wichtig sind, aber Dörthe stieß ein weiteres Zischen aus, und Schredder hob die Hände und sagte: »Robert hätte nicht gewollt, dass wir in unserer Trauer verharren. Er hätte gewollt, dass wir in seinem Sinn weitermachen. Seine Botschaft von Schönheit und Farben in die Welt hinaustragen.«

Als Kim sich umdrehte, bemerkte sie, dass Kroll verschwunden war. Die Plastiktüte wehte über die Wiese, als wollte sie zu Lunke zurück – nun aber war sie leer und wertlos, ohne das Papier und die grünen Blätter.

18

Keine Frage, sie hatte es vermasselt. In der winzigen Plastiktüte hatten sich die letzten Dinge befunden, die aus dem abgebrannten Schuppen übrig geblieben waren. Wenn Dörthe sie in die Hand bekommen hätte, wäre ihr gewiss aufgefallen, dass es eine Beziehung zwischen Haderer, Altschneider und den bitteren Pflanzen gab.

Niedergeschlagen legte Kim sich in den Schatten eines Apfelbaums und schloss die Augen. Sie wollte gar nicht mehr wissen, was die Menschen auf dem Hof trieben. Kroll hatte alles zunichte gemacht, aber warum hatte er das getan?

Nun, er war mit dem jungen Kaltmann und Altschneider zusammengewesen und hatte gesehen, wie Lunke mit seinen Eckzähnen die Tür aufgestemmt und Cecile aus dem Schuppen befreit hatte. Einen Tag später war Altschneider tot gewesen.

Kroll musste damit zu tun haben – sie musste ihn überführen.

Das war es – einen anderen Schluss konnte es nicht geben. Aber wie sollte sie das anstellen?

Mutlos beobachtete Kim, wie der Transporter mit all den Bildern vom Hof fuhr, dann setzten sich auch Schredder und die blonde Frau in den großen schwarzen Wagen und rauschten mit heulendem Motor davon. Kroll und Ebersbach verschwanden ebenfalls in ihrem weißen Auto, an dem stets die Scheinwerfer leuchteten. Kim registrierte, dass Kroll ihr noch einen gehässigen Blick zugeworfen hatte.

Allein der falsche Munk und Dörthe blieben zurück.

Warum kommst du nicht? Kim bemühte sich, Dörthe diesen Gedanken ins Haus zu schicken, wo sie hektisch umherlief, aber sie reagierte nicht. Statt sich um ihre Tiere zu kümmern, hatte sie sich umgezogen und lief plötzlich in schwarzen Kleidern durch das Haus, genau wie der falsche Munk. Er kam immerhin noch einmal in den Stall und auf die Wiese, kontrollierte die Wasserströge und brachte einen Eimer mit Körnerfutter, als hätte er tatsächlich Haderers Stelle eingenommen. Forschend sah er sich dabei um, als suche er etwas. Ja, auch vorher hatte er schon einen forschenden Eindruck gemacht, wenn er den Stall betreten hatte, fiel Kim nun auf.

Später sah sie, wie der zweite Munk und Dörthe den Hof in ihrer schwarzen Kleidung verließen. Die beiden stiegen jedoch nicht in Dörthes Kabrio, sondern gingen zu Fuß, Seite an Seite, allerdings mit einem gehörigen Abstand.

Er ist ein Mörder, sagte Kim sich, man muss vor ihm auf der Hut sein, obschon er uns zu fressen gegeben und den Stall sauber gemacht hat. Er hat seine Frau mit einem Messer getötet.

Unschlüssig, was sie nun tun sollte, sah sie sich nach den anderen um. Doktor Pik war wieder im kühlen Stall verschwunden, die kleine Cecile schlief, Brunst beugte sich laut schmatzend über den Eimer mit dem Körnerfutter, und Che schritt auf der Wiese hin und her und sprach mit grimmigem Gesicht vor sich hin. Wahrscheinlich suchte er immer noch nach dem ersten oder dem zweiten Satz seines Vermächtnisses.

Kim hatte mittlerweile Übung darin, durch das Loch zu schlüpfen. Sie wandte sich zum Hof hin, schlich durch den Wald und hatte Dörthe und den falschen Munk bald im Blick.

Dörthe sah vollkommen verändert aus; ihr rotes Haar war hochgesteckt, sie trug einen schwarzen Hut und einen Rock, in dem sie sich kaum bewegen und lediglich kurze, nervöse Schritte machen konnte. Sie roch auch, wie sie noch nie gerochen hatte – wie ein ganzer Lavendelbusch.

Der zweite Munk schritt neben ihr. Er roch nach Schweiß, als sei er aufgeregt.

»Ich weiß nicht«, sagte er, zögernd und mit Ungeduld und ein wenig Unsicherheit in der Stimme. »Ich habe Robert gehasst. Was werden die Leute denken? … Sollte ich nicht lieber im Haus bleiben … Bei den Schweinen fühle ich mich wohler. Vielleicht sollte ich Schweinezüchter werden, so etwas in der Art…« Er blieb stehen und breitete die Hände aus.

Für einen Moment war er Kim beinahe sympathisch, doch dann sagte er: »Die Leute in dieser Gegend essen gerne Schweinefleisch – da könnte man sicher eine Menge Geld verdienen.«

Dörthe blieb ebenfalls stehen und blickte ihn böse an. »Morgen wird das Testament eröffnet. Vielleicht hat Robert Ihnen ja etwas vermacht. Ich weiß, dass ihm leid tat, dass Sie acht lange Jahre im Gefängnis waren. Er hat überlegt, ob er Sie abholen solle, aber dann hat er sich nicht getraut.«

Der falsche Munk lachte auf. »Ja«, sagte er, »das kann ich mir denken. Er hat meine Frau getötet und ist davongekommen…«

»Reden Sie nicht so!«, fuhr Dörthe ihn an, dann ging sie mit kurzen, ärgerlichen Schritten weiter die schmale Straße hinunter. Sie schien keine Angst vor dem falschen Munk zu haben. Kein einziges Mal drehte sie sich um, während sie auf das Dorf zuging.

Kim folgte ihnen, dabei beherzigte sie Lunkes Methode, sich tief im Straßengraben zu halten. Vor dem Dorf waren Dörthe und der falsche Munk wieder auf gleicher Höhe. Sie bogen in einen Weg ab, der nicht asphaltiert war, und verschwanden schließlich hinter einer Backsteinmauer. Stolze Autos parkten da und blinkten in der Sonne, und immer mehr kamen angefahren.

Menschen stiegen aus, die alle in Schwarz gekleidet waren, und reichten sich mit ernsten Gesichtern die Hand.

Kim überlegte, ob sie zum Stall zurückkehren sollte. Ein Schwein durfte hier auf keinen Fall entdeckt werden, und wenn so viele Menschen da waren, stand nicht zu befürchten, dass der zweite Munk Dörthe etwas antun würde. Und überhaupt war Kroll viel gefährlicher, wie sie mittlerweile zu wissen glaubte.

Oder sollte sie vielleicht in den Wald laufen und nach dem kleinen See suchen, wo sie und Lunke sich einmal gesuhlt hatten? Die bitteren Pflanzen würde sie aber nie wieder fressen, das hatte sie sich fest vorgenommen.

Glocken begannen zu schlagen, und plötzlich lag Musik in der Luft. Wunderschöne, sanfte Töne schwebten heran, krochen ihr ins Ohr und machten ihr Herz ganz leicht. Was geschah auf einmal mit ihr? Sie hob ihren Rüssel gegen den Wind und wurde eine andere: Sie war wieder jung, ein Ferkel voller Sehnsucht nach Leben, und ihre Mutter war da und lief ihr tatsächlich entgegen – über eine breite Dorfstraße, eingehüllt von Musik, von sanften, nie gehörten Tönen.

Atemlos kam Kim an der Backsteinmauer an, hinter der Dörthe und die anderen Menschen verschwunden waren. Hier musste irgendwo die Quelle der Musik sein. Als sie schon durch ein Tor laufen wollte, brach die Musik ab, und sie hörte ein heftiges Schnauben, gefolgt von einem mürrischen, vertrauten Grunzen.

»Kann man dich eigentlich keinen Moment aus den

Augen lassen, Babe?« Lunke drängte sich vor sie und versperrte ihr den Weg. »Seit wann verschlägt es ein kleines rosiges Hausschwein auf einen Friedhof der Menschen? Willst du am helllichten Tag Knochen ausgraben?«

Knochen ausgraben? Kim schaute sich um. Nun, da keine Musik mehr spielte, bemerkte sie die merkwürdigen Steine, die sich den breiten Weg entlang reihten, und eine kleine offene Halle, die voller Menschen war, die auf Bänken saßen und andächtig vor sich hin starrten.

»Es ist nur wegen der Musik«, murmelte sie, ohne dass Lunke sie verstehen konnte.

Er grinste. »Hast die Tüte gefunden, schätze ich.«

Sie nickte, aber sogleich verdüsterte sich ihr Gesichtsausdruck. »Hat komisch gerochen – irgendwie gar nicht nach dir.« Argwöhnisch schaute sie ihn an, doch er reagierte auf diese verdeckte Frage gar nicht. Die Wunde am Kopf war kaum mehr zu sehen; eigentlich sah er überhaupt nicht aus, als hätte er gestern gegen einen Menschen wie Kroll gekämpft.

Lunke sagte nichts, sondern trabte an der Mauer entlang in Richtung Wald.

»Kann schon sein«, meinte er dann. »Hatte sie irgendwo liegengelassen.«

Kim konnte förmlich riechen, dass er log. Sollte sie ihn direkt fragen, wer denn seinen Weg kreuzen konnte, da er doch angeblich stets ohne jede Gesellschaft durch den Wald lief? Nein, niemals würde sie sich die Blöße geben, eine solche Frage zu stellen. Es war ihr im Grunde auch vollkommen gleichgültig, ob es da eine andere gab, irgendeine wilde Schwarze, die er vermutlich genauso belog wie sie.

Sie wollte sich schon abwenden, um allein den Weg zurück zum Stall einzuschlagen, als die Musik wieder anfing zu spielen.

Wie schön das war! Die Luft wurde erfüllt von diesen wunderbar zarten Klängen. Bäume wiegten ihre Blätter im Wind, Blumen öffneten ihre Blüten, und Vögel sangen ganz weit oben am Himmel und flogen noch elegantere Kreise. Selbst Lunke war stehen geblieben und lauschte. Am liebsten hätte Kim mitgesungen, so wie in dem gefliesten Raum, als ihr Gesang die rothaarige Frau herbeigelockt hatte, doch plötzlich bog ein weißer Wagen mit eingeschalteten Scheinwerfern mitten hinein in die wundervoll wogende Musik.

»Ebersbach und Kroll!«, zischte sie Lunke zu, und sie schafften es gerade noch, sich hinter der Backsteinmauer in Sicherheit zu bringen.

Statt der Musik war im nächsten Moment eine tiefe, volltönende Männerstimme zu vernehmen, die den Namen »Robert Munk« aussprach und ihn dann einen begnadeten Maler nannte, dem Gott der Herr ein tragisches Schicksal auferlegt habe, das allen Menschen Rätsel aufgebe.

Kim spähte um die Mauer herum. Das Gerede vom

Friedhof interessierte sie nicht; viel wichtiger war es herauszufinden, warum Kroll gekommen war.

Mit düsteren, entschlossenen Gesichtern stiegen Ebersbach und Kroll aus dem Auto. Wortlos schritten sie auf das Tor zu. Ebersbach warf eine Zigarette weg, und Kroll schaute sich um, als müsse er kontrollieren, ob sie jemand beobachtete. Auf seiner Stirn leuchtete noch immer das weiße Pflaster. Kim vermochte im letzten Moment den Kopf zurückzuziehen.

»Komm, lass uns in den Wald verschwinden«, raunte Lunke hinter ihr. »Sind zu viele Menschen in der Nähe. Das gibt nur Ärger!«

»Gleich«, antwortete Kim im Flüsterton. Ihre Neugier war geweckt und ließ sich nicht mehr besänftigen. Langsam trippelte sie zurück, die Mauer entlang und zum Tor, um auf den Friedhof blicken zu können, wo Ebersbach und Kroll verschwunden waren.

»Du bist wirklich verrückt geworden«, zischte Lunke ihr nach, aber irgendwie meinte sie in seinem Tonfall eine gewisse Bewunderung zu vernehmen.

Sie sah, wie Ebersbach und Kroll auf die Halle mit den Menschen zusteuerten. Immer wieder blickte Kroll sich um. Erwartete er, dass Lunke wieder von irgendwoher auf ihn einstürmte? Fast sah es so aus. Kim kicherte vor sich hin. Ein ausgewachsener wilder Schwarzer konnte selbst einem Menschen Respekt einflößen.

»Komm schon!«, quengelte Lunke hinter ihr. »Ich

rieche Ärger, eine Menge Ärger, und heute muss ich nicht…«

»Sei still!« Kim konnte nun Kaltmann ausmachen, der sich als Erster nach Kroll und Ebersbach umschaute.

Der Mann mit der volltönenden Stimme vorne in der Halle hatte aufgehört zu sprechen. Musik hob wieder an, dunkler und noch trauriger, aber nun war Kim nicht mehr so fasziniert von den Klängen.

Während Ebersbach ein wenig zurückfiel, drängte Kroll sich vor, die Arme von sich gestreckt. Andere Menschen drehten sich um: eine dicke Frau, der junge Kaltmann, zwei alte Männer, die den Mund öffneten, als wollten sie etwas sagen, aber keinen Ton hervorbrachten.

Die Musik brach kurz ab, setzte wieder ein. Eine Frau schrie schrill auf, und dann zerrte Kroll den falschen Munk aus einer Bank, indem er ihn einfach am Arm packte und hochzerrte.

Kim kniff die Augen zusammen, sie meinte Dörthes roten Haarschopf unter einem schwarzen Hut wahrzunehmen, dann das überraschte Gesicht von Schredder, der ausnahmsweise keine Sonnenbrille trug.

Der falsche Munk stolperte neben Kroll her, er versuchte sich aus dem Griff zu befreien, doch im nächsten Moment wurde ihm der Arm auf den Rücken gerissen, und er schrie vor Schmerzen auf und sank in die Knie.

Die Musik verstummte nun vollends, ein letzter langer Ton verhallte, dann rief jemand etwas, und Dörthe schrie: »Was tun Sie da? Sie stören eine Trauerfeier!«

Kroll wandte sich um, ohne den zweiten Munk loszulassen. Er lächelte kurz und sagte: »Damit alle Bescheid wissen: Herr Matthias Munk, Sie sind verhaftet.« Er machte eine kurze Pause, in der niemand etwas sagte. »Sie stehen unter dringendem Tatverdacht, Ihren Bruder Robert Munk sowie dessen Gehilfen Emil Haderer getötet zu haben.«

Ebersbach war nun ebenfalls herangeschlendert. Er lächelte zufrieden, während er den zweiten Munk ansah, der immer noch mit schmerzverzerrtem Gesicht am Boden kniete, dann hob er die Hände, um die Menschen in der Halle zu besänftigen. »Meine verehrten Damen und Herren, behalten Sie die Fassung«, sagte er mit lauter Stimme. »Die Trauerfeier kann gleich weitergehen. Wir mussten leider zu dieser ungünstigen Stunde zugreifen, aber wir haben eindeutige Beweise. Matthias Munk ist von mehreren Zeugen kurz vor den Morden in der Nähe gesehen worden.«

»Sie lügen!«, stieß der zweite Munk mit schmerzverzerrter Stimme hervor, doch für diesen Einwurf riss Kroll seinen Arm noch ein wenig höher.

Dörthe hatte sich inzwischen zu dem Kommissar vorgearbeitet. Den schwarzen Hut hatte sie dabei verloren. Ihre Augen waren zu Schlitzen verengt, das Gesicht war rot vor Zorn.

»Herr Kommissar, was sagen Sie da? Weshalb sollte Herr Munk seinen Bruder getötet haben? Wie kommen Sie auf einen solchen Unsinn?«

Während Kroll sie nur stumm ansah und dann den falschen Munk zwei, drei Schritte in Richtung Ausgang führte, entgegnete Ebersbach vollkommen ruhig: »Er hat seinen Bruder gehasst, wie jedermann weiß, und Haderer hat ihn bei der Tat beobachtet und dann zu erpressen versucht. Deshalb musste auch er sterben. So einfach ist das!« Er nickte Dörthe mit einem angedeuteten Lächeln zu und machte Kroll dann ein Zeichen, ihm zu folgen.

Die Menschen sahen ihnen nach, ohne dass jemand auch nur ein Wort über die Lippen brachte. Nur einer sprang hervor, hob eine Kamera und drückte mit schnellen Bewegungen mehrmals hintereinander auf den Auslöser.

Geduckt, mit schmerzverzerrtem Gesicht, schlich der falsche Munk neben Kroll her. Er wagte nicht, auch nur einen Ton von sich zu geben, doch schien er Dörthes Blick zu suchen, allerdings vergeblich. Als er sich umwandte, riss Kroll seinen Arm wieder in die Höhe, und Munk stürzte beinahe und sank noch tiefer in die Knie.

Vielleicht hat Kroll doch recht, dachte Kim unsicher, obwohl sich ihr Herz beim Anblick des Mannes zusammenkrampfte. Der falsche Munk ist ein Mörder – und es fällt jedem Mörder gewiss leicht, auch einen zweiten und dritten Mord zu begehen. Dann jedoch sah sie Krolls Augen hinter den dicken Brillengläsern. Zufriedenheit stand darin zu lesen, Zufriedenheit und Lüge.

»Komm jetzt endlich!« Lunke stieß sie in die rechte Flanke, und sie schrak auf.

Ebersbach und Kroll steuerten mit dem falschen Munk bereits auf das Tor zu. Der Mann mit der Kamera machte immer noch Fotos, er war der Einzige, der sich aus der Erstarrung gelöst hatte.

Was wäre, wenn sie sich ihnen entgegenstellte?, kam Kim in den Sinn. Wenn Lunke und sie den falschen Munk befreien würden, so wie sie die kleine Cecile befreit hatten?

Aber nein, wie konnte sie so etwas denken!

»Wir müssen abhauen – sofort abhauen!«, grunzte Lunke ihr ins Ohr.

Kim versuchte, den Kopf abzuwenden, aber irgendwie konnte sie es nicht.

Was war mit Kroll? Was war er für ein Mensch? Hatte er wirklich herausgefunden, dass der zweite Munk wieder getötet hatte?

»Sofort abhauen!«, schrie Lunke noch einmal voller Dringlichkeit. Anscheinend hatte er wenig Lust, Kroll erneut zu begegnen, und vermutlich hatte der Polizist nun wieder seine Waffe dabei.

Kim nickte und bemerkte, dass Kroll auf sie aufmerksam geworden war. Jedenfalls starrte er voller Verwunderung in ihre Richtung. In dem Moment, als sie sich umwenden wollte, um endlich in den Wald zu fliehen, meinte sie, seinen harten Blick auf sich zu spüren. Es war, als hätte er zwei funkelnde, gnadenlos scharfe Messer in den Augen, mit denen er sie durchbohrte.

19

Früher hatte sie sich vor der Finsternis gefürchtet, mittlerweile jedoch sehnte sie die Dämmerung förmlich herbei, damit sie sich in der Dunkelheit verstecken konnte. Wie viele seltsame Dinge waren in den letzten Tagen passiert! Aber vielleicht hatten all die Turbulenzen nun endlich ein Ende, da der falsche Munk verhaftet worden war. Kim hatte das Gefühl, dass sie keine weiteren Aufregungen mehr ertragen würde. Krolls Blick war ihr mächtig in die Glieder gefahren – so sehr, dass sie hoffte, ihm nie wieder über den Weg zu laufen.

Nachdem sie sich von Lunke am Zaun verabschiedet hatte, trabte sie sofort in den Stall. Niemand sollte sie auf der Wiese sehen. Am besten würde sie in den nächsten Wochen unsichtbar sein – zumindest für Menschen.

Doktor Pik lag in seiner Ecke. Er hatte die Augen geöffnet und schnaufte vor sich hin. Es schien ihm jedoch ein wenig besser zu gehen. Kaum merklich nickte er ihr zu, als sie ihn erspähte.

Auch die anderen hatten sich schon auf ihre Schlafplätze begeben, obwohl die Sonne noch gar nicht untergegangen war. Anscheinend hatte die Hitze des Tages sie erschöpft, oder aber sie waren wieder zu einer geheimen Besprechung zusammengekommen.

Neugierig und sogar ein wenig feindselig starrten sie Kim an, als erwarteten sie eine Erklärung, warum sie schon wieder verschwunden gewesen war. Che wirkte in seiner Reglosigkeit besonders abweisend. Keiner sagte ein Wort zur Begrüßung. Nur die kleine Cécile brachte ein piepsiges »Wo warst du denn schon wieder?« hervor.

Kim baute sich mitten im Stall auf. Ihr Herz schlug so schnell, als würde sie noch immer durch den Wald rennen, und irgendwie war ihr merkwürdig zumute, nicht wegen Kroll und wegen des falschen Munks, sondern weil sie plötzlich begriff, was passieren würde, wenn Doktor Pik tatsächlich starb. Was hatte er gesagt? Che und die anderen wollten sie aus ihrer Gemeinschaft verbannen?

Sie räusperte sich. Was sollte sie den anderen sagen? Ich liebe euch alle – ihr seid meine Familie, alles, was ich habe?

Nein, da hätte sie sich lieber die Zunge abgebissen und bis ans Ende ihrer Tage ein Schweigegelübde abgelegt.

»Ich möchte etwas kundtun«, begann sie mit fester Stimme, ohne dass sie wusste, wie sie fortfahren sollte. »Ich verspreche euch eines: Ich werde diese Wiese und diesen Stall nie wieder verlassen. Ich werde auch Lunke nie wieder sehen. Selbst wenn es vielleicht in der letzten Zeit nicht immer den Eindruck gemacht hat – ich weiß genau, wo ich hingehöre. Ich gehöre zu euch.«

Niemand erwiderte etwas, einzig das monotone Schmatzen von Brunst war zu vernehmen. Sein Kiefer musste immer etwas zu tun haben, auch wenn er ausnahmsweise gar nichts zu fressen im Maul hatte. Kim sann ihren eigenen Worten nach. Hatte sie das wirklich gesagt – dass sie hierher gehörte und Lunke nie wieder sehen würde? Hatte es ihr eine so große Angst eingejagt, wie Kroll sie angestarrt hatte, dass sie tatsächlich für immer auf diesem winzigen Flecken Erde bleiben wollte?

Sie war so verwirrt, dass sie gar nicht mitbekam, wie sich Doktor Pik mühsam aufgerichtet hatte.

»Ich möchte auch etwas sagen«, erklärte er feierlich mit ungewöhnlich lauter Stimme. Einen Moment wartete er ab, bis er die Aufmerksamkeit aller gewonnen hatte.

Will er schon wieder vom Sterben sprechen?, fragte Kim sich, doch nein, er schickte seinen Worten ein flüchtiges Lächeln voraus.

»Ich habe einen Traum«, fuhr er gewichtig fort. »Ich habe den Traum, dass Schweine keinen Streit mehr untereinander haben, dass sich alle verstehen, weiße und schwarze Schweine, große und kleine, dicke und ganz dicke. Und dass auch Schweine und Menschen sich verstehen und sogar Schweine und Hunde und Katzen.«

Einen Moment hob er den Kopf, als erwartete er Applaus, so wie früher, als er jeden Tag in der Manege gestanden hatte, aber dann, als niemand ihm Beifall spendete, sank er von seiner kurzen Rede entkräftet zusammen und legte sich wieder. Kim meinte zu erkennen, dass er ein wenig beleidigt war, weil niemand reagiert hatte, doch auch sie war zu überrascht von seinen Worten, um etwas zu sagen.

»Amen«, sagte Brunst dann unvermittelt, vielleicht war es aber auch ein Rülpser, der sich so anhörte.

Als Che sich immer noch nicht rührte, sprang Cecile auf die Beine. »Ich finde«, sagte sie und versuchte ebenfalls bedeutsam zu klingen, »jeder sollte nicht nur an sich denken, sondern auch ein bisschen an mich. Ich bin die Kleinste von uns allen, aber ich habe auch meine Rechte. So möchte ich immer die Erste am Futtertrog sein, und ich möchte einen Ausflug machen und durch den Wald laufen und Auto fahren und fliegen lernen.«

Herausfordernd blickte die Kleine in die Runde. Ihr winziger Ringelschwanz zuckte erwartungsvoll hin und her. Als niemand etwas erwiderte, scharrte sie ein wenig Stroh zusammen und legte sich ebenfalls wieder hin. Auch sie wirkte nun beleidigt.

Für eine Weile war es still. Kim suchte Ches Blick. Er hatte noch gar nichts gesagt, dabei war er es doch, der das Reden liebte und unentwegt an seinem Vermächtnis herumformulierte. Statt jedoch das Wort zu ergreifen, starrte er lediglich grimmig vor sich hin.

Allmählich wurde es dunkel im Stall. Das Sonnenlicht, das durch das kaputte Fenster und die offene Tür fiel, schwand, und der silberne Mond würde noch einige Zeit auf sich warten lassen.

Schatten schwebten wie unheimliche, lautlose Vögel umher.

Kim spürte ihre Müdigkeit. Dann sah sie den furchtbaren Kroll vor sich und den toten Munk, der leise »Klee« vor sich hin geflüstert hatte, bevor er gestorben war. Oder hatte sie sich verhört, und er hatte »Kroll« gesagt? Konnte das aus dem Mund eines Menschen, dem Blut über die Lippen quoll, nicht so ähnlich klingen?

Plötzlich durchbrachen ein heftiges Schnaufen und ein schwerfälliges Scharren die Stille. Der fette Brunst hatte sich mühsam erhoben. Sein mächtiger Schatten breitete sich im Stall aus und warf einen schwarzen Fleck an die Wand.

»Ich möchte euch auch etwas sagen«, erklärte er. Seine Stimme zitterte ein wenig. Er schaute sich nach allen Seiten um, zuletzt blickte er Kim fragend an, als müsse er sich ihre Erlaubnis für seine Rede einholen. »Ich möchte sagen, dass ich meinen Vater vermisse, dass ich jeden Tag an ihn denke. Vielleicht fresse ich nur vor Kummer so viel. Einmal ist er mit mir über die Wiese gelaufen, wo ich geboren wurde, und er hat mit mir ein Loch gegraben, erst mit dem Rüssel, dann mit den Klauen, nur wir beide, ein tiefes, schwarzes Erdloch, und dann hat er mit seinen braunen Augen zum Himmel hinaufgeschaut, und im nächsten Moment hat es angefangen zu regnen, als wäre er ein Zauberer, der Regen machen könnte. Das Erdloch ist voll Wasser gelaufen, und wir haben uns hineingestürzt und haben uns gesuhlt und gegrunzt und gelacht.«

Brunst hatte immer schneller gesprochen und hielt nun abrupt inne. Kim konnte sehen, dass er seine abgenutzten, schiefen Zähne zeigte. Was war das? Ein Lächeln! Sie hatte noch nie gesehen, dass er befreit und vollkommen ehrlich lächelte.

»Das war der glücklichste Moment in meinem Leben – ich und mein großer, starker Vater. Ich weiß, dass er schon lange tot ist, aber ich hoffe, dass ich ihn irgendwann einmal wiedersehe«, setzte Brunst hinzu und stieß die Luft mit einem heftigen Schnauben aus. Erschöpft sank er zusammen und blickte unsicher in die Runde, als hätte er Angst, irgendjemand könnte ihn auslachen.

Kim nickte ihm in der Dunkelheit zu, und er erwiderte dankbar ihr Nicken. Für einen Moment glaubte sie ihn zu verstehen. Das war etwas ganz Besonderes – er hatte seinen Vater gekannt. Niemandem sonst in ihrer Gemeinschaft war das vergönnt gewesen.

Nun war eindeutig Che an der Reihe. Er schien auch unruhiger zu werden. Kim konnte ihn in der Dunkelheit kaum mehr sehen, doch sie nahm wahr, dass er sich erhoben hatte und mit den Klauen scharrte.

In Ches typisches Räuspern hinein erhob sich jedoch Ceciles piepsige Stimme.

»Ich hätte auch gerne einen Vater gehabt«, quiekte sie. »Und was passiert eigentlich, wenn man tot ist? Das habe ich schon immer wissen wollen.«

Die Stille wurde für einen Moment so tief, als wäre sie ein Loch, das alle Schweine verschlucken könnte. Niemand wagte auch nur eine Borste zu rühren.

Der Tod – das ist das Schlachthaus, dachte Kim. Ja, man musste als gewöhnliches Hausschwein schon außerordentlich viel Glück haben, um nicht in so einem Totenhaus zu enden. Und dann wurde man zerlegt, auseinandergeschnitten und in irgendwelche Kessel und Töpfe geworfen… Darüber kursierten unter den Schweinen der Welt die schauderhaftesten Geschichten. Nur für die wilden Schwarzen, fiel Kim ein, galt das offenbar nicht. Jedenfalls hatte sie von Lunke noch kein Wort darüber gehört.

Cecile schien zu spüren, dass sie eine Frage aufgebracht hatte, die man für gewöhnlich nicht stellte, aber an diesem besonderen Abend war irgendwie alles anders. Die Kleine kauerte sich zusammen und legte ihren Kopf unter ihre Pfoten.

»Wenn man tot ist, geht die Seele auf Wanderschaft«, sprach Doktor Pik leise, aber mit sonorer Stimme, so dass er klar und deutlich zu verstehen war. »Sie erhebt sich und wartet darauf, dass der Wind sie mitnimmt.«

»Was ist die Seele?«, quiekte Cecile voller Zweifel.

»Die Seele«, antwortete Doktor Pik gleichmütig, »ist etwas Reines, wunderbar Leichtes, das jedes Wesen in sich trägt.«

»So leicht wie eine Feder?«, fragte Cecile eifrig, weil sie meinte, etwas verstanden zu haben.

»Ja«, erwiderte Doktor Pik, »jeder hat so etwas wie eine reine, weiße Feder in sich, die er, während er lebt, hüten und schützen muss, und sie wird nach dem Tod davongetragen, bis sie sich mit einem neugeborenen Wesen vereinigt.« Er zögerte einen Moment und lächelte. »Wenn man ganz viel Glück hat, wird die Seele hoch hinauf in den Himmel geweht. Dann wird man zu einem himmlischen Wesen.«

»Sind weiße Wolken dann also himmlische Wesen?«, rief Cecile beflissen.

»Kann schon sein«, grunzte Doktor Pik, und nun war ihm anzuhören, dass er nicht mehr weitersprechen wollte.

Eine Seele als weiße Feder? Wie ist Doktor Pik darauf gekommen?, dachte Kim. Lernte man so etwas beim Wanderzirkus?

Einen Moment lang versuchte sie sich ihre Mutter als eine dicke weiße Feder vorzustellen, dann legte sie sich auf die Seite. Es war spät geworden, auch von den anderen war nur noch ein leises Schnaufen zu hören. Irgendwie wirkte jeder von ihnen erleichtert. Die Anspannung im Stall hatte sich gelöst.

»Ich gestehe«, flüsterte Che unvermittelt in die

Stille hinein, »ich bin oft verzweifelt. Beim nächsten Mal, wenn meine Seele wieder auf Wanderschaft geht, möchte ich kein Schwein mehr sein, sondern … Ich wäre gerne ein Schwan, ein großer, weißer Schwan, den jeder bewundert, wenn er sich in die Lüfte erhebt, mit mächtigen weißen Flügeln.«

Che atmete schwer, und fast klang es, als würde er anfangen zu schluchzen.

»Toll!«, quiekte Cecile. »Das stelle ich mir toll vor, ein Schwan zu sein. Ich habe schon mal einen Schwan gesehen, der über das Haus geflogen ist und krakrakra gemacht hat.«

Vermutlich irrte Cecile sich und hielt irgendeine Krähe für einen Schwan, aber niemand klärte sie über ihren Irrtum auf. Draußen hörte man ein Auto auf den Hof fahren. Eine Tür schlug zu, und eine Stimme erklang, die Kim bekannt vorkam. Ja, das war Michelfelder – der Mann, der neulich unter Dörthes Fenster gesessen und ihr Musik vorgespielt hatte. Kim unterdrückte ihre Neugier und lief nicht hinaus. Stattdessen sagte sie leise, bevor sie einschlief: »Der Fall ist übrigens gelöst. Die Polizisten haben den falschen Munk verhaftet, er soll seinen Bruder und Haderer umgebracht haben.«

Niemand sagte etwas, aber sie hatte schon vorher gewusst, dass es die anderen nicht interessieren würde.

20

Sie war ein echtes Rennschwein und lief durch eine Manege, immer im Kreis. Sägemehl wirbelte auf, Musik spielte. Sie war die Erste, Che, Brunst und Doktor Pik hatte sie weit hinter sich gelassen, und die kleine Cecile saß auf der roten Umrandung und feuerte sie an – sie war Kim, die Siegerin.

Ein heftiger Ruck ließ sie innehalten, und dann stach ihr grelles Licht in die Augen. Noch ein Ruck, der sie schmerzhaft aufschreien ließ. Wie kam plötzlich dieses Licht in die Manege? Und überhaupt, wie war sie in die Manege gelangt? Sie war noch nie in einem Zirkus gewesen, hatte nur gelegentlich nachts den Geschichten von Doktor Pik gelauscht, wie er unter lautem Beifall in ein großes Zelt gelaufen war und mit den Klauen Luftballons gezählt hatte, und dann sein Kartentrick… aber diesen Trick hatte sie immer noch nicht verstanden, wenn sie ehrlich war.

Mit dem nächsten, noch heftigeren Ruck wurde sie auf die Beine gezerrt, das grelle Licht glitt über sie hinweg.

»Na, mein Marihuana-Schwein«, sagte eine Stimme und lachte heiser. »Nun machen wir einen kleinen Ausflug.«

Kim schaute sich um und schüttelte den Traum von sich ab. Sie war in ihrem Stall, so viel war sicher, und der Mann, der vor ihr stand und sie an einem Strick festhielt, den er ihr um den Hals gelegt hatte, war kein anderer als Kroll.

Er klopfte ihr einmal auf den Kopf, als würde er es gut mit ihr meinen, dann glitt der Strahl seiner Taschenlampe zur offenen Tür. Draußen war es noch dunkel. Nur ein Rest Mondlicht hing in der Luft.

Kim stemmte sich gegen ihn, doch Kroll war eindeutig stärker. Ihre Klauen schlitterten über den Boden, als er sie in Richtung Tür zerrte. Sie spürte, dass sie voller Schrecken unter sich machte und ein ersticktes, ängstliches Grunzen ausstieß.

»Leise, verdammt!« Kroll verpasste ihr mit der Taschenlampe einen Hieb in die Flanke. Tief bohrte sich das Metall in ihre Haut.

Kim versuchte sich umzudrehen. Hatten die anderen überhaupt nichts mitbekommen? Warum half ihr niemand? Es war doch eindeutig, was Kroll mit ihr vorhatte.

Auf dem Hof würde ein Transporter warten, und dann ginge es geradewegs ins Schlachthaus, zu Kaltmann. Ihre letzte Stunde hatte geschlagen …

Bei diesem Gedanken fing ihr Herz an zu rumpeln,

sie bekam keine Luft mehr, und die Beine versagten ihr den Dienst.

»Verdammtes Schwein!«, zischte Kroll ihr zu. Er roch plötzlich nach Alkohol und einem penetranten Parfüm, und seine Brillengläser blinkten im ersten Licht. Das weiße Pflaster prangte immer noch auf seiner Stirn. Die Sonne machte sich bereit, über den Horizont zu kriechen.

Ein Tritt brachte Kim wieder auf die Beine. Widerwillig trabte sie hinter Kroll her. Er trug einen langen Stock über der Schulter, erkannte sie. Zu ihrer Überraschung schlug er jedoch nicht den Weg zum Hof ein, sondern zerrte sie in Richtung Loch im Zaun. Es stand auch kein Transporter da. Nein, der schwarze Schatten vor dem Haus war der Wagen, auf dem Michelfelder neulich gesessen und sein Liebeslied für Dörthe gespielt hatte. Wahrscheinlich lag sie jetzt in seinen Armen und träumte vor sich hin, nicht ahnend, dass ihr Lieblingsschwein soeben aus dem Stall entführt wurde.

Kim versuchte erneut, einen Hilfeschrei auszustoßen, doch Kroll hatte den Strick um ihren Hals so fest zugezogen, dass nicht mehr als ein heiseres Röcheln aus ihrer Kehle drang. Immer wieder schaute er sich um, als wolle er ganz sichergehen, dass niemand ihn beobachtete.

»Das Wildschwein und du, ihr habt mich lange genug zum Narren gehalten«, flüsterte er Kim ins Ohr. Dann lächelte er wieder, dass sein hässlicher Schnauzbart auf und ab tanzte und seine kleinen braunen Zähne zu sehen waren.

Was hatte er vor? Kim bemühte sich, ihre Gedanken zu sammeln, auch wenn ihr Herz immer noch ruckte und rumpelte. Wohin wollte er mit ihr? Wollte er sie irgendwo, abseits von allen Menschen, umbringen?

Kroll hielt den Stock an seiner Schulter fest und schob sich als Erster durch das Loch im Zaun. Er fluchte, als sich seine Jacke in dem Draht verfing, und zog Kim so vehement hinter sich her, dass sie ins Stolpern geriet. Ein Metallstachel grub sich in ihr Fell. Sie quiekte vor Schmerz auf, aber dann war auch sie auf der anderen Seite, die vor ein paar Tagen noch die große Freiheit für sie bedeutet hatte.

Kroll seufzte und ließ den Strahl seiner Taschenlampe kreisen. Einen Moment lang schien er unschlüssig zu sein, wohin er sich wenden sollte. Seine Schritte klangen dumpf auf dem nächtlich feuchten Boden. Der Stock auf seinem Rücken wippte auf und ab. Zwei Hasen kreuzten ihren Weg. Sonst war alles um sie still. Nur der Wind rauschte weit über ihnen in den Bäumen.

Die Dunkelheit schien immer dichter zu werden, je weiter sie in den Wald vordrangen. Kim bemerkte, dass auch Kroll unsicher wurde. Immer wieder ließ er seine Taschenlampe aufblinken, um sich zu orientieren. Unwillig riss er an dem Strick um ihren Hals, als wäre Kim schuld daran, dass er am frühen Morgen durch einen unheimlichen Wald laufen musste.

Kim grunzte, um ihren eigenen Unwillen auszudrücken, als Kroll sie weiter hinter sich her zerrte, nachdem er erneut abrupt die Richtung geändert hatte. Ihr Herz hatte sich immer noch nicht beruhigt und pochte so laut, dass ihr der Kopf wehtat.

Dann begann plötzlich ein Konzert von Vogelstimmen anzuheben, als wären sie alle auf einen Schlag erwacht. Aus jedem Baum schien es zu zwitschern, doch Kroll achtete nicht darauf. Er ließ wieder seine Taschenlampe aufblitzen, und als nun das erste Sonnenlicht durch die Blätter drang, begriff Kim, wohin er wollte. Er ging zu Haderers Haus auf Rädern, zu dem Feld mit den bitteren Pflanzen, wo sie Emma und die anderen wilden Schwarzen gesehen hatte.

Die Vögel sangen um die Wette – so hell und klar hatte Kim sie noch nie gehört. Für einen Moment genoss sie die Morgenmusik und vergaß beinahe, dass ein Strick um ihren Hals hing und Kroll sie vermutlich irgendwo im Wald umbringen wollte. Sangen die Vögel immer so schön, oder taten sie das ihr zu Ehren, weil sie wussten, was Kroll mit ihr vorhatte?

Als sie auf die Lichtung in der Nähe von Haderers Hütte gelangten, war es bereits so hell, dass man einzelne Bäume und Büsche ausmachen konnte. Kim hob ihren Rüssel in den Wind; zuerst roch sie es, dann sah sie es. Die bitteren Pflanzen waren nicht mehr da, alles war abgemäht worden. Etwa hundert Schritte entfernt, neben Haderers Hütte stand ein Wagen, nicht der weiße mit den eingeschalteten Scheinwerfern, mit dem Kroll sonst herumfuhr. Aber anscheinend gehörte dieses silberfarbene Auto mit einem schwarzen Dach auch ihm. Jedenfalls warf er einen stolzen Blick hinüber.

»Ja, mein Schweinchen Schlau«, sagte Kroll und lächelte Kim höhnisch an. »Hier ist für dich Endstation.« Er wirkte nun deutlich zufriedener, während er ihren Strick an einer strammen Buche festband.

Ratlos stand Kim da und beobachtete, wie er sich ein Stück entfernte, allerdings nicht auf Haderers Hütte zu. Über ihr sang ein einzelner Vogel – oder war das ein Alarmruf, weil auch er Angst hatte?

Als Kroll ihr den Rücken zukehrte, bemerkte Kim, dass sie sich die ganze Zeit getäuscht hatte. Er trug keinen Stock auf dem Rücken. Nein, wenn sie sich nicht völlig täuschte, war es ein Gewehr, das da baumelte. Mit genau so einer schrecklichen Waffe hatte Kaltmann auf sie und Lunke gezielt und geschossen.

Kim spürte, wie ihr Herz noch heftiger schlug. Sie stand da und zerrte an ihrem Strick, aber um sich zu befreien, hätte sie schon den riesigen Baum ausreißen müssen.

Nach etwa zwanzig Schritten drehte Kroll sich um. Er schaute sie forschend an, und sein Schnauzbart tanzte wieder auf und ab. Er lächelte höhnisch, dann nahm er langsam, als hätte er alle Zeit der Welt, das Gewehr von der Schulter.

Kim wandte den Kopf. Sie begann ganz gegen ihren

Willen zu zittern. Ihr Herz rumpelte immer lauter. So ist das also, ging es ihr durch den Kopf, wenn man umgebracht wird. Wie viele von ihren Artgenossen hatten das schon erlebt! Angstwellen jagten durch den Körper, von vorne nach hinten und wieder zurück. Man fing an zu hecheln, bekam kaum noch Luft, und am liebsten hätte man so laut geschrien, dass der Himmel eingestürzt wäre. Na ja, irgendwie würde der Himmel auch einstürzen, zwar nicht für die anderen, aber für einen selbst, wenn man seinen letzten Atemzug tat.

Sie meinte auf einmal zu wissen, dass Kroll der Mörder von Munk, Haderer und Altschneider war, und nun würde er seine Waffe auf sie richten, und sie konnte nichts anderes tun, als ängstlich zu grunzen.

Verstohlen spähte sie zu ihm hinüber. Das Gewehr war auf sie gerichtet; ein schwarzes Auge, das sie anblickte, dahinter Kroll, angespannt und vollkommen erstarrt.

Furchtsam senkte Kim den Blick. Wenigstens würde sie nicht in einem kalten Schlachthaus sterben, sondern mitten im Wald. Vielleicht war das ein Trost.

Über ihr sangen noch immer die Vögel, und die Sonnenstrahlen schienen leise über die Blätter zu streichen. Eigentlich ein wundervoller Sommermorgen! Man hätte auch etwas anderes tun können als sterben.

Was hatte Doktor Pik von der Seele erzählt, die jedem Lebewesen inne war? Sie sei eine reine weiße Feder, die nach dem Tod auf Wanderschaft gehe? Na, dachte Kim, dann viel Spaß, liebe Seele. Ich hoffe, dass du dich nicht schmutzig machst und hoch hinaufliegst.

Während sie eine weiße schwebende Feder vor sich sah, die trudelnd ihren Weg suchte, spürte sie, dass sich ihr Darm mit einem lauten, platschenden Geräusch entleerte, und dann ließ unvermittelt ein anderes Geräusch die Bäume in ihrer Umgebung erzittern. Es war ein dumpfes Dröhnen, das zunehmend schriller wurde. Kim hob mit einem Ruck den Kopf. Kroll, dieser widerwärtige Mensch, stand mit dem Gewehr in der Hand da und lachte, laut und dröhnend.

»Na, dummes Schweinchen«, rief er mit scheinbar einschmeichelnder Stimme, »fühlst du dich nicht wohl?«

Kim quiekte leise, nur für sich. Es musste einem nicht peinlich sein, wenn man unter sich machte, kurz bevor man starb.

Sie wartete auf den Knall, der aus dem schwarzen Auge kommen musste, aber er kam nicht. Stattdessen ließ Kroll das Gewehr sinken, lachte noch einmal, diesmal weniger dröhnend, und setzte sich unter einen Baum. Er streckte seine Beine aus und lehnte sich an den Stamm, wie Haderer früher, wenn er eine Pause gemacht hatte.

Kim spürte, wie ihre Beine nachgaben, sie musste sich hinlegen und versuchen, ihre Atmung unter Kontrolle zu bringen. Kroll wollte sie gar nicht töten, jedenfalls nicht sofort. Er lehnte am Stamm, das Gewehr auf den Knien, gähnte, schob die Brille hoch und rieb sich die Augen. Dann schien er sogar einzuschlafen. Zumindest rührte er sich eine Weile nicht. Kim beobachtete ihn voller Anspannung. Ihr Herz klopfte bis in den Kopf. Was hatte das alles zu bedeuten? Warum hatte er sie hierher geschleppt, wenn er nur stumm dasaß?

Ein paar Hasen kamen herbei und rannten quer über die Lichtung. Sie schienen sich weder an Kroll noch an ihr zu stören, ja, es sah aus, als würden sie überhaupt nicht bemerken, dass sie nicht allein waren. Kim quiekte leise, um sie zu vertreiben, und sofort riss Kroll die Augen auf und nahm seine Waffe an sich. Er hatte also gar nicht geschlafen. Er wartete, doch worauf?

Nach einem sehr langen, sehr stillen Moment konnte Kim sich die Antwort geben. Sie hob ihren Rüssel in den Wind. Roch sie etwas? Waren wilde Schwarze in der Nähe? Spätabends und frühmorgens zogen sie am liebsten los, hatte Lunke ihr erklärt.

Deshalb stand Kim hier, angebunden an einen Baum, damit Lunke kam, und Kroll endlich Rache nehmen konnte. Ja, sie sollte Lunke heranlocken. Anders konnte es gar nicht sein.

Unruhig schaute sie sich um, versuchte etwas zu erschnüffeln. Irgendwo waren Tiere, aber waren es wilde Schwarze? Kim war so verwirrt, dass sie es nicht wusste, und was sollte sie tun, wenn Lunke aus dem Wald stürzte, genau auf sie zu? Die Antwort war einfach: quieken, grunzen, schreien, ihn irgendwie warnen, damit er sofort Reißaus nahm und wieder in den Tiefen des Waldes verschwand.

Am Zaun gestern Abend hatten sie einen Streit gehabt, nein, keinen richtigen Streit. Kim hatte ihm lediglich gesagt, dass sie sich eine Zeitlang nicht mehr sehen würden, sie müsse sich um den kranken Doktor Pik kümmern, nun, da man den zweiten Munk verhaftet habe.

»Was willst du mit dem alten Schlappschwanz?«, hatte Lunke entrüstet entgegnet. »Du brauchst jemanden, der dir mindestens ebenbürtig ist, jemanden wie ...«

»Wie dich?«, hatte sie eingeworfen.

Er hatte unverschämt gegrinst. »Klar«, hatte er dann gesagt, »jemanden wie mich, der stark und mutig ist und der ...«

»Angibt und lügt und mit einer der Wilden herummacht«, hatte sie ihn erneut unterbrochen.

»Wie kommst du denn darauf?« Er hatte wütend die Augen zusammengekniffen.

»Die Tüte«, hatte sie mit einem falschen süßen Lächeln erwidert. »Die Tüte hat eindeutig nach einer wilden Schwarzen gerochen.«

Lunke hatte gezögert, was für sie einem Schuldeingeständnis gleichgekommen war. »Du spinnst ja im Kopf«, hatte er dann gerufen. Einen Moment später hatte er sich abrupt umgedreht und war in den Wald gerannt.

Das war vermutlich ihre letzte Begegnung gewesen. Nun sollte er hier vor ihren Augen sterben.

Kim spürte, dass sie ein Gefühl der Traurigkeit erfasste. Sie hätte Lunke sagen müssen, dass sie ihn mochte, dass sie sich sogar unter gewissen Umständen, ganz vielleicht hätte vorstellen können, dass eine kleine Weiße und ein wilder Schwarzer… Nun, es spielte vermutlich keine Rolle mehr.

Krolls Stimme riss sie aus ihren düsteren Gedanken. »He, Schätzchen«, rief er, dann lachte er. »Ja, ich weiß, dass es noch früh am Morgen ist.« Er sprach in den kleinen Apparat hinein, den jeder Mensch bei sich trug. »Ich wollte mich nur erkundigen, ob du meine Wette platziert hast. Deinen Schönheitsschlaf kannst du ja gleich fortsetzen.« Er lachte erneut und hörte einen Moment zu. Dann wurde er ernst und sagte: »Ich habe es mir genau überlegt. Die Polizei ist nichts mehr für mich. Ich werde meinen Dienst quittieren, jetzt, wo sich alles geklärt hat.« Er verstummte, ohne dass sich seine Miene veränderte. »Schätzchen, keine Sorge. Der Fall kann als gelöst gelten. Munk wandert wieder ins Gefängnis, da ist er ohnehin am besten aufgehoben, und nach Altschneider kräht kein Hahn mehr. Das geht als Unglücksfall durch. Der alte Zausel hätte einfach die Ruhe behalten sollen, aber ständig ist er mir wegen dieser verdammten Orgel auf die Nerven gegangen.«

Kim wandte den Kopf. Sie roch es ganz deutlich. Irgendwo waren wilde Schwarze in der Nähe. Hatte Lunke sie schon gewittert und rannte voller Ungestüm auf sie zu, wie es seine Art war? Sie kniff die Augen zusammen und blickte in die Richtung, aus der er vermutlich kommen würde. Zum Glück war Kroll in sein Gespräch vertieft und wirkte nicht sonderlich aufmerksam.

»Keine Sorge!«, sagte er so laut, dass Kim es genau hören konnte, »Ebersbach, dieser Trottel, wird ebenfalls bereit sein, den Fall zu den Akten zu legen. Er will Munk auch hinter Gittern sehen, und dann nehme ich meinen Abschied, ganz feierlich, mit blöden Reden und kaltem Büfett.« Er lachte kurz auf und verzog das Gesicht. »Ja, klar«, fuhr er dann fort. »Wir lösen die Konten auf, holen das Geld ins Land, und dann eröffnen wir unseren Nachtclub, wie wir es immer vorgehabt haben, und werden eine richtig große Nummer in der Stadt. He…« Er zögerte einen Moment und ließ seinen Schnauzbart tanzen. »Von mir aus kannst du auch gelegentlich selbst auftreten, aber wehe, einer der geilen Böcke im Publikum bildet sich etwas ein. Dann werde ich verdammt ungemütlich.« Seine Stimme wurde noch einschmeichelnder.

Für einen Moment hatte Kim das Gefühl, Kroll würde mit Dörthe sprechen. Auch der richtige Munk hatte manchmal in so einem unechten süßlichen Tonfall mit ihr geredet, meistens nachdem sie sich gestritten hatten. Gelegentlich waren sie dann auf den Heuboden im Stall gekrochen, hatten gekichert und gestöhnt, so laut, dass Kim aus dem Schlaf erwacht war.

»Wir kriegen das schon hin«, sagte Kroll nun und lächelte immer noch. Erst als er den Kopf hob und in ihre Richtung blickte, strafften sich seine Gesichtszüge wieder. »Ich habe noch eine Bitte«, sagte er dann, ohne Kim aus den Augen zu lassen. »Sieh im Internet nach, ob es irgendwo Schweinerennen gibt – so wie Hunderennen. Vielleicht in Shanghai oder Hongkong? Für die Schlitzaugen sind Schweine doch heilig. Schau dir die Starterliste an, dann setzt du fünfhundert Euro auf das Schwein, das einen Namen hat, der mit K anfängt. Okay? Ich sehe dich später. Küsschen!« Er steckte den Apparat wieder ein und ließ seinen harten Blick auf Kim gerichtet.

Kim wandte den Kopf. Nun konnte sie es deutlich riechen: Lunke war im Anmarsch. Sie schloss die Augen und stellte sich vor, wie er durch den Wald lief, überzeugt, dass ihm niemand etwas anhaben konnte. Dann öffnete sie die Augen wieder, sie erhob sich und zerrte an ihrem Strick, doch damit hatte sie nun auch Kroll gewarnt. Er war aufgesprungen und hielt sein Gewehr im Anschlag.

Zwei Vögel stiegen von der Lichtung auf. Sonst war alles still.

Vielleicht war Lunke doch vorsichtiger, als sie gedacht hatte. Außerdem musste sie selbst klüger vorgehen. Sie musste Lunke warnen, ohne Kroll auf ihn aufmerksam zu machen.

Sie legte sich wieder hin und tat so unbeteiligt, als hätten die beiden Vögel sie aufgeschreckt, doch so leicht ließ Kroll sich nicht täuschen. Er steuerte auf sie zu und verbarg sich dann hinter Bäumen, ein paar Schritte entfernt, links von ihr, so dass sie ihn nicht mehr sehen konnte. Außerdem hatte er auf diese Weise die Tiefen des Waldes im Blick, aus denen Lunke aller Wahrscheinlichkeit kommen würde.

Kim spürte, wie sie immer unruhiger wurde. Lunke war in der Nähe – dessen war sie sich ganz sicher. Aber etwas musste ihn irritiert haben, vermutlich hatte er Kroll längst gewittert. Was würde er tun? Er würde gewiss nicht einfach wieder abziehen, sondern würde versuchen, sie zu befreien – und genau darauf setzte Kroll.

Der Wald war plötzlich totenstill. Nicht einmal Vögel ließen sich auf der Lichtung blicken, und dann erspähte sie ihn. Lunke kam. Vorsichtig schlich er heran, schob seinen Rüssel durch das Dickicht. Er lächelte unverschämt und arglos – aber das konnte doch gar nicht sein!

»He, Babe«, rief er und grinste. »Bist du wieder mal in Schwierigkeiten?«

Kim war so verblüfft, dass sie kein Wort herausbrachte. Lunke hatte gar nichts mitbekommen – überheblich grinsend trabte er in sein Verderben.

»Der Strick …«, keuchte Kim. Er musste doch sehen, dass jemand sie angebunden hatte.

Irgendwo neben ihr trat Kroll einen Schritt vor, sie hörte ihn atmen, tief die Luft einziehen.

»Kleinigkeit – das haben wir gleich!« Lunkes Augen funkelten freudig.

Er liebt mich! Dieser grelle heiße Gedanke raste Kim

durch den Kopf. Er ist deshalb so dumm, weil er sich in ein kleines rosiges Hausschwein verliebt hat.

Lunke war nun auf der Lichtung. Gleichmütig und ohne auch nur die leiseste Gefahr zu wittern, lief er heran.

»Pass auf!«, schrie Kim, aber ein lauter Knall, der über das abgemähte Feld jagte, übertönte ihre Worte.

Lunke grunzte entsetzt auf und fiel, ohne einen Laut von sich zu geben, auf die Seite. Hatte Kroll ihn getroffen? Kims Herz setzte einen Moment aus und schlug dann umso heftiger weiter. Nein, einen Moment später rappelte Lunke sich grunzend wieder auf. Er war nur in Deckung gegangen.

»Was war das?«, brüllte er voller Wut.

»Ein Schuss!«, erwiderte Kim viel zu zaghaft und leise.

Dann hörte sie ein Wimmern, das sie zunächst irritierte, weil es eindeutig nicht von Lunke kam.

Panisch wandte sie den Kopf. Kroll lag im Gras, zehn Schritte von ihr entfernt, und wimmerte. Seine Hände strichen zuckend über sein Gesicht, während er gleichzeitig versuchte aufzustehen, aber die Beine knickten unter ihm ein, und er sank stöhnend zurück. Ein Schatten tauchte aus den Bäumen auf und näherte sich ihm.

Jemand war zu ihrer Rettung gekommen, aber wie konnte das sein?

»Er hat sich selbst erschossen!«, rief eine matte, kraftlose Stimme, die ihr nur allzu vertraut war.

Lunke verharrte kurz vor ihr und wandte dann entsetzt den Kopf. »Der Schlappschwanz!«, keuchte er. »Was macht der alte Schlappschwanz hier?«

Kim lächelte. »Nun, er ist ziemlich klug und eben kein Schlappschwanz. Und nun beiß endlich meinen Strick durch!«

Auf irgendeine wundersame Weise hatte Doktor Pik ihnen das Leben gerettet und verhindert, dass ihre Seelen wie zwei weiße Federn mit dem Wind davonflogen.

Doktor Pik machte einen Schritt zur Seite. Er zitterte, und seine Stimme schwankte so sehr, dass Kim ihn kaum verstehen konnte.

»Ich … habe nichts getan«, stammelte er und starrte auf Kroll, der sich am Boden wand, »habe … ihn nur gerempelt … angestoßen, damit er vorbeischießt … Ich wollte ihn aber nicht …«

»Lieber Doktor Pik, ist schon gut«, flüsterte Kim und drängte den alten Eber ein wenig zur Seite. »Wenn du nicht gewesen wärst …«

»Ich bin dir gefolgt, weil ich gedacht habe, dass er dir etwas antun würde«, sagte Doktor Pik und starrte Kim voller Entsetzen an.

Kroll hatte die Augen weit aufgerissen und stöhnte. Mit beiden Händen griff er sich an den Hals, an die Stelle, wo rotes Blut in Schüben aus ihm herausschoss. Seine Beine zuckten unkontrolliert, und seine Schuhe scharrten über den Waldboden.

»Er stirbt«, sagte Lunke scheinbar gleichmütig. Er hatte als Erster seine Fassung zurückgewonnen.

Kim war nicht fähig, ein weiteres Wort zu sagen. Wie konnte Kroll sich erschossen haben? War er gefallen, als Doktor Pik ihn gerempelt hatte, und hatte die Waffe aus Versehen auf sich selbst gerichtet? Als sie den Kopf hob, sah sie eine frische Kerbe in einem großen, mächtigen Baum rechts von ihr. Hatte der Baum Kroll getötet, indem die Kugel von dem Stamm, der harten Rinde abgeprallt war? Gab es so etwas – ein Baum, der einen Menschen richtete?

»Schweinchen Schlau«, röchelte Kroll und streckte ihr eine blutige Hand entgegen, als wolle er sie streicheln. »Du bist ein Ungeheuer, weißt du das?« Er lächelte plötzlich. Seine braunen Zähne waren voller Blut, die Augen hinter den dicken Brillengläsern wirkten noch größer, und das Pflaster auf seiner Stirn sah wie ein drittes, weißes Auge aus. Blutige Finger strichen ihr über den Rüssel. Kim war wie gelähmt und schaffte es nicht, sich zu bewegen und zurückzuweichen. »Verdammt, ich sterbe, und drei Schweine sehen mir dabei zu.« Kroll röchelte wieder, und ein Schwall Blut ergoss sich aus seinem Mund.

Kim hätte ihm gerne gesagt, dass man besser nicht fluchen sollte, wenn sich die weiße Feder in einem bereit machte, auf die Reise zu gehen. Tröstend schaute sie Kroll an und roch sein Blut. Er verzog den Mund, aber nicht weil er lächelte, sondern weil er keine Luft mehr bekam. Das Blut pulsierte immer noch aus der Wunde am Hals. Kraftlos ließ er seine blutverschmierte Hand sinken und versuchte, sich auf die Seite zu drehen. Unsicher tastete er an seinem Bein herum und griff dann in seine Tasche.

Misstrauisch betrachtete Kim ihn. Hatte er noch eine andere Waffe dabei? Ein Messer vielleicht? Konnte er ihr immer noch gefährlich werden?

»Ich kann nichts dafür … habe es nicht gewollt«, murmelte Doktor Pik vor sich hin. Er machte drei schwankende Schritte und brach mit einem leisen Stöhnen zusammen.

»Er ist doch ein Schlappschwanz«, bemerkte Lunke ohne jedes Mitleid.

»Doktor Pik hat dir das Leben gerettet, als du ahnungslos wie ein blödes Ferkel auf die Lichtung getrabt bist«, zischte Kim ihm zu, während sie Kroll nicht aus den Augen ließ. Sein Blick war glasig geworden, doch er hatte es geschafft, seine Hand wieder hervorzuziehen.

»Saubande«, keuchte Kroll und starrte sie vorwurfsvoll an. Er öffnete den Mund noch einmal, anscheinend, um etwas zu sagen, es war aber nur ein Gurgeln zu hören. So langsam, als würde es all seine Kräfte erfordern, hob er seine blutverschmierte Hand.

Er hatte keine Waffe hervorgezogen, erkannte Kim, sondern ein Stück Papier.

Als könnte er plötzlich nicht mehr richtig sehen, hielt er sich das Stück Papier ganz dicht vor die Brillengläser.

Während er es betrachtete, stöhnte er leise und stieß einen Namen aus. »Geile Maria«, meinte Kim zu verstehen, ohne zu wissen, was diese Worte bedeuten sollten.

Dann ächzte Kroll leise, und sein Kopf mit dem weißen Pflaster sank zur Seite. Ein schwaches Zucken lief durch seinen Körper, von den Händen über die Beine bis zu den Füßen. Schließlich lag er still da; kein Blut strömte mehr aus seinem Hals, und seine Augen hinter den dicken Brillengläsern starrten ins Nirgendwo.

Kim hielt nach der weißen Feder Ausschau, aber nichts, nicht einmal ein winziger Schatten stieg aus dem Toten auf. Lediglich eine tiefe, unwirkliche Stille hüllte sie alle ein, als gäbe es über ihr am Himmel ein riesiges unsichtbares Wesen, das den Atem angehalten hatte.

Kroll, der Mörder von Munk, Haderer und Altschneider war tot – daran gab es keinen Zweifel.

»Er hat es nicht anders verdient – hätte keinen Streit mit uns anfangen sollen«, erklärte Lunke ungerührt. Ihm schien die Totenstille nichts auszumachen.

»Hör auf, so anzugeben«, bemerkte Kim wütend. »Es hätte nicht viel gefehlt, und du würdest nun mit starren Augen daliegen und keine Borste mehr rühren.« Vorsichtig, als könnte er aus tiefem Schlaf aufwachen, beugte sie sich über Kroll. In seiner Hand, erkannte sie nun, hielt er kein Papier, sondern ein Foto, das ganz mit Blut verschmiert war. Da stand er, lächelnd, in einem schwarzen Anzug und hielt eine Frau mit langen blonden Haaren im Arm. Im Hintergrund waren andere

Menschenpaare zu sehen, die sich gleichfalls umarmten und aussahen, als würden sie sich zu irgendeiner Musik bewegen.

Plötzlich überkam Kim tiefe Traurigkeit. Vielleicht, dachte sie, war Kroll doch ein anderer gewesen, gar nicht der schlechte Mensch, den sie in ihm gesehen hatte.

Lunke riss sie aus ihren Gedanken. »Der ist in den ewigen Jagdgründen!«, stieß er hervor. »Wie lange willst du ihn noch angaffen? Der andere hier... euer Methusalem lässt auch ganz schön die Ohren hängen.«

Endlich schaffte Kim es, sich abzuwenden. Doktor Pik röchelte leise, beinahe so wie Kroll ein paar Momente zuvor. Die Angst kehrte in ihren Körper zurück und löste die Lähmung auf, die sie befallen hatte.

»Doktor Pik, nicht sterben, bitte«, hauchte sie. »Wir brauchen dich noch.«

Sie begann, ihm über das Gesicht zu lecken, zaghaft erst, dann heftiger. Atmete der alte Eber noch? Ja, sein Körper hob und senkte sich.

»Komm schon, Alter!« Lunke stieß Doktor Pik mit seinem abgebrochenen Eckzahn an. »Aufstehen! Es ist besser, wenn wir so schnell wie möglich abhauen.«

Kim hob den Kopf, um Lunke anzugiften, doch da öffnete Doktor Pik die Augen und flüsterte: »Ich muss noch ein wenig ausruhen. Lauft schon mal los. Ich finde den Weg zurück auch allein.«

»He«, sagte Lunke ohne jedes Mitgefühl, »du musst

hier nicht den Helden spielen. Wir müssen verduften, und zwar gemeinsam.« Er warf Kim ein kurzes Lächeln zu, und dann rammte er Doktor Pik beide Eckzähne so heftig ins Hinterteil, dass der alte Eber mit einem schrillen Schmerzensschrei auf die Beine sprang, wie sie ihn noch nicht einmal von Cecile jemals gehört hatte.

»Bist du verrückt geworden?«, rief Kim voller Zorn und stürzte vor, damit Doktor Pik sich an sie lehnen konnte.

»War doch eine gute Methode, um dem alten Schlappschwanz aufzuhelfen«, grunzte Lunke.

Doktor Pik atmete zitternd durch. Einen Laut brachte er nicht heraus, aber er schaffte es immerhin, Lunke einen bitterbösen Blick zuzuwerfen.

Dicht neben den greisen Eber gedrängt, um ihn stützen zu können, falls die Kräfte ihn wieder verließen, schritten sie durch den Wald. Kim drehte sich noch einmal nach Kroll um. Würde ihn jemand suchen? Sollte sie Dörthe später hierher führen? Nein, besser nicht, entschied sie. Die große Stille war einem geschäftigen Singen und Zwitschern gewichen. Zumindest für die Vögel war das gewöhnliche Leben zurückgekehrt – sie störten sich nicht daran, dass irgendwo ein toter Mensch im Wald lag.

Während sie sich von der Lichtung entfernten, behielt Kim den erschöpften Doktor Pik im Blick. Er hatte sich eindeutig überanstrengt. Meistens hatte er die Augen geschlossen und ließ sich von ihr leiten. Tiefe Schatten lagen auf seinem Gesicht. Im Tod, dachte sie plötzlich und erschrak, im Tod wird er nicht viel anders aussehen.

Als sie für einen Moment stehen bleiben mussten, fragte sie leise: »Doktor Pik, dieser Kartentrick – ich habe nie verstanden, wie dieser Trick im Zirkus funktioniert hat.«

Doktor Pik lächelte still vor sich hin, dann schnaufte er leise. »Eigentlich ist es ein Geheimnis, das man niemandem verraten darf – könnte Unglück bringen.« Er räusperte sich und öffnete die Augen. »Mein Herr hieß Manfred Stanislawski, er war klein und dick, doch in der Manege nannte er sich Pedro Ronnelli, als wäre er dort jemand ganz anderes, und irgendwie war er das auch. Er breitete zehn große Spielkarten aus Pappe mit der Zahl nach unten in der Manege aus, und dann rief er mich zu sich. Ich musste mich ihm zu Füßen hinlegen und ihn anschauen, als würde ich die Worte von seinen Lippen ablesen. Dann befahl er mir, während er die Arme ausbreitete und ins Publikum sah, ihm eine bestimmte Karte zu bringen – das Pik Ass.« Einen Moment schwieg Doktor Pik. Er war ernst geworden und blickte gedankenverloren vor sich hin. »Ich wusste immer sofort, wo diese Karte lag, jedes Mal an einer anderen Stelle, falls jemand im Publikum in mehrere Vorstellungen ging. Trotzdem war es ein Kinderspiel für mich. Schnüffelnd, mit gesenktem Kopf lief ich umher, tat ein wenig, als wäre ich unsicher. Doch dann, während das Publikum mich gebannt anstarrte, brachte ich ihm die richtige

Karte. Ich habe mich in all der Zeit nicht einmal geirrt.« Lächelnd und ein wenig stolz blickte er Kim an.

»Aber wie … woher konntest du wissen, wo die richtige Karte lag?«, fragte sie und bedauerte es, diesen wunderbaren Moment, wenn Doktor Pik sein größtes Kunststück vorführte, nie miterlebt zu haben.

»Es war ganz einfach«, erklärte Doktor Pik. »Bevor wir in die Manege liefen, hat mein Herr die Karte mit Honig bestrichen, ganz wenig nur, so dass man es nicht sehen konnte. Aber ich habe es sofort gerochen. Hinterher durfte ich den Honig immer abschlecken. Ich liebe Honig.«

Honig, dachte Kim, ja, Honig hatte sie auch einmal gerochen, als Dörthe mitten auf dem Hof ein Glas aus der Tasche gefallen war, doch leider hatte sie den Honig nicht aufschlecken dürfen.

»Tolle Geschichte«, sagte Lunke gänzlich unbeeindruckt, »aber ich glaube, wir sollten uns verdrücken. Da kommen Menschen!«

Baummörder näherten sich in einem Lastwagen, an dem die Scheinwerfer noch eingeschaltet waren. Mit großem Radau fuhren sie durch den Wald, als wollten sie jeden davor warnen, ihnen in die Quere zu kommen. Laute Musik dröhnte aus dem Inneren. Zwei Männer hockten auf ihren Sitzen, blickten müde vor sich hin und rauchten. Kim und Lunke führten Doktor Pik ein kurzes Stück in das Unterholz hinein und beobachteten, wie der Lastwagen in einen anderen Weg abbog. So schnell würden diese Männer den toten Kroll nicht entdecken.

Als sie endlich zum Loch im Zaun gelangten, sahen sie, dass die anderen mittlerweile auch den Stall verlassen hatten. Reglos wie Statuen standen sie da und blickten zu ihnen herüber. Nicht einmal die kleine Cecile rührte sich. Staunten sie darüber, dass nun auch Doktor Pik die Wiese verlassen hatte? Oder war etwas anderes passiert? Kim suchte schnell die Wiese ab, aber da war niemand sonst, keine Dörthe, kein Ebersbach. Auf dem Hof war kein Mensch zu sehen.

Lunke lächelte, während er Kim ansah. »Na, da haben deine Kumpels wieder etwas zu gaffen! Soll ich sie mal ein wenig aufschrecken?«

Bevor Kim etwas entgegnen konnte, stieß er ein besonders lautes und tiefes Grunzen aus, das nicht nur Cecile und Brunst, sondern sogar Che zusammenzucken ließ. Dann drehte er sich um und lief davon.

»Ich glaube«, sagte Doktor Pik mit leiser Stimme, »diesen wilden Schwarzen wirst du nie wieder los.«

Das wäre nicht das Schlimmste, dachte Kim und lächelte.

Einen Moment später wurde im Haus ein Fenster geöffnet, und Michelfelder blickte verschlafen hinaus.

»Dörthe!«, rief er. »Komm schnell – deine Schweine sind wahnsinnig geworden und wollen ausbrechen!«

21

Die Welt hatte sich plötzlich verändert, war ruhiger und friedlicher geworden, seit Kim wusste, dass Kroll tot war. Es war fast wie früher. Ein riesiger blauer Himmel spannte sich über ihr, und sie trabten gemeinsam über die Wiese und suchten nach Fressen. Brunst hatte sich wie üblich als Erster über die Kohlköpfe hergemacht, die Dörthe ihnen hingeworfen hatte, und Cecile war quiekend um seine fetten Beine gesprungen, um ihn zu ärgern. Nur Doktor Pik hatte sich nach einem kurzen Rundgang wieder in den Stall zurückgezogen, weil er am Ende seiner Kräfte war. Er hatte kaum etwas gefressen, aber beinahe einen Wassertrog allein ausgesoffen.

Kim wusste, dass er sterben würde, aber nicht heute und nicht morgen. Sie hatte daher beschlossen, Dörthe nicht auf den Zustand von Doktor Pik aufmerksam zu machen, wahrscheinlich hätte es ohnehin nichts gefruchtet. Nachdem Michelfelder sie gerufen hatte, war Dörthe noch im Nachthemd auf die Wiese gelaufen und hatte den Zaun wieder aufgerichtet und den Pfahl mit einem Hammer in die Erde geschlagen. Von dem Kind in ihrem Leib war noch nichts zu sehen.

»Damit ihr erst gar nicht auf die Idee kommt, abzuhauen«, hatte sie ihnen lächelnd zugerufen, aber da hatte Kim nur mitleidig grunzen können. Ein kleiner Rempler von Lunke, und sie hätten wieder einen Durchschlupf, durch den sich sogar Brunst zwängen konnte.

Vorerst wollte Kim jedoch gar nicht mehr in die Freiheit. Es tat gut, einfach nur über die Wiese zu spazieren und sich so satt zu fressen, dass sie ganz schläfrig und zufrieden werden würde. Sie meinte, durch die Aufregungen der letzten Tage ein wenig abgenommen zu haben. Dann, während sie zufrieden ihren Lieblingsplatz unter dem alten Apfelbaum am Stall aufsuchte, sah sie es: eine winzige weiße Federwolke, die über dem Wald stand. Die Wolke war klein und sehr weit oben, aber Kim war sicher, dass es ein Zeichen war. Krolls Seele flog davon, schob sich an der gelben Sonne vorbei und löste sich plötzlich auf. Wo war die Federwolke nun?, fragte Kim sich. Wohin war sie geflogen, wenn sie nicht mehr am Himmel war? Was lag eigentlich hinter dem Himmel? Gab es da einen anderen Himmel, der vielleicht nicht blau, sondern grün oder rot war? Es machte Spaß, sich solche Fragen zu stellen, statt darüber nachzudenken, welcher Mensch einen anderen ermordet haben könnte.

Als sie schon beruhigt einschlafen wollte, hörte sie, wie jemand sich langsam an sie heranschlich. Breitbeinig und schnaubend ging Che vor ihr in Position und starrte sie mit ernster Miene an. Er war seit ihrer Rückkehr äußerst einsilbig und mürrisch gewesen.

»Che, bitte keine Vorwürfe«, erklärte sie mit schläfriger Stimme. »Ich weiß, ich habe gesagt, ich würde die Wiese nie wieder verlassen, aber ich konnte nichts dafür... ich bin entführt worden – mit einem Strick um den Hals. Doktor Pik ist mein Zeuge. Und außerdem hatte Kroll ein Gewehr, und nun liegt er tot im Wald...«

»Ich komme mit dem Vermächtnis nicht weiter«, unterbrach Che sie. Nie hatte er kläglicher geklungen. »Nicht mit dem ersten, nicht mit dem zweiten Satz.« Er verstummte und räusperte sich dann, als wolle er noch etwas sagen.

Ein mittelgroßer, gelber Transporter fuhr die Straße hinauf, was Kim für einen Moment ablenkte. Zwei abermals weiß gekleidete Männer stiegen aus, und dann erfüllten besondere Düfte den Hof: Es roch nach Essen, nach Gemüse, Kartoffeln – und Schweinefleisch. Kim schüttelte sich angeekelt.

Che schien die Düfte nicht wahrzunehmen; er setzte erneut an: »Was ich heute Nacht gesagt habe... die Sache mit den Schwänen... Es ist mir einfach so herausgerutscht... Ich weiß natürlich, dass es lächerlich ist, wenn ein erwachsenes Schwein davon träumt, ein Schwan sein zu wollen, und irgendwie ist es auch nicht so...«

Kim hob den Blick. Verlegen, als wäre er bei einem

schlimmen Fehltritt ertappt worden, schaute Che mit seinen braunen Augen auf sie herab.

»Nein, es ist überhaupt nicht lächerlich«, sagte sie. »Warum soll man nicht davon träumen, ein anderer zu sein? Aber es ist eben nur ein Traum. Vielleicht sollte so dein Vermächtnis anfangen: ›Liebe Schweine, wir müssen die Welt so nehmen, wie sie ist.‹«

»Du findest es nicht lächerlich, wenn man ein Schwan sein will?«, stieß Che hervor.

»Nein, ganz und gar nicht«, erwiderte Kim.

Die Männer begannen, silberfarbene Behälter aus dem Transporter zu laden und ins Haus zu tragen. Die Gerüche brachten Kim ganz durcheinander. Was ging da vor sich? Wollte Dörthe ein Fest feiern? Und ausgerechnet mit gebratenem Schweinefleisch, wo sie selbst überhaupt kein Fleisch aß?

Nun erst registrierte Kim, dass man in Munks Atelier vor den beiden Fenstern einen langen Tisch und in etlichen Reihen Stühle aufgebaut hatte.

»Ich glaube, dass Schweine stolz darauf sein sollten, Schweine zu sein«, erklärte Che, nun wieder in einem festeren Tonfall. »Das ist eigentlich mein ganzes Vermächtnis.«

»Prima«, erwiderte Kim. Sie behielt das Haus im Blick und entdeckte, dass Dörthe, die sich umgezogen hatte, aufgeregt umherlief und den weiß gekleideten Männern Anweisungen erteilte. Michelfelder, der anscheinend die ganze Nacht bei ihr gewesen war, schleppte Kartons aus dem Transporter, die allerdings nach nichts rochen. »Dann hast du es doch endlich. ›Ches erstes Gebot laut: Ein Schwein sollte stolz darauf sein, ein Schwein zu sein.‹«

Che grunzte. »Ja, das klingt nicht schlecht, nicht wahr?« Jeder Hauch von Verlegenheit war aus seiner Stimme gewichen.

Kim erhob sich, um näher an den Zaun heranzurücken und das Geschehen besser beobachten zu können. »Lass dir noch neun weitere Sätze einfallen«, sagte sie, um Che rasch loszuwerden, »und dann nennst du es: Ches zehn Gebote. Das kann man sich auch leichter merken als ein langes Vermächtnis.«

Ein breites Lächeln glitt über Ches Gesicht. »Kim«, sagte er und stieß sie mit dem Rüssel an. »Manchmal sind deine Ideen gar nicht so schlecht. Und das mit dem Schwan vergisst du am besten gleich wieder.«

»Schon passiert«, erwiderte Kim. Sie ließ Che stehen und trabte zum Zaun. Hier waren die Gerüche nach widerwärtigem Fleisch und Gemüse noch stärker, wenn auch keine silberfarbenen Behälter mehr aus dem Wagen geladen wurden. Die Männer schleppten lediglich noch Kartons, die nicht besonders schwer aussahen.

Irgendetwas hatte Dörthe vor. Nur was? Sie hatte sich wieder die roten Haare hochgesteckt und trug ein rotes Kleid, das eng an ihrem Körper anlag. Als sie vor der Tür stand, versuchte Michelfelder ihr einen Kuss auf den Mund zu drücken, doch sie schob ihn weg.

»Gerald, verdammt, lass das!«, zischte sie ihm zu. »Ich weiß gar nicht, ob es gut ist, dass du dabei bist. Die Leute könnten denken, dass wir ...« Sie verstummte, weil zwei schwere schwarze Autos heranrauschten. Den ersten Wagen kannte Kim schon. Aus ihm stieg Schredder, der Mann, der alle Bilder abgeholt hatte. Er trug wieder seine riesige Sonnenbrille, die sein halbes Gesicht verdeckte. Auch die blonde Frau war wieder bei ihm. Noch nie hatte sie ein Wort gesagt, und auch jetzt schritt sie stumm neben Schredder auf den Eingang zu.

Aus dem zweiten Wagen kletterte ein dürres Männlein mit einem grauen Ziegenbärtchen. Einen Moment lang fühlte Kim sich an Altschneider erinnert. Dörthe eilte auf den Mann zu und reichte ihm die Hand. Mit einem Gesichtsausdruck, als wäre ihm die Begrüßung lästig, ließ er das Händeschütteln über sich ergehen, nachdem auch Schredder, die blonde Frau und Michelfelder auf ihn zugesteuert waren. Obwohl er so klein und dürr war, musste der Ziegenbart irgendwie wichtig sein, begriff Kim. Er öffnete die hintere Tür seines Wagens und holte einen mächtigen schwarzen Aktenkoffer hervor, der ihn einerseits noch kleiner, andererseits noch wichtiger erscheinen ließ.

Kaum waren die fünf Menschen im Haus verschwunden, rauschten andere protzige Autos auf den Hof, so viele, dass sie kaum Platz fanden. Zudem kamen etliche Menschen zu Fuß die Straße herauf. Kim meinte, einige wiederzuerkennen, die auch auf dem Friedhof gewesen waren. Kaltmann war dabei, ebenso sein Sohn, der deutlich hinkte, und eine ältere Frau mit kurzen Locken, die wie die beiden Männer ein rosiges Gesicht hatte. Keiner der Menschen blickte zur Wiese herüber, aber alle machten ein ernstes Gesicht, als läge etwas Bedeutsames vor ihnen.

»Oh, was für ein Unglück!«, brummte Brunst vor sich hin, der neben Kim aufgetaucht war. »Sie sind gekommen, um vor unseren Augen zu fressen. Ich rieche so viele Leckerbissen, dass mir schwindelig wird. Kartoffeln, Senfsoße, Hühnerbrühe, Spargel, Möhren, dazu Sahnepudding.« Während er die Worte leise vor sich hin sprach, machte sein Kiefer mahlende Bewegungen.

Kim wunderte sich, woher er all diese Speisen kannte. »Und sie essen Schweine«, sagte sie und spürte erneut einen Schauer, der sie durchlief.

»Ja«, erwiderte Brunst und schmatzte, »leicht angebraten, in einer Meerrettichsoße.« Er grunzte leise und zog sich auf den hinteren Teil der Wiese zurück, um sich über die letzten Kohlköpfe herzumachen. Zum Glück hatte Dörthe eine ganze Schubkarre davon abgeladen.

Dörthe begrüßte jeden der Ankömmlinge an der Tür, und dann traten sie alle nacheinander ein und begaben sich in Munks Atelier, wo sie von den weiß gekleideten Männern erwartet wurden, die feierlich, mit Tabletts voller Gläser, dastanden. Die Menschen nickten ihnen zu, wenn sie ein Glas nahmen. Das Männlein hatte sich unterdessen vorne an einem schmalen Tisch postiert und betrachtete das Treiben gleichmütig und ein wenig gelangweilt. Schredder hielt sich abseits und sprach in seinen silberfarbenen Apparat hinein, die blonde Frau neben ihm hielt stumm zwei Gläser in der Hand und blickte über alle anderen hinweg.

Einmal hatte auch Munk so ein Fest gefeiert, fiel Kim ein, aber nicht in seinem Atelier, sondern draußen auf dem Hof in einem weißen Zelt. Sie hatten die ganze Nacht nicht schlafen können, weil die Musik so laut gewesen war und die Menschen so viel geredet hatten. Gegen Morgen, als es schon hell wurde, war Munk dann mit einer Frau, die grüne Haare hatte und fast nackt gewesen war, in den Stall gekommen. Erst hatte Kim gedacht, sie würden auf den Heuboden gehen, um sich zu küssen und Geräusche zu machen, aber stattdessen hatten sie Brunst geweckt und auf die Wiese getrieben. Die Frau hatte versucht, auf ihn zu klettern und auf seinem Rücken umherzureiten, aber Brunst hatte sie immer wieder abgeworfen. Dabei hatte er sich in eine Wut hineingesteigert, dass Kim, die alles heimlich beobachtet hatte, schon erwartet hatte, er würde sich auf die Frau stürzen. Schließlich hatte Munk die Gefahr erkannt und die Frau, die unentwegt schrill und übertrieben gelacht hatte, zum Zaun geleitet. Hinterher hatte Che gesagt, Brunst hätte ein Zeichen für die Würde aller Schweine setzen sollen und die Frau für ihren Angriff bestrafen müssen, aber Brunst hatte nur verächtlich gegrunzt und eine Woche mit niemandem gesprochen.

Nach und nach begannen die Menschen, auf den Stühlen Platz zu nehmen. Kaltmann hatte sich in die letzte Reihe verdrückt. Er war auch der Einzige, der einmal zur Wiese geschaut hatte. Kim war seinem Blick hastig ausgewichen.

Cecile trabte neugierig heran. »Warum sind all diese Menschen gekommen?«, fragte sie mit piepsiger Stimme. »Wissen die alle schon, dass ihr den Mann im Wald umgebracht habt?«

Kim warf ihr einen wütenden Blick zu. »Wir haben niemanden umgebracht«, erwiderte sie barsch. »Der Mann hat sich selbst erschossen.«

Cecile kicherte. »Aber warum hätte er das tun sollen?«

»Wie geht es Doktor Pik?«, fragte Kim, um die Kleine loszuwerden. »Tu mir einen Gefallen und behalte ihn im Auge.«

»Ich will aber sehen, was die Menschen hier machen«, entgegnete sie nörgelnd.

Ein Wagen raste mit eingeschalteten Scheinwerfern auf den Hof. Kim spürte, wie sich die Borsten in ihrem Nacken aufrichteten. Kroll ist gar nicht tot, dachte sie. Gleich steigt er mit einem schrecklichen Lächeln aus und erschießt uns. Er war ein Mensch, der alle täuschen konnte. Doch nur die Fahrertür öffnete sich, und Ebersbach wuchtete sich schnaufend ins Freie. Kim roch, wie sehr er schwitzte. Es schien ihm nicht gut zu gehen; mit bleichem Gesicht watschelte er auf das Haus zu und vergaß in seiner Eile sogar, ihnen auf der Wiese einen Blick zuzuwerfen.

»Der dicke Mann ist unglücklich«, sagte Cecile, die Ebersbachs Auftritt ebenfalls aufmerksam beobachtet hatte.

»Wenn du dich ein wenig um Doktor Pik kümmerst, verrate ich dir ein Geheimnis«, erklärte Kim. Das Gerede der Kleinen begann sie abzulenken und ihr auf die Nerven zu gehen.

»Was für ein Geheimnis?« Cecile starrte sie mit aufgerissenen Augen an. »Wie man fliegen lernt?«

Eigentlich hatte Kim an Doktor Piks Kartentrick gedacht, aber vermutlich hätte das nicht gereicht, um Cecile loszuwerden. »Genau«, sagte sie deshalb, »wie man eine Runde über dem Haus fliegt und dann sicher vor dem Stall landet.«

»Du musst es aber auch wirklich machen!«, rief Cecile und preschte einen Moment später über die Wiese davon.

Ebersbach hatte das Atelier betreten und sich mit düsterer Miene in die letzte Reihe gesetzt. Nun stand niemand mehr, nur noch Dörthe in ihrem roten Kleid und der dürre Ziegenbart, der seinen gelangweilten Blick über die Menschen schweifen ließ.

Zum Glück waren die beiden großen Fenster geöffnet, so dass Kim ohne Schwierigkeiten verstehen konnte, was Dörthe sagte.

»Liebe Freunde, es ist ein trauriger Anlass, wegen

dem wir uns heute hier versammelt haben«, begann sie mit ihrer warmen, weichen Stimme. »Umso glücklicher bin ich in dieser dunklen Stunde, dass ihr alle der Einladung gefolgt seid. Gestern haben wir Robert Munk begraben müssen. Sein Mörder ist zum Glück gefasst worden. All das ist für mich noch immer unbegreiflich.« Sie zögerte einen Moment, und ihr Blick irrte umher, als suche sie jemanden. Dann schaute sie auf das Stück Papier, das sie in der Hand hielt. »Nun, Robert hat sich gewünscht, dass ihr kommt – er hat es ausdrücklich in dem Schreiben zu seinem Testament erwähnt. Wir, die wir hier sitzen, wir wissen, dass er ein großzügiger, aber auch ein eigenwilliger Mensch war. Er hat nicht nur wunderbare Bilder zurückgelassen, die vielen Menschen auf der ganzen Welt etwas bedeuten, sondern auch andere Dinge… Und genau darum soll es jetzt gehen: das Vermächtnis von Robert Munk, einem der größten Künstler dieses Jahrhunderts.« Ihre Stimme begann zu schwanken, sie strich sich fahrig eine Haarsträhne aus dem Gesicht.

Kim hatte plötzlich Mitleid mit ihr. Munk hätte nicht sterben dürfen, er wäre doch ein viel besserer Gefährte für Dörthe und ihr Kind gewesen als Michelfelder, dieser andere Mann, der nun neben Ebersbach in der letzten Reihe saß.

Dörthe straffte ihre Schultern, schaute kurz das graue Männlein neben ihr an und fuhr fort: »Deshalb ist ein alter Freund von Robert zu uns gekommen: Professor

Doktor Maximilian Hinck ist sein Testamentsvollstrecker. Er wird nun, so wie es sich Robert gewünscht hat, das Testament eröffnen.« Sie verstummte abrupt und blickte in die Runde. Kaltmann klatschte, aber er war der Einzige, und er hielt auch sofort in der Bewegung inne, als seine Frau ihm einen Stoß versetzte.

»Na, hat das große Fressen schon begonnen?« Brunst schob sich laut schmatzend neben Kim.

»Noch nicht«, erwiderte Kim, ohne sich ablenken zu lassen. »Noch reden sie!«

»Vielleicht kriegen wir was von den Abfällen!«, rief Brunst hoffnungsfroh aus. »Oder meinst du, wir sollten einfach mal rufen: ›Wir haben Hunger, haben Hunger...‹«

Einen Moment lang glaubte Kim, er mache einen Witz, aber an seinem Gesicht war abzulesen, dass es ihm völlig ernst war. »Ich glaube, wir sollten damit noch warten«, sagte sie genauso ernst.

Das graue Männlein hatte auf dem einzigen Stuhl Platz genommen, der hinter dem Tisch aufgebaut war. Eine dicke schwarze Mappe lag vor ihm, die er bedächtig aufklappte. Dann setzte er sich genauso bedächtig eine schmale Brille auf die Nase und schaute die anderen im Raum an, als würde er sie zum ersten Mal bemerken.

Er verachtet die anderen Menschen, dachte Kim, ja, genau so sieht es aus. Er hat hier das Sagen und führt sich auf, als könnte er tun und lassen, was er wollte. Che hätte so etwas auch gerne gekonnt, aber zum Glück trabte er auf der Suche nach seinem zweiten Gebot irgendwo hinter ihr über die Wiese.

»Meine verehrten Damen und Herren.« Die Stimme des Ziegenbarts klang noch älter und krächzender, als er aussah, aber die Menschen hingen förmlich an seinen Lippen. »Vor genau zehn Tagen kam mein alter Freund Robert Munk zu mir und hat unter meiner notariellen Aufsicht dieses Testament verfasst.« Er hob einen großen braunen Umschlag vorsichtig in die Höhe, als handelte es sich um einen ganz besonderen Gegenstand.

Kim beobachtete Ebersbach und Dörthes Geliebten neben ihm – beide schienen den Atem anzuhalten, während sie nach vorne starrten. Wusste der Polizist schon, dass sich sein Gehilfe erschossen hatte? Irgendwie sah es nicht so aus.

Langsam ließ das Männlein den Umschlag sinken und öffnete ihn mit einem langen, glänzenden Messer, das allerdings keinen schwarzen Griff hatte. Das Kratzen von Papier drang bis zu Kim herüber.

»Ich, Robert Munk«, hob der Ziegenbart an und blickte über die Brille in den Saal, als wolle er klarmachen, dass er im Namen eines anderen sprach, »erkläre hiermit im Vollbesitz meiner geistigen Kräfte meinen Letzten Willen.« Er räusperte sich. »Wie die wenigsten wissen, ist mir vor sechs Jahren ein Lungenflügel entfernt worden. Damals hat man mir Hoffnungen gemacht, dass der bösartige Tumor, der meine Lunge befallen hatte, bei gesunder Lebensführung besiegt sei. Nun, die Ärzte waren zu optimistisch. Ich selbst habe immer gewusst, dass der Krebs in mir war und früher oder später zurückkehren und mich bestrafen würde. Wie ich vor zwei Wochen erfahren habe, ist mittlerweile auch mein zweiter Lungenflügel befallen. Ich werde innerhalb der nächsten sechs Monate sterben. Daher muss ich ein paar Dinge regeln. Ich habe ein gutes Leben geführt, das ich ganz der Kunst gewidmet habe, und bin zu meinem eigenen Erstaunen sehr erfolgreich geworden. Die Bilder, die sich noch in meinem Besitz befinden, vermache ich meinem Bruder Matthias, der in einer Woche aus dem Gefängnis entlassen werden wird. Ihm soll auch das Haus gehören. Allerdings…« Der Ziegenbart brach ab, weil jemand im Raum laut aufgestöhnt hatte.

Kim suchte Dörthes Gesicht. Sie saß in der ersten Reihe und blickte ohne jede Regung vor sich hin.

»Allerdings«, fuhr das Männlein gewichtig fort, »soll meine Lebensgefährtin Dörthe Miller Wohnrecht auf Lebenszeit besitzen. Ihr vermache ich die Bilder, für die sie mir Modell gestanden hat. Dazu erhält sie fünfhunderttausend Euro – unter der Bedingung, dass sie sich von Herrn Doktor Gerald Michelfelder trennt, der sie sowieso niemals heiraten wird. Fotos von Herrn Doktor Michelfelder, die ihn in intimen Situationen mit seiner Frau Helga und seiner langjährigen Sekretärin Annemarie Becker zeigen, können bei meinem Notar, Herrn

Professor Doktor Maximilian Hinck, eingesehen werden. Außerdem muss Herr Michelfelder das Bild zurückgeben, das Dörthe Miller ihm ohne mein Einverständnis überlassen hat.«

»Was soll der Unsinn!« Michelfelder war aufgesprungen. Er zerrte an seinem Hemdkragen, als wäre er ihm auf einmal zu eng geworden, dann zwängte er sich an Ebersbach vorbei nach vorne. »Will dieser Saukerl mich noch aus dem Grab heraus fertigmachen? Das lasse ich mir nicht gefallen.« Wild gestikulierend stürmte er nach vorne. »Eine solche Unverschämtheit habe ich noch nie erlebt! Mir nachzuspionieren und mich zu verleumden!« Wütend starrte er Dörthe an, die seinen Blick jedoch nicht erwiderte, sondern auf ihrem Stuhl zusammengesunken war, und eilte hinaus.

Kim sah, wie er laut fluchend zu seinem Auto lief, hastig einstieg und mit quietschenden Reifen den Hof verließ.

Ungerührt hatte der Ziegenbart an einem Glas Wasser genippt. »Gibt es weitere unangemeldete Wortbeiträge?«, fragte er mit strengem Blick. Als sich niemand rührte, fuhr er fort. »Außerdem erhält Dörthe Miller eine lebenslange Rente von monatlich dreitausend Euro – unter der weiteren Bedingung, dass sie nicht mehr in Nachtclubs oder Varietés auftritt, sondern Schauspielunterricht nimmt und sich ernsthaft um ihre Karriere kümmert.«

Jemand in der zweiten Reihe hustete leise, was ihm

einen vorwurfsvollen Blick vom Ziegenbart eintrug. Dörthe rutschte auf ihrem Stuhl unruhig hin und her, und irgendwie glaubte Kim, sie würde gleich aufstehen und ebenfalls aus dem Raum stürmen, doch sie blieb sitzen und zog ein weißes Taschentuch hervor, an dem sie nervös herumgriff.

»Der Kirchengemeine Sankt Pankratius, der ich mich, obwohl nicht im engen christlichen Sinne gläubig, freundschaftlich verbunden fühle, vermache ich zweihundertfünfzigtausend Euro für eine neue Orgel – unter der Bedingung, dass Pfarrer Eugen Altschneider sich bei seinem Bischof selbst anzeigt und gesteht, zweihunderttausend Euro veruntreut zu haben. Zudem muss er schriftlich versprechen, seine krankhafte Spielsucht behandeln zu lassen.«

Ein allgemeines Stöhnen lief durch die Reihen. Kim entdeckte einige hochrote Köpfe. Kaltmann sah seine Frau neben sich an und machte ihr ein Zeichen, ob sie nicht besser gehen sollten, doch die Frau schüttelte den Kopf. Sein Sohn hatte das Gesicht verzerrt und stierte geradeaus, als wollte er es unbedingt vermeiden, seinen Vater anzublicken. Wahrscheinlich vermutete er, dass er auch noch an die Reihe kommen würde.

Der Ziegenbart wartete ab, bis sich die Unruhe gelegt hatte. Als Einzigen im Raum schienen ihn die Worte, die er vorlas, nicht zu überraschen.

»Herr Emil Haderer, mein Gärtnergehilfe, erhält fünfzigtausend Euro – unter der Bedingung, dass er die

Hanfanpflanzungen im Wald vernichtet und stattdessen Buchen anpflanzt und pflegt. Außerdem muss er die Bleistiftstudien zurückgeben, die er mir im letzten Sommer aus meinem Jeep gestohlen hat, während ich auf einer kurzen Vortragsreise war.«

»Quatschen die immer noch?« Brunst postierte sich erneut neben Kim und blickte missmutig in das Atelier. Er rümpfte seinen Rüssel. »Was reden die denn da, statt zu fressen? Sie sollen endlich anfangen und uns etwas abgeben.«

»Wenn du nichts dagegen hast, würde ich gerne weiter zuhören«, bemerkte Kim unwirsch. Sie strengte sich über alle Maßen an, jedes Wort mitzubekommen, das gesprochen wurde.

»Diese Gerüche machen mich ganz verrückt«, sagte Brunst. »Und mein Magen knurrt, dass ich mich nicht einmal zu einem Schläfchen hinlegen kann.«

»Aber du frisst doch schon den ganzen Tag«, entgegnete Kim. Sie beobachtete, wie das Männlein gewichtig ein neues Blatt zur Hand nahm.

»Doch nur Kohlköpfe!«, rief Brunst vorwurfsvoll. »Kohlköpfe machen nicht satt.«

»Still!«, zischte Kim ihm zu.

Ein älterer Mann und eine dunkelhaarige Frau, die wie zu einer Beerdigung ganz in Schwarz gekleidet waren, hatten offenbar genug gehört. Ohne jemanden anzuschauen, verließen sie den Raum und hasteten ins Freie, um dann die Straße hinunterzulaufen, als wären sie auf der Flucht. Die anderen blieben mit furchtsamen Mienen sitzen.

Der richtige Munk ist anscheinend ein Mann gewesen, der eine Menge Dinge mitbekommen hat, dachte Kim, nur hat er anscheinend nicht gewusst, wer ihn umbringen wollte. Oder würde das dürre Männlein das auch noch mitteilen?

»Nun«, sagte der Ziegenbart mit veränderter Stimme, die wohl anzeigen sollte, dass er nichts vorlas, »komme ich zu einer Liste von Personen, die von dem Verstorbenen nicht als Erben eingesetzt worden sind. Im Gegenteil, diese Menschen, die allesamt aus dem Dorf stammen, wie ich aus der beiliegenden Adressenliste ersehen kann, müssen die Geldbeträge, die Robert Munk ihnen geliehen hat, auf Heller und Pfennig innerhalb der nächsten drei Monate an mich zurückerstatten.« Er räusperte sich, blickte wieder streng über seine Brille in den Saal und begann, eine Menge von Namen vorzutragen. »Häusler – zehntausend Euro, Niedermayer – dreizehntausend Euro, Schneider – dreißigtausend Euro …«

Kim wurde es schier schwindlig. Immer wieder sah sie den einen oder anderen der versammelten Menschen zusammenzucken. Irgendwann fiel auch Kaltmanns Name, und er schaute seine Frau vorwurfsvoll an, als wäre sie schuld, dass sie noch hier saßen und das alles mit anhören mussten.

»Komm schnell – Doktor Pik atmet gar nicht mehr

richtig«, hauchte Cecile ihr so schrill ins Ohr, dass Kim erschrak.

»Was?«

»Doktor Pik… Er bewegt sich nicht, nur noch sein Rüssel zuckt.«

»Also bewegt er sich doch noch«, erwiderte Kim, ungehalten über die Störung.

»Ja, aber so, als würde er keine Luft mehr kriegen«, antwortete Cecile mit nörgelnder Stimme.

»Sag Che, er soll sich um Doktor Pik kümmern. Ich komme gleich.« Kim sah, dass der Ziegenbart ein neues Blatt hervorgeholt hatte.

»Aber Che redet nur die ganze Zeit vor sich hin und guckt mich überhaupt nicht an.« Cecile machte keine Anstalten, in den Stall zurückzukehren.

»Sag ihm, das fünfte Gebot lautet: ›Ein jüngeres Schwein soll sich um ein älteres kümmern!‹« Kim versetzte Cecile einen leichten Stoß, damit die Kleine endlich verschwand. Sie wusste, dass es nicht richtig war, was sie tat. Doktor Pik hatte Lunke und sie gerettet, und sie war verpflichtet, nach ihm zu sehen, aber die Spannung unter den Menschen ließ sie nicht los. Gleich würde etwas Besonderes passieren – irgendwie lag Ärger in der Luft. Auch Ebersbach hatte eine gewisse Unruhe erfasst. Er hatte seinen silberfarbenen Apparat hervorgezogen und betrachtete ihn nachdenklich.

Als der Ziegenbart die Liste vorgelesen hatte, blickte er mit einem dünnen Lächeln in den Raum, dann fuhr er fort: »Die Summe, die von den Schuldnern zurückgezahlt werden muss, beläuft sich auf über fünfhunderttausend Euro. Die Hälfte des Geldes erhält die Grundschule am Ort, damit ein neuer Zeichensaal eingerichtet werden kann – Bedingung ist allerdings, dass die Grundschüler jeden Tag mindestens eine Stunde Malunterricht erhalten und ihre Werke zweimal im Jahr ausstellen.«

Zum ersten Mal registrierte Kim, dass im Atelier jemand beifällig nickte – eine ältere Frau mit kurzen schwarzen Haaren. An jedem Finger der Hand, die ihren Kopf stützte, blinkten goldene Ringe.

»Die zweite Hälfte – also ebenfalls zweihundertfünfzigtausend Euro – geht an die Stiftung Arche Noah, die es sich zum Ziel gesetzt hat, alte, beinahe ausgestorbene Tierrassen, wie etwa besondere Schweinerassen, durch Züchtung zu erhalten.« Das Männlein gestattete sich ein mattes Lächeln und setzte mit festerer Stimme hinzu: »Darüber hinaus verfügt der verstorbene Robert Munk in diesem Testament, dass seine Schweine auf dem Anwesen verbleiben müssen. Stirbt eines der Tiere, soll es in einer Ecke des Gartens begraben werden. Keinesfalls ist gestattet, es einem Schlachthaus zu übereignen.«

Einen Moment trat Stille ein, dann lachte jemand kurz und abgehackt, und ein anderer rief: »Ein Schweinefriedhof im Garten – was für ein Unfug!«

»Ja, ist das denn überhaupt erlaubt?«, meldete sich erbost ein älterer Mann, der auch zu den Schuldnern gehörte.

Kim konnte sich ein beifälliges Grunzen nicht verkneifen. Sie hatte beileibe nicht alles verstanden, was das Männlein erklärt hatte, aber so viel begriff sie nun: Robert Munk war tatsächlich ihr Freund gewesen. Sie mussten sich keine Sorgen mehr machen, dass irgendjemand sie vertreiben könnte. Auch Dörthe wirkte auf einmal entspannter; sie drehte sich sogar um und blickte zum Fenster hinaus, als würde sie ahnen, dass Kim auf der Lauer lag und lauschte.

Als das Männlein für ein paar Momente verstummte, erhob sich Schredder, der in der ersten Reihe Platz genommen hatte. Mit großer Geste strich er sich durchs Haar und rief aus: »Darf man eine Frage stellen?« Da der Ziegenbart mit gelangweilter Miene nickte, erklärte er: »Ich bin… Ich war Roberts Galerist. Wir haben über lange Jahre sehr gut und erfolgreich zusammengearbeitet. Daher wundere ich mich sehr, dass mein Name noch nicht gefallen ist, wo er sogar seine Schweine erwähnt hat. Sind Sie sicher, dass Roberts Testament vollständig ist?«

Das Männlein antwortete nicht sofort, sondern sortierte Papiere. Die Stille, die den anderen unbehaglich war, schien ihm nichts auszumachen. »Das ist korrekt«, erklärte er dann. »Sie sind nicht bedacht worden, Herr Schredder. Im Übrigen bin ich mit meinen Ausführungen noch keineswegs zum Ende gekommen. Ich darf daher die verbliebenen Anwesenden um noch ein wenig Geduld ersuchen.«

»Wem wird der Hof denn nun gehören, wo Munks Bruder im Gefängnis sitzt?«, rief ein anderer Mann, der in der dritten Reihe saß.

»Darf ich fortfahren?«, fragte der Ziegenbart, als hätte er diese Frage nicht gehört. Kim hatte noch nie einen Menschen gesehen, der so ruhig und gleichzeitig so bedeutsam auftrat. »Es gibt noch eine kurze Erklärung des Verstorbenen sowie ein Postskriptum: Ich habe ein gutes Leben geführt, heißt es da, und sehe dem Tod mit Gleichmut entgegen. Ich danke allen, die an meiner Seite gewesen sind und sich für meine Kunst interessiert haben. All jenen, denen ich Unrecht zugefügt habe, bitte ich, mir zu verzeihen. Ich habe viel Schuld auf mich geladen und vieles nicht wiedergutmachen können. Das bedaure ich sehr. Gezeichnet – Robert Munk.«

Jemand begann zu husten, ein anderer schob seinen Stuhl zurück, der laut über den Boden scharrte.

Plötzlich tauchte Cecile wieder auf. »Du musst kommen, Kim«, stieß sie atemlos hervor. »Brunst ... Nun kümmert Brunst sich um Doktor Pik, aber er quält ihn und beißt ihm in den Rüssel.«

»Was tut er?« Kim wandte den Blick vom Geschehen im Atelier nicht ab.

»Ach, ich weiß auch nicht«, erwiderte Cecile verzweifelt. »Aber ich glaube, Doktor Pik ist tot.«

»Ich komme gleich.« Kim drehte den Kopf. Aus den Augenwinkeln sah sie, dass Ebersbach auf seinen kleinen Apparat starrte und ungläubig den Kopf schüttelte.

Jetzt, glaubte sie zu ahnen, in genau diesem Moment hat er erfahren, was mit Kroll geschehen ist. Vorne lächelte das Männlein die Menschen an und hob seine winzigen Hände, als müsse er um Ruhe bitten. »Bevor hier das Büfett aufgebaut wird, zu dem uns Frau Dörthe Miller freundlicherweise eingeladen hat, möchte ich noch das Postskriptum verlesen, gleichwohl ich einräumen muss, dass ich den Sinn dieses Nachtrags nicht verstehe. Zitat: ›Das Bild Richter 9 vermache ich zur weiteren Veranlassung dem Justizminister der Bundesrepublik Deutschland.‹ Ende des Zitats.« Mit großen Augen blickte der Ziegenbart über seine Brille in die Menschenansammlung vor ihm, ob irgendjemand eine Reaktion zeigte, doch nur Ebersbach war aufgesprungen, zwängte seinen unförmigen Leib durch die Reihe, entschuldigte sich flüchtig und watschelte hastig aus dem Raum.

Draußen eilte er zu seinem Auto. Dabei hatte er seinen silberfarbenen Apparat am Ohr und redete so schnell hinein, dass Kim nichts verstehen konnte, auch wenn sie ihre Ohren besonders lang machte. Blass und mit erschöpftem Gesicht öffnete er die Tür seines Wagens und fuhr davon.

Im Atelier erhoben die Menschen sich unsicher; niemand sprach. Hunger schien auch keiner zu haben, denn die meisten gingen an den weiß gekleideten Männern vorbei, die sich eilig daran machten, die Stühle zusammenzustellen, ins Freie und entfernten sich über den Hof.

»Kommst du endlich?« Cecile stieß sie in die Flanke.

Kim straffte sich. Der Geruch von Schweinefleisch wehte wieder herüber, als einer der Weißgekleideten einen silbernen Behälter herantrug. Während sie neben Cecile zum Stall lief, versuchte sie, sich den letzten Satz zu merken, der aus dem Mund des Ziegenbarts gekommen war, aber irgendwie konnte sie das nicht. »Richter 9« war alles, was ihr im Gedächtnis geblieben war.

Che trabte tatsächlich noch immer über die Wiese und redete vor sich hin, ohne irgendetwas wahrzunehmen. Sie meinte zu hören, wie er mit finsterer Miene »Ein Schwein ist ein Schwein ist ein Schwein« murmelte. Auf seine Hilfe konnten sie wieder einmal nicht bauen.

Brunst hingegen hockte vor Doktor Pik im Stall. Er stöhnte und schnaufte, und als Kim heranstürmte, bemerkte sie, dass er dem alten Eber seinen Atem in den Rüssel blies.

»Was tust du da?«, fragte sie entsetzt.

»Habe mal gehört, dass es nützen soll, wenn es jemandem besonders schlecht geht«, keuchte er, dann stieß er Doktor Pik wieder einen mächtigen Schwall Luft in den Rüssel.

Kim begriff, dass sie einen Fehler gemacht hatte. Sie hatte Doktor Pik in seiner schwersten Stunde allein gelassen; statt bei ihm zu sein, hatte sie Dinge der Menschen verstehen wollen, die man nicht verstehen konnte und die auch vollkommen ohne Nutzen waren. Nein, fiel ihr ein, das stimmte nicht. Sie hatte immerhin erfahren, dass sie alle ohne Sorgen weiter auf dem Hof leben konnten.

Tief holte Brunst wieder Luft und würgte sie dann förmlich wieder hervor. Kim beobachtete, wie sich Doktor Piks Körper hob, und plötzlich sprangen dem greisen Eber die Augen auf, und er starrte sie an.

»Kann man nicht mal in Ruhe ein Nickerchen halten«, knurrte er, als hätte man ihn in seinem harmlosen Mittagsschlaf gestört.

Kim wurden vor Glück die Knie weich. »Doktor Pik«, rief sie aus, »wir haben schon gedacht, dass du …« Sie verstummte, derweil Brunst neben ihr heftig nach Atem rang.

»Ich weiß, was ihr gedacht habt«, flüsterte Doktor Pik, »aber noch ist meine Zeit nicht gekommen.«

In der Ferne war eine Sirene zu hören.

Kroll, dachte Kim, nun haben sie ihn gefunden.

»Was ist denn jetzt?«, quiekte Cecile. »Verrätst du mir endlich, wie man fliegt?«

22

»Wenn man etwas verspricht, muss man es auch halten«, maulte Cecile. »Aber ich bin ja die Kleinste. Mich kann man ja belügen und betrügen, wie es einem gefällt ...«

An der Seite von Doktor Pik drehte Kim eine Runde über die Wiese. Er musste sich bewegen und etwas fressen, zumindest ein wenig Kohl und Salat. Viel hatte Brunst allerdings nicht übrig gelassen, und an die Körnermischung, die Haderer ihnen jeden Abend hingestellt hatte, hatte keiner gedacht. Die Hoffnung, dass Dörthe noch kommen würde, hatte Kim jedenfalls aufgegeben. Der Ziegenbart war noch da; er war der Einzige, der sich ausgiebig über das Essen hergemacht hatte, das die beiden weiß gekleideten Männer auftrugen. Mit lächelnder Miene hatte er sich von ihnen bedienen lassen, als wären sie allein seinetwegen gekommen. Dörthe, die neben ihm saß, hatte nur ein Glas mit einer roten Flüssigkeit vor sich stehen. Alle anderen Menschen hatten den Hof fluchtartig verlassen.

»Ich weiß nicht, wie man fliegt«, erwiderte Kim unwirsch. »Schweine können nicht fliegen. Es reicht nicht, mit dem Schwanz zu wedeln. Um fliegen zu können, braucht man Flügel, wie Vögel sie haben. Musst nur in den Himmel gucken!«

»Dann hast du also gelogen!« quiekte Cecile und schrie mit schriller Stimme: »Kim ist eine Lügnerin!«

Irgendwie hatte Kim das Gefühl, als lächele Doktor Pik stumm vor sich hin. Brunst hingegen trabte triumphierend in der Pose des Lebensretters hinter ihnen her, ohne auf Cecile zu achten. »Hatte ich also recht«, grunzte er zu Che hinüber. »Mit Luft kann man jemanden wieder gesund machen – genauso wie es hilft, Urin aufzulecken, wenn es im Hals wehtut!«

»Urin auflecken? Wie eklig!«, quiekte Cecile und sprang endlich davon.

Kim beobachtete, dass die weiß gekleideten Männer die silberfarbenen Behälter zurück in den Transporter luden. Auch der Ziegenbart machte sich daran, abzufahren. Mit einer Verbeugung streckte er Dörthe die Hand entgegen und stieg in seinen Wagen. Nun wirkte er viel freundlicher und entspannter. Was die beiden zum Abschied redeten, konnte Kim leider nicht verstehen.

Che trabte heran und baute sich vor ihnen auf. »Wollt ihr das neue Gebot hören, das ich mir ausgedacht habe?«, fragte er und fuhr fort, ohne ihre Antwort abzuwarten: »Das fünfte Gebot lautet: ›Ein jüngeres Schwein soll sich um ein älteres kümmern!‹« Stolz reckte er den Kopf.

»Wieso fünftes Gebot!«, rief Brunst voller Verwunderung aus. »Fängt man beim Zählen nicht bei eins an? Eins, zwei …«, zählte er vor sich hin und geriet dann ins Stocken.

»Brillant!«, erklärte Kim voller Spott. »Dafür läufst du die ganze Zeit über die Wiese, um dir das auszudenken? Aber ich habe noch ein elftes Gebot für dich: ›Man soll anderen nicht alles nachplappern, sondern sich selbst Gedanken machen!‹«

»Elftes Gebot?«, fragte Che mit großen Augen. »Hast du nicht gesagt, dass ich nur zehn Gebote …«

Kim schob sich zusammen mit Doktor Pik an ihm vorbei, Brunst im Schlepptau. Gelegentlich hörte sie sein leises, leeres Schmatzen. Anscheinend hoffte er noch immer, dass Dörthe ihnen eine Extraportion Futter brachte.

Plötzlich, als sie sich an der Stelle befanden, wo sie immer in die Freiheit geschlichen waren, hörte Kim einen Hund in der Ferne bellen, dann einen zweiten und dritten. Wenig später schallte aus jeder Ecke des Waldes das Kläffen wütender Hunde. Sie sah diese furchterregenden Viecher mit ihren blitzenden Fängen förmlich vor sich. Offenbar hatte Ebersbach nicht begriffen, warum Kroll tot dalag – dass er sich selbst erschossen hatte. Deshalb hatte er die Hunde gerufen, die nun schnüffelnd und geifernd die ganze Gegend unsicher machen würden.

»Ich glaube«, sagte sie mit sanfter Stimme zu Doktor Pik, »wir kehren besser in den Stall zurück.« Hoffentlich kam Lunke den Hunden nicht in die Quere. Ihm war alles zuzutrauen – auch dass er sich mit einer Meute Hunde einließ.

Sie hörte das wilde Kläffen der Hunde, bis die Dunkelheit hereingebrochen war. Sogar auf dem Hof liefen sie lärmend herum, doch kam zum Glück keiner der widerlichen Schnüffler in den Stall. Einmal, während Kim lauschend dalag, meinte sie, Dörthes erregte Stimme und eine ebenso heftige Entgegnung von Ebersbach zu vernehmen. Wenig später fuhr ein Wagen vom Hof, und das Hundegebell verklang in der Ferne.

Was würde Lunke tun, wenn er plötzlich so einem geifernden Hund gegenüberstand? Kim konnte sich lebhaft vorstellen, wie er den Kopf senkte und glaubte, sich mit seinen Eckzähnen Respekt verschaffen zu können. Bei einem einzelnen Hund mochte das gelingen, aber bei einer ganzen Meute? Kim gestand sich ein, dass sie Angst um den wilden Schwarzen hatte. Vielleicht hätte sie doch freundlicher zu ihm sein sollen.

Irgendwann war das laute Schnarchen von Brunst zu hören. Er hatte sich schmollend in eine Ecke verzogen, weil Dörthe nicht mit einer Extraportion Futter aufgetaucht war. Dann schienen alle reihum einzuschlafen. Nur Cecile brabbelte noch eine Weile vor sich hin, dass sie von Lügnern und Betrügern umgeben sei und große Lust habe abzuhauen.

Kim erwachte, als sie eine leise Stimme hörte.

»Babe!«, flüsterte jemand voller Dringlichkeit. »Babe, bist du wach?«

Sofort riss sie die Augen auf und lauschte angespannt. Stille hüllte sie ein, in die nur das rhythmische Schnaufen der anderen Schweine drang. Sie musste geträumt haben. Es war mitten in der Nacht. Einen Moment später jedoch war das Flüstern wieder zu vernehmen.

»Babe, ich bin's – Lunke.«

Beinahe geräuschlos richtete sie sich auf und lief auf die Wiese. Der Mond stand hoch und nicht mehr ganz rund am Himmel, aber sein Licht reichte aus, um Lunkes Gestalt als mächtige Silhouette zu erkennen. Er hatte den Pfahl umgeworfen und war durch das Loch im Zaun geschlüpft.

»Lunke – was machst du hier?« Kim spürte, wie sich die Erleichterung in ihr ausbreitete, und dann roch sie es. Blut! Er war verletzt – schon wieder.

»Ich dachte, ich schaue mal vorbei«, erwiderte Lunke und lächelte.

Er hatte eine üble Wunde an der linken Flanke. Die schwarzen Borsten waren voller Blut, aber die Wunde hatte sich bereits geschlossen.

»Liebster!« Kim stürmte auf ihn zu und strich mit ihrem Rüssel vorsichtig über die blutverklebten Borsten. Er hatte in letzter Zeit einiges einstecken müssen. »Haben die Hunde dich erwischt?«

»Harmloser Kratzer«, erklärte Lunke. »Habe mich an

einem Ast verletzt, als ich die Biege machen musste. Drei von diesen Bestien waren hinter mir her.« Er zögerte einen Moment und lächelte. »Hast du eben ›Liebster‹ zu mir gesagt?«

»Kann sein«, erwiderte Kim und besah sich die Wunde. »Vor Schreck habe ich wahrscheinlich ein wenig übertrieben.«

Lunke lächelte so breit, dass ein Hauch Mondlicht auf seine schiefen Zähne fiel. »Ich finde, du könntest wirklich ein wenig netter zu mir sein. Den Toten haben sie übrigens abgeholt. Die Elstern hatten ihm schon die Augen ausgepickt, sah nicht besonders schön aus.«

Kim schüttelte sich. »Und dann sind die Hunde gekommen, nicht wahr?«

Lunke nickte, nun wieder mit ernstem Gesicht. »Haben ziemlich Radau gemacht, diese elenden Kläffer, aber sie sind viel zu blöd, um uns Schwarze zu erwischen. Nicht einmal ein Kaninchen haben sie gekriegt. Beim nächsten Mal gibt es eine richtige Keilerei – das haben wir uns geschworen.«

»Wer hat sich das geschworen?«, fragte Kim plötzlich argwöhnisch. »Ich denke, du streifst immer alleine durch den Wald.«

»Nun ja«, erwiderte Lunke zögernd. »Manchmal lasse ich mich aus alter Verbundenheit bei meiner Rotte blicken, aber ich bin nicht irgendwie liiert, falls du das meinst.« Er grinste noch unverschämter.

Kim schwieg und blickte zum Haus hinüber. Alles

war dunkel, und kein fremdes Auto parkte mehr da, nur noch Dörthes Kabrio. Der Geruch von Schweinefleisch lag ebenfalls nicht mehr in der Luft. Sie begannen im Mondschein über die Wiese zu schlendern.

»Glaubst du, dass Kroll wirklich all diese Menschen umgebracht hat – den richtigen Munk, Haderer und Altschneider?«, fragte Kim. Es war vielleicht besser, nicht so viel über Lunke und sich selbst zu reden.

Lunke hielt kurz inne und scharrte mit einer Klaue in der Erde. »Ist mir egal, wer wen umgebracht hat«, sagte er. »Ich denke nicht oft an Menschen. Es wäre viel schöner, wenn es gar keine Menschen gäbe. Stell dir vor, wie friedlich es dann wäre. Keine Autos, keine Jäger, die in der Gegend herumballern. Und Hunde bräuchten wir auch keine – die könnten zusammen mit den Menschen verschwinden. Es wäre das Paradies auf Erden.«

»Das Paradies?« An eine Welt ohne Menschen hatte Kim noch nie gedacht. Wer würde ihnen dann das Fressen bringen?

Lunke kam ihr ein wenig näher. Sie roch wieder das Blut. »Eigentlich wollte ich dich fragen, ob du mit mir zum See kommst. Wir könnten baden, uns ein wenig im Morast suhlen und dann vielleicht…«

»Und dann vielleicht?« Kim schaute ihm in die Augen. Ein silbernes Licht spiegelte sich darin. Die bitteren Pflanzen waren alle abgemäht worden, fiel ihr ein. Zumindest würde ihr nicht wieder schwindlig werden, und sie würde Lunke auch nicht mehr so nah an sich heranlassen wie beim letzten Mal. Sie hatte immer noch keine Erinnerung daran, was da wirklich zwischen ihnen passiert war.

»Falls es sich ergibt, würde ich dir gerne jemanden vorstellen.« Selten hatte Lunke so verlegen geklungen – er wich auch ihrem Blick aus. »Es kann nichts passieren«, fügte er hinzu und kratzte wieder in der Erde. »Die Hunde sind weg, der Tote ist abgeholt worden. Außerdem hast du es versprochen – neulich, als ich euer nerviges Minischwein befreit habe.«

»Ich weiß nicht«, sagte Kim, auch wenn sie sich an das Versprechen genau erinnerte. »Ich muss mich um Doktor Pik kümmern. Er hat uns gerettet, aber damit ist er weit über seine Kräfte gegangen. Fast wäre er gestorben. Und überhaupt habe ich…« Habe ich versprochen, die Wiese nicht mehr zu verlassen, wollte sie sagen, brachte es aber nicht heraus.

Sie schwiegen einen Moment.

Klein und unbedeutend kam Kim sich plötzlich neben Lunke vor. Konnte das wirklich sein, dass ein wilder Schwarzer sich mit ihr einlassen wollte?

Das Schweigen wurde immer unbehaglicher.

Ich muss etwas sagen, dachte Kim, während sie den Mond am Himmel betrachtete, irgendetwas, das uns aus diesem unangenehmen Schweigen herausbringt. Vielleicht sollte ich sagen, dass Dörthe ein Kind bekommt – oder nein, dann könnte Lunke anfangen, über das eine zu sprechen. Sie versuchte sich vorzustellen, wie sich ihre Mutter in einer solchen Situation wohl verhalten hätte.

Ein Geräusch ließ erst Lunke, dann Kim herumfahren. Ein dumpfes Poltern klang aus dem Stall herüber. War etwas mit Doktor Pik? Kim erschrak bei diesem Gedanken. Dann blitzte ein grelles Licht hinter der kaputten Scheibe auf.

»Da ist jemand«, zischte Kim. »Warte hier!« Sie drehte sich um und trabte in den Stall.

Angst beschlich sie, als sie durch die Tür schritt. Leise scharrten ihre Klauen über den nackten Beton. Seltsamerweise dachte sie an Kroll. Konnte ein toter Mensch noch eine Weile herumwandern, bevor er zu einer weißen Feder wurde? Bei Kroll war alles möglich, fand sie.

Die anderen Schweine lagen schlafend da, aber Kim war sicher, dass sich jemand in den Stall geschlichen hatte. Ein Geruch, der vorher nicht da gewesen war, irritierte sie. Doch niemand war zu sehen, nicht am Gatter, wo Munk und Dörthe oft gesessen hatten, nicht an der Tür zum Haupthaus. Es hatte auch niemand die kleine Lampe eingeschaltet.

Als sie einen Moment dastand und sich fragte, ob sie zu Lunke zurückkehren sollte, bemerkte sie es: Die Leiter, die sonst unauffällig in einer Ecke lehnte, stand mitten im Pferch, und einen Moment später leuchtete über ihr ein Licht auf. Jemand schnaubte auf dem Heuboden, schob irgendwelche Dinge umher, als suche er etwas. Haderer, erinnerte Kim sich, war mitunter oben auf den Brettern herumgekrochen und natürlich Munk und Dörthe, wenn sie sich vergnügen wollten. War Dörthe nun mit Michelfelder hinaufgegangen, vielleicht, um ihn wieder freundlicher zu stimmen? Nein, es hörte sich anders an, und sein Auto stand auch nicht vor dem Haus.

Ein leises, gezischtes Fluchen drang herunter. Das Licht blieb nun die ganze Zeit eingeschaltet. Das Rumoren wurde lauter, als würde dieser Jemand, der da hantierte, keine Rücksicht mehr darauf nehmen, dass unter ihm ein paar Schweine friedlich schliefen. Wieder ein gedämpftes Fluchen. Dann begann sich die Leiter zu bewegen, ein schmutziger, schwarzer Schuh tauchte auf.

Kim hob den Rüssel und konnte es sofort einordnen: Der penetrante Schweißgeruch eines älteren Mannes wehte ihr entgegen.

Ein zweiter Fuß kam ins Blickfeld, dann zwei Beine, eine dunkle Jacke, die sich über einen kugelförmigen Bauch spannte, eine grobe Hand, die eine schwarze Pistole hielt, wie Kim sie von Kroll kannte.

Was sollte sie tun? Um Hilfe schreien, so dass Lunke heranstürmte?

Der Mann hatte mittlerweile den halben Weg auf der Leiter zurückgelegt. Er schnaufte und wischte sich über das Gesicht, dann richtete er seinen Blick durch die Sprossen der Leiter. Einen Augenblick lang sahen sie sich an – der Mann verzog keine Miene, weder lächelte er, noch zeigte er sich überrascht, dass ein Schwein dastand und ihn fixierte. Schließlich hob er die Hand mit der Waffe, und Kim stürmte vor.

Mit ihrer linken Schulter prallte sie gegen die Leiter, die auf dem Betonboden, der mit einer dünnen Schicht Stroh bedeckt war, sofort ins Rutschen geriet. Der dicke Mann begann zu schwanken, versuchte das Gleichgewicht zu bewahren, indem er sich auf die andere Seite warf, doch dabei verlor er endgültig den Halt. Sein linkes Bein rutschte von der Sprosse ab, er drehte sich ungelenk und fiel dann mitsamt der Leiter zu Boden. Die Taschenlampe glitt ihm aus der Hand und schlug auf den Beton, doch sie erlosch nicht, sondern hüllte den halben Stall in ein geisterhaftes Licht.

Wie ein fetter Käfer lag Ebersbach auf dem Rücken und schnaufte, bevor er sich wieder regte. Langsam richtete er sich auf, schreckte jedoch sofort wieder zurück. Er verzog das Gesicht und rieb sich sein linkes Bein. »Verdammter Mist!«, zischte er vor sich hin. Die Waffe hatte er nicht fallen lassen.

Kim wusste nicht, was sie tun sollte. Fliehen? Oder einfach stehen bleiben und abwarten, was Ebersbach tat?

Cecile war aufgewacht, sie hatte den Kopf gehoben und stierte mit weit aufgerissenen Augen ins Leere. »Ist was passiert?«, quiekte sie schläfrig. Einen Moment später sank ihr Kopf wieder zurück.

Ebersbach wandte sich vorsichtig um. Er atmete in kleinen, heftigen Zügen, während er einen erneuten Versuch unternahm, auf die Beine zu kommen. Seine

Hände kratzten über den Boden. Mit seinem linken Bein stimmte etwas nicht, erkannte Kim. Er versuchte sich so zu drehen, dass er das rechte Bein anwinkeln konnte, um aufzustehen. Aber es klappte nicht. Voller Schmerz verzerrte er erneut das Gesicht und sackte zurück. Dabei ließ er Kim nicht aus den Augen, als erwartete er, dass sie ihn noch einmal angreifen würde.

»Verfluchte Drecksau!«, rief er heiser. »Warum habe ich nicht auf Kroll gehört und euch alle schlachten lassen? Hätte uns eine Menge Ärger erspart.«

Kim zuckte zusammen. Wusste er mittlerweile, wie Kroll gestorben war? Ja, eigentlich musste er das wissen.

Plötzlich hielt Ebersbach inne. Er wandte sich halb um und wischte hektisch Stroh beiseite. Dann griff er nach der Taschenlampe und leuchtete den Boden ab. Kim wusste seit langem von dem Metallring, der sich dort befand, aber sie hatte nie darüber nachgedacht, ob er eine Bedeutung besaß. Der Ring gehörte zu einer Klappe, die etwa halb so groß wie Brunst war. Futter oder andere wichtige Dinge hatten sich nie darunter befunden. Sie hatte auch nie gesehen, dass jemand die Klappe geöffnet hatte.

Ebersbach musste sich mächtig anstrengen, um die Metallklappe hochzuziehen, dabei stöhnte und schnaufte er, und zwischendurch schrie er erstickt auf, weil er sich auf seinem verletzten Bein abgestützt hatte.

Er sucht etwas, dachte Kim, aus diesem Grund hat er sich in den Stall geschlichen.

Nachdem es ihm endlich gelungen war, die Klappe zu öffnen, beugte der Kommissar sich über das Loch, das darunter lag. Dann nahm er etwas hervor, einen großen, länglichen Gegenstand, der in einen blauen Plastiksack eingewickelt war, wie Haderer sie benutzt hatte. Ein Lächeln erschien auf seinem Gesicht, als er in den Sack spähte.

»Dieser Scheißkerl hatte es also hier versteckt«, sprach er vor sich hin. »Deshalb ist er zu seinen Schweinen gerannt.« Immer noch lächelnd, riss Ebersbach das blaue Plastik ab.

Kim wagte weiterhin nicht, sich zu bewegen. Wo war Lunke? Hatte er sich voller Ungeduld davongemacht, weil sie nicht wiedergekommen war? Oder wartete er noch auf sie? Sie drehte den Kopf. Riechen konnte sie ihn nicht mehr.

»Richter 9«, flüsterte Ebersbach und tastete nach der Taschenlampe.

Richter 9 – diesen Ausdruck hatte Kim am Abend aus dem Mund des Ziegenbarts gehört. Sie erinnerte sich genau, und nun begriff sie, dass es sich um ein Bild handeln musste. Der Farbgeruch war nicht mehr frisch, aber er war noch deutlich wahrzunehmen. Munk hatte also ein Bild gemalt, das Ebersbach gesucht hatte, aber was sollte daran so ungewöhnlich sein?

Sie machte drei Schritte auf Ebersbach zu, ohne dass er es bemerkte. Die Pistole hatte er achtlos neben sich gelegt. Schweiß stand ihm auf der Stirn, und seine

Augen waren geweitet, während er den Schein der Taschenlampe über das Bild gleiten ließ.

»Dieses Schwein«, flüsterte er immer wieder vor sich hin, »dieses verdammte Schwein …«

Kim kannte diesen Ausdruck, und es ärgerte sie maßlos, dass Menschen sich gegenseitig Schwein nannten, wenn sie sich beleidigen wollten. Sie konnte nicht alles von dem Bild erkennen; viele Farben waren da, ein bunter Wirbel, doch wenn man länger hinschaute, konnte man zwei Figuren ausmachen; ein Mann und eine Frau und ein Messer und … Halt, da war noch eine dritte Figur im Hintergrund, ein dicker Mann mit großen, verschatteten Augen und grauen stacheligen Haaren, der zusah, wie der Mann mit dem Messer auf die Frau einstach.

Plötzlich hob Ebersbach den Kopf. In dem Licht, das von dem Bild zurückgeworfen wurde, sah er krank aus, als würde er gleich sterben. Unter seinen Augen lagen tiefe Schatten. Sein Blick irrte umher, glitt verwirrt über Kim hinweg und wanderte schließlich zur Tür zum Haupthaus.

Kim hätte es längst wissen müssen – da stand Dörthe. Sie hatte Ebersbach beobachtet, und kaum dass er den Kopf in ihre Richtung gedreht hatte, schaltete sie das Licht an, aber nicht wie sonst bei ihren nächtlichen Besuchen die kleine heimelige Lampe neben der Tür. Die großen Neonröhren über ihnen flammten auf. Es war, als würde Kim etwas in die Augen stechen.

Ohne ein Wort zu sagen, kam Dörthe näher. Sie trug einen gelben Bademantel, ihr Haar war zerzaust und leuchtete flammendrot im grellen Licht. Sie wirkte sehr ernst, und doch sah sie sehr gut aus, fand Kim – zumindest nach den Maßstäben, die sie für das Aussehen von Menschen hatte.

Ebersbach hatte die Waffe wieder in der Hand und richtete sie auf Dörthe. Er schnaufte und roch immer widerwärtiger. Kim konnte sehen, dass er Angst hatte, mehr Angst als Dörthe jedenfalls.

»Sie haben das Bild gefunden«, sagte Dörthe leise. Dass ihre Stimme zitterte, war kaum zu hören. »Richter 9 – ich hätte sofort darauf kommen müssen, dass es ein Bild ist.«

Ebersbach sagte nichts, er hockte am Boden, das Bild lag auf seinem kaputten Bein. Er schien nachzudenken, aber irgendwie bekam er keinen vernünftigen Gedanken zusammen. Er stammelte etwas, leckte sich über die Lippen, als wäre sein Mund ganz ausgedörrt.

Dörthe machte noch zwei Schritte und lehnte sich an das Gatter. Sie betrachtete die Leiter, die am Boden lag, dann die schlafenden Schweine, von denen bisher nur Doktor Pik unruhig geworden war. Schließlich suchte ihr Blick Kim. »Du bist immer dabei, was, meine kluge Kim?«, sagte sie leichthin, als würde sie keine Gefahr spüren.

Kim grunzte leise. Ja, sie war immer dabei, aber war das jetzt wichtig?

»Sie hätten nicht kommen dürfen«, krächzte Ebersbach. Er legte das Bild beiseite und versuchte sich aufzurichten, doch wieder sank sein kaputtes Bein zurück, und er stöhnte auf, obschon er sich Mühe gab, die Schmerzenslaute zu unterdrücken. Einen Moment später rutschte er auf dem Betonboden zurück und stützte sich an der Wand hinter ihm ab. Mühsam hievte er sich hoch, ohne Dörthe aus den Augen zu lassen. Auch die Waffe legte er nicht ab.

Dörthe blickte auf das Bild, auf das nun das Licht der Neonröhren fiel. Kim hatte recht gehabt – in einer Ecke des Bildes war ein Mann, der Ebersbach ähnelte, mit aufgerissenen Augen und kleinen bunten Papieren in der Hand zu sehen. Der Mann im Vordergrund war Munk – er hatte das Gesicht verzerrt, während er mit dem Messer zustieß, genau in den Rücken der Frau.

»Es stimmt also doch, was Matthias gesagt hat. Robert war der Mörder, er hat die Frau seines Bruders umgebracht, aus Eifersucht, in einem Streit, warum auch immer – und Sie haben ihm geholfen, alles zu vertuschen und einen Unschuldigen ins Gefängnis zu bringen. Es ist unglaublich.« Dörthes Stimme war kaum zu vernehmen. Kim musste die Ohren spitzen, doch Ebersbach hatte alles genau gehört. Er nickte, während er sich an der Wand abstützte. »Wie viel Geld hat er Ihnen gegeben?«, fragte Dörthe. Ihr Mund bewegte sich kaum.

»Kein Geld«, krächzte Ebersbach. »Auch wenn er mich hier mit Geldscheinen in der Hand gemalt hat –

ich wollte kein Geld. Ich wollte Bilder von ihm, jedes Jahr ein Bild – nur für mich. Das war die Abmachung.«

»Richter 1 – 8«, sagte Dörthe. »Ich verstehe – er hat Sie als seinen Richter betrachtet. Sie hatten ihn in der Hand. Robert hat seinen Arbeiten oft merkwürdige Titel gegeben.« Ihre Augen glitten forschend zu der Metallklappe, die in die Höhe ragte. »Aber warum haben Sie das Versteck nicht gleich gefunden, als Sie den Tatort untersucht haben? Robert – er hat doch hier gelegen, nicht wahr?«

Ebersbach verzog das Gesicht. »Ein bedauerlicher Fehler – ich weiß. In der Nacht bin ich zu überstürzt geflohen. Ich hatte Robert nur davon abbringen wollen, alles zu gestehen. Er hatte es vor – wegen seiner Krankheit, weil sein Bruder wegen guter Führung aus dem Gefängnis kommen sollte…« Ebersbach machte eine fahrige Handbewegung. »Ich habe Kroll gesagt, wir fotografieren nur die Leiche, machen eine Tatort-analyse im Schnellverfahren… Außerdem wusste ich bis zur Testamentseröffnung nicht, dass er das Bild schon gemalt hatte. Und wer wäre darauf gekommen, dass er so ein bedeutsames Werk ausgerechnet bei den Schweinen verstecken würde?« Der Kommissar schaute sich angewidert um, als würde er erst jetzt bemerken, wo er sich befand.

Kim registrierte aus den Augenwinkeln, dass Che und Brunst mittlerweile erwacht waren, es aber für klüger hielten, sich weiter schlafend zu stellen. Che blinzelte jedenfalls ein wenig, und Brunst hatte so leise, wie er sich sonst nie bewegte, den Kopf aus dem Licht gedreht.

Dörthe lehnte noch immer am Gatter und strich sich eine besonders rote Haarsträhne aus der Stirn. Plötzlich trat ein anderer, hellerer Ausdruck auf ihr Gesicht. »Ich glaube, Robert hat mir einmal von Ihnen erzählt, als ich ihn dabei ertappte, wie er ein Bild malte, das ich offensichtlich nicht sehen sollte und das später auch nirgendwo aufgetaucht ist. Wahrscheinlich war es eines dieser Richter-Bilder. Es muss vor zwei oder drei Jahren gewesen sein.« Sie runzelte nachdenklich die Stirn. »Sie sind Clemens, nicht wahr? Dieser merkwürdige Student aus dem ersten Semester, damals an der Kunstakademie? Sie haben Robert angehimmelt, haben versucht, so zu malen wie er, doch dann haben Sie am Ende des Semesters, als Sie eigene Arbeiten einreichen mussten, Skizzen von ihm gestohlen, um sie vorzulegen, und sind von der Akademie geflogen.« Dörthe lachte so unvermittelt auf, dass Kim erschrak.

»Das ist über dreißig Jahre her – wundert mich, dass er davon erzählt hat.« Ebersbachs Gesicht veränderte sich nicht. Die Waffe war immer noch auf Dörthe gerichtet. »Ich war ein Junge mit großen, hochfliegenden Plänen, nur leider ohne wirkliches Talent. Robert aber war ein Genie. Genau deshalb durfte er auch nicht ins Gefängnis. Da wäre er zugrunde gegangen. Hätten Sie sich Robert zwischen Mördern, Dieben, Vergewaltigern vorstellen können? Und alles nur, weil er einmal einen

Fehler begangen hat? Diese Frau hat ihn umgarnt, ihn mit ihren Reizen provoziert und schließlich in die Falle gelockt.«

Kim kniff die Augen zusammen, weil die Gedanken in ihrem Kopf nun immer mehr durcheinander gerieten. Clemens – war es das, was Munk ihr sagen wollte, als er sie angeschaut hatte? Der Name des Mannes, der ihn umgebracht hatte? Ja, er hatte, weil das Messer tief in seinem Rücken steckte, nur noch den halben Namen über die Lippen gebracht, und deshalb hatte es sich wie »Klee« angehört. Einen Moment lang war sie stolz, wie sie diese Gedanken zusammengebracht hatte – trotz ihrer Angst um Dörthe und sich selbst.

Ebersbach beugte sich vor und nahm das Bild, um es in den blauen Plastiksack zurückzuschieben. Jede Bewegung verursachte ihm Schmerzen, wie an seinem Gesicht abzulesen war, auch wenn er sich Mühe gab, es nicht zu zeigen.

»Sie sollten gar nicht daran denken, auch nur einen Schritt zu machen«, sagte er, während er Dörthe kurz ansah. Vorsichtig näherte er sich der Metallklappe. Heftig schnaufend vor Anstrengung legte er das Bild in das Loch zurück und schloss die Klappe wieder.

Kim bemerkte, wie alle vier Schweine zusammenzuckten. Lediglich Cecile schien noch zu schlafen, die drei anderen lagen voller Anspannung da und lauschten. Che bewegte verräterisch die Ohren.

Gequält lächelnd richtete Ebersbach sich auf. »Ich

weiß, dass Sie allein im Haus sind«, sagte er. »Herr Doktor Michelfelder hat es ja vorgezogen, das Weite zu suchen. Robert war ein verdammt schlauer Fuchs – noch aus dem Grab heraus kann er einen fertigmachen, wenn man nicht aufpasst.«

Dörthe funkelte ihn an. Zum ersten Mal wirkte sie nervös. Kim ahnte, dass sie daran dachte wegzulaufen, aber bis zur Tür waren es mehr als acht Schritte, viel zu viel.

»Noch eine Frage«, sagte sie, und nun hatte es den Anschein, als wollte sie Zeit gewinnen, um zu überlegen. »Warum haben Sie Haderer umgebracht?«

»Sie sind eine, die es ganz genau wissen will, was?« Ebersbach zog aus seiner Tasche einen runden glänzenden Gegenstand hervor. »Er hat mich in der Nacht gesehen und hat gemeint, dieses Wissen wäre eine hübsche Summe wert, aber da hatte er sich getäuscht. Clemens Ebersbach lässt sich von niemandem aufs Kreuz legen, von absolut niemandem und schon gar nicht von einem dreisten Gärtnergehilfen, der mit Drogen dealt.« Er bewegte sich auf Dörthe zu, wobei er das linke Bein nachzog. »Hätten Sie die Freundlichkeit, mir schön langsam Ihre beiden Hände entgegenzustrecken?«, sagte er deutlich freundlicher.

»Wollen Sie mich verhaften?«, fragte Dörthe und lächelte, während sie gleichzeitig seinem Befehl nachkam.

»Schön, dass Sie Ihren Humor nicht verloren haben«,

entgegnete Ebersbach. Er legte ihr zwei silberfarbene Ringe um die Handgelenke, die durch eine kleine Kette verbunden waren, und hatte ihre Hände gefesselt.

Kim spürte, wie sich die Borsten in ihrem Nacken aufrichteten. Ihr Herz trommelte schon seit einiger Zeit einen harten Takt in ihrer Brust. Was konnte sie tun, um Dörthe zu retten? Sie blickte zu Che und Brunst hinüber, aber die beiden Feiglinge rührten keine Klaue.

»Sie haben so ein schönes Kabriolett«, erklärte Ebersbach weiter, und nun schien die Angst von ihm abgefallen zu sein. »Ich schlage vor, wir machen eine kleine Spazierfahrt, aber vorher genehmigen Sie sich einen ordentlichen Schluck.« Er zog eine Flasche aus seiner Tasche und hielt sie Dörthe hin. »Bester schottischer Whisky – schmeckt und beruhigt, wird nur leider Ihre Fahrtüchtigkeit ein wenig beeinträchtigen.«

»Ich soll in diesem Aufzug Auto fahren?« Dörthe deutete auf ihren Bademantel.

»Ist doch perfekt – die unglückliche Hinterbliebene, die sich betrunken hat und dann im Bademantel ins Auto steigt und tödlich verunglückt.« Ebersbach deutete mit einem auffordernden Nicken auf die Flasche. »Und nun trinken Sie!«

Dörthe nahm die Flasche und setzte sie tatsächlich an die Lippen. Der Geruch von Alkohol breitete sich rasend schnell im Stall aus. Widerwärtiges Zeug, fand Kim. Sie hatte immer noch keine Ahnung, was sie unternehmen sollte. Ebersbach angreifen? Ein Angriff würde allerdings nur gelingen, wenn Che und Brunst ihr helfen würden. Ansonsten hätte sie schnell eine Kugel im Leib. Sie grunzte vernehmlich, versuchte die beiden auf sich aufmerksam zu machen, aber die einzige Reaktion von Che war ein schnelles Blinzeln. Brunst lag unbewegt da, selbst sein ewig mahlender Kiefer rührte sich nicht.

Dörthe setzte die Flasche ab und rang nach Luft. »Sie können nicht ernsthaft glauben, dass Sie damit durchkommen«, keuchte sie und schüttelte sich. Dann strich sie sich mit einer instinktiven Bewegung über den Bauch. Das Kind, fiel Kim ein, sie bekommt ein Kind, und wenn ihr etwas passiert, dann wird auch das Kind darunter leiden.

Ebersbach nahm ihr den Whisky mit einem groben Griff ab und betrachtete die Flasche argwöhnisch. »Mehr! Sie müssen noch mehr trinken!«, befahl er.

Dörthe führte die Flasche erneut widerwillig an die Lippen, die Metallreifen an ihren Händen schlugen gegeneinander. Während sie trank, zog Ebersbach das Gatter auf.

»Ich glaube, Sie haben eine echte Pechsträhne, Frau Miller«, sagte er und lachte in einem hässlichen Tonfall auf. Dann riss er ihr die Flasche aus der Hand, warf einen Blick auf den Inhalt und brummte: »Schon besser!«

Dörthe wischte sich mit den gefesselten Händen über den Mund. Ihre Augen waren plötzlich glasig, sie begann zu husten und krümmte sich. Irgendwie sah sie nicht mehr aus, als würde sie sich wehren können. »Ich muss noch etwas sagen«, presste sie hervor. Wieder strich sie sich über den Bauch. »Ich bin …«

»Den Rest trinken Sie im Auto«, unterbrach Ebersbach sie. Er steckte die Flasche hastig ein. Dann machte er eine scheinbar einladende Bewegung. »Wir nehmen den Schweineausgang – über die Wiese. Ladys first!«

Dörthe wäre beinahe über die Leiter gestolpert, die am Boden lag, als Ebersbach sie mit dem Licht der Taschenlampe an sich vorbeidirigierte.

Dieser widerwärtige Alkohol wirkte beinahe wie die bitteren Pflanzen, die sie mit Lunke gefressen hatte, stellte Kim erstaunt fest. Von einem Moment auf den anderen war Dörthe fahl und unsicher. Sie wankte an Kim vorüber, tätschelte ihr kurz den Kopf, ohne sie anzuschauen. Kim grunzte leise. Jetzt, dachte sie, jetzt war der Moment gekommen, Dörthe und das Kind zu retten und Ebersbach ins Bein zu beißen, so fest sie konnte, aber da war er auch schon neben ihr – mit der Waffe in der einen Hand. Er schnaufte und hinkte augenfällig, trotzdem hatte er genug Kraft, sie beiseitezuschieben.

Kim sah, wie Dörthe im Lichtschein aus dem Stall wankte, während sie in der Dunkelheit zurückblieb – unschlüssig und ratlos.

23

In ihrem Kopf erklang plötzlich eine Stimme, die sie an ihre Mutter erinnerte. Paula war gütig und verständnisvoll gewesen, aber sie hatte auch sehr bestimmend sein können. Schon früher hatte Kim diese strenge Stimme in ihrem Innern gelegentlich vernommen, und nie war es besonders angenehm gewesen. »Friss Doktor Pik nicht alles weg!«, hatte die Stimme gesagt. Oder: »Lieg nicht faul rum – sieh nach, ob die kleine Cecile keine Dummheiten macht!« Nie jedoch hatte die Stimme so dringlich geklungen. Doch, einmal schon, fiel Kim ein. Als der Transporter mit all den Schweinen umgestürzt war, hatte ihr die Stimme zugeraunt: »Lauf weg! Versteck dich!« Zum Glück hatte Kim auf die Stimme gehört und war davongelaufen und hatte sich in dem Gebüsch verkrochen, in dem Dörthe sie gefunden hatte.

»Tu etwas!«, sagte die Stimme nun. »Rette Dörthe und ihr Kind, wie sie dich einmal gerettet hat!«

Kim nickte. Ja, die Stimme hatte recht, aber wie sollte sie das anstellen?

Sie stand zurückgelassen in der Dunkelheit und blickte zu Che und Brunst hinüber, die sich leise regten, weil sie vor Anspannung ganz steif geworden waren.

»He!«, zischte sie ihnen zu. »Steht auf! Wir müssen Dörthe retten! Ich weiß, dass ihr wach seid!«

Brunst gähnte ausgiebig. »Es ist noch schrecklich dunkel draußen«, murmelte er vor sich hin.

»Verdammt! Macht schnell!« Kim baute sich vor Che auf.

Er hob jedoch nur den Kopf. »Sollen die Menschen sich doch gegenseitig umbringen – ist mir recht!« Mit einem Grinsen, das wohl Triumph und Zufriedenheit ausdrücken sollte, sank er zurück.

Kim spürte, wie sie wütend wurde. Oh, Che war so dumm! Er hatte nichts als sein verdammtes Vermächtnis im Kopf. Selbst wenn ihn die Streitereien der Menschen nicht interessierten – wer würde sie füttern, wenn Dörthe nicht mehr da war?

Einzig Doktor Pik plagte sich mühsam auf die Beine und schaute sie treuherzig an. »Du hast recht«, sagte er. »Wir müssen einschreiten.«

Kim lächelte ihm zu, dann drehte sie sich um und lief auf die Wiese hinaus. Der alte Eber würde ihr schwerlich eine Hilfe sein. Ihr blieb nur, Lunke rasch aus dem Wald heranzulocken, in den er vermutlich wieder verschwunden war.

Ebersbach und Dörthe waren noch nicht weit gekommen. Wie ein Geist mit roten Haaren lief Dörthe im Schein der Taschenlampe voran. Sie war barfuß und schwankte, als wäre sie völlig betrunken, aber vielleicht hatte sie auch beschlossen, nur so zu tun. Unvermittelt warf sie die aneinander gefesselten Hände in die Höhe, dass die Metallreifen aufblinkten, und rief: »Ich habe meinen Autoschlüssel gar nicht dabei!« Und dann: »Ich bekomme ein Kind – erschießen Sie uns doch, Herr Kommissar!«

Ebersbach war ein unheimlicher Schattenmann, der sein linkes Bein nachzog. Er gab Anweisungen, die Kim nicht verstehen konnte, die jedoch so ernst geklungen haben mussten, dass Dörthe aufhörte zu schwanken und abrupt verstummte.

Kim grunzte hilflos auf, während sie sich an die Verfolgung der beiden Menschen machte. Wo war Lunke? Warum, verdammt, war er nicht da, wenn man ihn brauchte?

»Lunke?«, dachte sie voller Zorn und erschrak über sich selbst, weil sie den Namen laut ausgesprochen hatte.

Ebersbach blieb abrupt stehen und bewegte die Hand mit der Pistole, die sich schwarz und bedrohlich vor dem grellen Licht abzeichnete.

Was hat ihn aufgeschreckt?, fragte Kim sich. War es ihr sinnloser Ruf gewesen? Dann sah sie Lunke – er hatte sich unter dem alten Apfelbaum in der Nähe des Stalls versteckt, dort, wo kein Schimmer Mondlicht hinfiel. Ebersbach hatte ihn anscheinend trotzdem bemerkt, jedenfalls drehte er sich in Richtung Apfelbaum um.

Kim grunzte noch einmal – jetzt aber, um den Polizisten abzulenken.

Während Ebersbach unsicher den Kopf wandte, flog Lunke heran. Ja, Schweine konnten tatsächlich fliegen. Jedenfalls wirkte es in dem fahlen Mondlicht, als würde ein riesiger unförmiger Schatten durch die Luft segeln. Ein Schuss zerriss die Stille, dann folgte ein menschlicher Schrei. Ebersbach stürzte, die Taschenlampe erlosch, und er schrie noch einmal auf. Gleichzeitig erklang ein tiefes, kehliges Grunzen. Lunke war anscheinend nicht getroffen worden, er hörte sich furchtbar wütend an. Er beugte sich über den Kommissar und stieß mit seinen Eckzähnen zu, einmal, zweimal, immer wieder. Panische, schrille Schreie mischten sich in das wütende Grunzen.

Dann war Kim heran, und auch Dörthe hatte sich umgedreht. Ihre Augen suchten den Boden ab, und kaum hatte sie die Waffe entdeckt, die einen halben Schritt neben Ebersbach lag, stürzte sie mit ihren gefesselten Händen vor und hob sie auf.

Ebersbach hatte seine Arme vor das Gesicht gerissen. Er jaulte und wimmerte, und als er Dörthe entdeckte, schrie er: »Erschießen Sie die Bestie!«

Dörthe richtete die Waffe jedoch auf ihn. »Warum sollte ich?«, rief sie schrill und gar nicht betrunken. Anscheinend hatte sie wirklich nur gespielt.

Kim schob sich neben Lunke, der zwei, drei Schritte zurückgewichen war, ohne Ebersbach aus den Augen zu lassen. Sein Grunzen klang noch kehliger. Er warf ihr einen Blick von der Seite zu und lächelte leise.

»Du warst großartig!«, flüsterte sie. »Aber nun ist es genug!«

»Glaube ich nicht!«, raunte Lunke zurück. Er senkte noch einmal den Kopf, als wolle er zustoßen, scharrte mit den Klauen in der Erde und fingierte einen Angriff. Seine Eckzähne schienen Ebersbach jedoch tatsächlich erwischt zu haben, denn der Kommissar jaulte wieder auf, aber vielleicht konnte er zwischen Angst und Schmerz schon nicht mehr unterscheiden.

Lunke grunzte so laut, dass der halbe Wald es hören musste, und das war vermutlich auch seine Absicht. Er wollte, dass alle mitbekamen, was er mit diesem Häuflein Menschen anstellte, das sich vor ihm auf der Erde wand.

Che, Brunst und Doktor Pik waren mittlerweile ebenfalls herangekommen. Nur Cecile schien das Spektakel zu verschlafen. Kim bemerkte, dass die drei in sicherer Entfernung hinter ihr Aufstellung genommen hatten.

»Kim!«, schrie Dörthe und hielt die Waffe nun auch auf Lunke gerichtet. »Kannst du diesem Wildschwein nicht klarmachen, dass es jetzt verschwinden soll?«

Lunke stieß noch einmal zu, dann preschte er zurück und schnaubte gefährlich, während Ebersbach nur noch ein klägliches Wimmern von sich gab. Den Kopf hatte er tief in seinen Armen vergraben. Ein Hosenbein war zerrissen, Blut sickerte durch den Stoff.

Kim stellte sich neben Dörthe und blickte Lunke an.

»Du warst großartig«, wiederholte sie mit Nachdruck, »aber nun reicht es.«

Er nickte zufrieden, und in seinen Augen glänzte das Mondlicht. Dann legte er eine Klaue vor die andere, als wolle er sich verbeugen, und rief: »War mir ein Vergnügen, Babe. Wir sehen uns.« Einen Moment später rannte er davon, nicht ohne jedoch Che und Brunst einen verächtlichen Blick zuzuwerfen. Auch das Wort »Schlappschwänze« glaubte Kim gehört zu haben.

Dörthe neben ihr atmete erleichtert durch. Sie senkte ihre gefesselten Hände und tätschelte kurz Kims Kopf, als müsste sie dringend etwas berühren, damit sie merkte, dass sie nicht mitten in einem Alptraum steckte. Nach zwei weiteren tiefen Atemzügen machte sie einen Schritt zur Seite und hob die Taschenlampe auf. Einen Moment später wurde Ebersbach in einen grellen Lichtschein getaucht. Zitternd und schmutzig lag er da, zusammengerollt wie ein altes, dickes Kind. Auch seine Jacke war zerrissen, fahle, fette Haut lugte hervor. Der Geruch von Blut wurde intensiver, aber schwer verletzt konnte er nicht sein.

»Herr Ebersbach«, sagte Dörthe, und ihre Stimme klang einigermaßen fest. »Das Wildschwein ist weg. Würden Sie nun bitte Ihr Handy hervorziehen und die Polizei rufen?«

Ebersbach reagierte nicht. Hätte man sein klägliches Schnaufen nicht gehört, hätte man meinen können, er wäre zu Stein erstarrt.

»Herr Ebersbach«, rief Dörthe mit Nachdruck, »neben mir steht noch ein Schwein, das ziemlich kräftig zubeißen kann – ich muss nur laut bis drei zählen.« Sie zögerte einen Moment, dann sagte sie langsam und gedehnt: »Eins – zwei …«

Endlich regte sich Ebersbach. Mit einer zitternden, blutverschmierten Hand griff er in seine Jackentasche und holte den schmalen silberfarbenen Apparat hervor, um ihn an sein Ohr zu halten.

Ängstlich blickte er auf, doch nicht zu Dörthe, die mit seiner Waffe auf ihn zielte, sondern zu Kim. Er leckte sich über die Lippen, rang nach Luft, dann sagte er in den Apparat hinein: »Hier Hauptkommissar Ebersbach – schicken Sie bitte einen Wagen zum Hof von Robert Munk.« Er verstummte, und seine Augen hielten Kim voller Angst und Hass fest. So ähnlich hatte auch der sterbende Kroll sie angesehen. »Es geht um eine Festnahme«, fuhr Ebersbach heiser fort. »Ich habe mich selbst wegen Mordes an Robert Munk und Emil Haderer festgenommen.«

24

Cecile sprang aufgeregt herum und blickte zum Hof. Mehrere Wagen mit eingeschalteten Blaulichtern waren herangerast. Uniformierte Polizisten liefen in dem seltsamen Licht hektisch hin und her. Ebersbach wurde auf einer Trage in einen Krankenwagen geschoben. Nun war er es, der an den Händen mit zwei Metallreifen gefesselt war. Dabei hatte er keine Anstalten gemacht, davonzulaufen oder sich zu wehren.

»Warum habt ihr mich nicht geholt?«, schrie Cecile und schnaubte empört. »Nun habe ich das Wichtigste verpasst! Ihr seid gar keine richtigen Freunde.« Sie trippelte von einem Bein auf das andere.

»Es wäre viel zu gefährlich für dich gewesen, dabei zu sein!«, erklärte Che in ernstem Tonfall, als hätte er Ebersbach höchstpersönlich zur Strecke gebracht.

Kim warf ihm einen wütenden Blick zu, den er jedoch geflissentlich ignorierte.

Doktor Pik hatte sich schon wieder in den Stall verzogen, er hatte sich kaum mehr auf den Beinen halten können, und Brunst drehte eine Runde auf der Wiese und suchte nach Futter. Wenn er schon einmal wach war, konnte er auch etwas fressen.

Zwei Polizisten hatten Dörthe von den Fesseln befreit. In eine Decke gehüllt, saß sie in der offenen Tür eines zweiten Krankenwagens. Jemand hatte ihr einen Becher Kaffee in die Hand gedrückt. Sie sah überhaupt nicht glücklich aus, sondern beinahe so, als hätte Lunke auch sie angegriffen. Kim hätte sich gerne neben sie gelegt, um sie zu trösten, doch das wagte sie nicht vor all den Menschen.

»Ich glaube, wir sollten alle in den Stall zurückgehen«, sagte sie, während schon wieder ein Wagen auf den Hof fuhr.

»Ihr hättet mich holen müssen!«, quiekte Cecile vorwurfsvoll. »Habt ihr den dicken Mann wirklich alle angegriffen? Ist Dörthe jetzt gerettet? Und war Lunke auch dabei?«

»Wir haben ihnen gezeigt, was passieren kann, wenn wir Schweine zusammenhalten«, erklärte Che mit bedeutsamer Stimme.

Kim schaute ihn an. »Ich habe noch ein Gebot für dich, Che. Es lautet: ›Du sollst ein anderes Schwein nicht anlügen.‹ Und wenn du Probleme mit deinem blöden Vermächtnis hast – mir würden ohne weiteres noch ein paar Gebote einfallen.«

Sie wollte sich schon abwenden, als sie bemerkte, dass Dörthe sich erhoben hatte. Eine Frau in einer schwarzen Jacke mit kurzen blonden Haaren war an ihrer Seite. Gemeinsam kamen die beiden über die dunkle Wiese.

»Frau Kommissarin, das ist Kim, die klügste Sau der Welt – sie hat mich gerettet«, sagte Dörthe. Sie hatte sich halb in die Decke eingewickelt und lächelte müde und erschöpft.

Die blonde Frau schaute Kim neugierig an und streckte ihr die Hand entgegen, als wollte sie zeigen, dass es Polizisten gab, die einem Schwein nicht gleich mit einer Pistole entgegenkamen.

Kim grunzte und schnüffelte an der Hand, die nach Zigaretten roch. Sie spürte, dass auch die anderen Schweine sie anstarrten und ebenso drei uniformierte Polizisten, die in der Nähe standen. Plötzlich war es ihr peinlich, im Mittelpunkt zu stehen.

»Keine Ursache«, wollte sie Dörthe entgegnen. »Habe ich gerne für dich getan.« Doch am liebsten wäre sie abgehauen – Lunke hinterher, der nun irgendwo im Wald in seinem Versteck lag und vermutlich schon selig schlief oder im See noch ein nächtliches Bad nahm.

Dörthe streichelte ihr den Kopf. »Komm, liebe Kim«, sagte sie dann, »du darfst heute Nacht im Haus schlafen. Aber vorher müssen wir das Bild aus eurem Stall holen – Richter 9.«

Die Kommissarin nickte ihr zu, und die Schweine gaben vorsichtig den Weg frei, als die beiden Frauen weitergingen.

Ein paar Momente später kehrten sie mit dem Bild

zurück, das noch immer in dem blauen Plastiksack steckte, den die Kommissarin sich unter den Arm geklemmt hatte.

Dörthe machte Kim ein Zeichen, ihr zu folgen. Böse blickte Che ihr nach. Klar, dachte sie, ich mache mich mal wieder mit den Menschen gemein. Diesmal kümmerte es sie jedoch nicht. Konnte er ja als sein zehntes Gebot formulieren. »Ein Schwein soll nicht des Menschen Freund sein.«

Eine Nacht im Haus hörte sich wunderbar an, vielleicht würde es auch etwas Besonderes zu fressen geben. Verdient hätte ich es ja, dachte sie ganz unbescheiden.

Die Polizistin lächelte, als sie Dörthe durch den Vordereingang ins Haus folgte. Wie anders war das damals gewesen, als sie nach dem Feuer zu dem toten Altschneider gelaufen war! Da waren alle angeekelt vor ihr zurückgewichen.

Vorsichtig, um nicht den Holzboden zu zerkratzen, trippelte Kim hinter Dörthe und der Kommissarin her. Sie gingen an Munks Atelier vorbei, in dem kein Licht brannte, und bogen dann nach links in einen Raum, in dem es nach Schweinefleisch roch. Nun gut, das würde sie ertragen müssen.

»Ich verstehe das noch immer nicht«, sagte die Polizistin mit sanfter Stimme. »Vier Menschen sind gestorben, weil Ebersbach vor acht Jahren einen Mord vertuschte, den Robert Munk begangen hat?«

»Nein, deshalb wohl nur zwei.« Dörthe holte zwei

Schüsseln aus dem Küchenschrank. »Ebersbach hat Robert umgebracht, weil er sich stellen wollte, und Haderer, weil der Idiot ihn erpresst hat. Mit Altschneider und Kroll hatte das alles nichts zu tun.«

Kim beobachtete, wie Dörthe eine Schale mit Wasser füllte, eine andere mit köstlichem frischem Brot und dann beides auf den Boden stellte. Sofort stürzte Kim vor und machte sich über das Brot her; es war viel weicher als die harten Kanten, die man ihnen sonst vorsetzte. Eine echte Delikatesse! Das Leitungswasser allerdings verschmähte sie. Anders als Regenwasser schmeckte es hart und bitter und war nur etwas für den Notfall, aber das schien Dörthe nicht zu wissen.

Kim hörte auch nicht mehr genau hin, was die beiden Frauen zu besprechen hatten. Eine solche Gelegenheit durfte man sich nicht entgehen lassen. Nur am Rande bekam sie mit, dass Dörthe über Robert sprach – darüber, wie erschreckt und verzweifelt sie war, dass er einen Menschen getötet hatte. Und dann redete sie auch über ihr Kind – Roberts Kind, wie sie der Kommissarin erklärte, als wäre sie plötzlich ganz und gar sicher, dass er der Vater war.

Als sie das letzte Stück Brot hinuntergeschlungen hatte, hörte Kim zaghafte Schritte, schwarze Schuhe traten in die Tür.

Robert Munk stand da. Nein, korrigierte sie sich, der Maler war ja tot.

Aus dem falschen Munk war nun der richtige geworden. Matthias Munk strich sich über sein schütteres graues Haar und wartete anscheinend darauf, dass die beiden Frauen ihm erlaubten, näher zu treten.

»Mein Anwalt«, sagte er zögernd, »er hat mich sofort herausgeholt, obwohl es …«

Dörthe stand langsam auf. »Es tut mir leid«, flüsterte sie. Aus ihren Augen rollten zwei dicke Tränen. »Nie hätte ich gedacht, dass Robert ein Mörder sein könnte … Sie waren der Einzige, der die Wahrheit gesagt hat.«

An Kim vorbei stürmte sie vor und warf ihre Arme um Matthias Munk. Einen Moment später begann auch er zu schluchzen.

Also gut, dachte Kim, vielleicht ist es doch besser, im Stall zu schlafen.

Epilog

Lunke zeigte sich erst am späten Nachmittag. Kim hatte den ganzen Tag so getan, als würde sie nicht auf ihn warten. Während die anderen sie argwöhnisch beobachteten, streifte sie über die Wiese und tat sich an den frischen Äpfeln gütlich, die Munk ihnen hingeworfen hatte, einen ganzen Korb voller Äpfel. Das sollte wohl so eine Art Belohnung sein. Er hatte auch eigenhändig den Stall ausgemistet und ihnen einen riesigen Trog Trockenfutter hingestellt, den Brunst in neuer Rekordzeit geleert hatte. Anschließend hatte er sich in den Stall geschleppt und war knapp hinter der Tür eingeschlafen.

Auch Dörthe hatte sich sehen lassen. Sie hatte erst Munk eine Tasse Kaffee gebracht, aber immerhin war sie dann auch zu Kim gekommen und hatte ihr über den Kopf gestreichelt. Sie hatte allerdings immer noch bleich ausgesehen und den Eindruck gemacht, als könnten gleich wieder dicke Tränen aus ihren Augen rollen.

Che versuchte Doktor Pik seine zehn Gebote zu erklären, ohne dass ihm auffiel, dass mindestens fünf noch

fehlten, aber dafür wiederholte er immer das erste Gebot. »Ein Schwein sollte stolz darauf sein, ein Schwein
zu sein.«

»He, Babe«, raunte Lunke von der anderen Seite des
Zauns herüber. »Ist die Luft rein? Sind die Jäger weg?«

Jäger? Ach, er hielt die Polizisten für Jäger?

»Ja, alle weg. Nur Dörthe und der zweite Munk sind
noch im Haus«, erwiderte Kim. Sie spürte, wie glücklich sie war, ihn zu sehen. Bei dem Angriff auf Ebersbach war ihm offenbar nichts passiert, auch die Wunden
an seiner Flanke und an seinem Kopf waren kaum mehr
zu erkennen.

»Dann können wir ja einen kleinen Spaziergang
machen«, sagte er und grinste unverschämt. »Nur du
und ich durch den finsteren Wald.«

»Jetzt?«, fragte Kim. Das Kribbeln in ihrem Bauch
nahm zu, und wenn sie ehrlich war, wusste sie, dass es
nicht von den Äpfeln kam.

»Klar«, erwiderte er. »Ich habe dir einen Gefallen getan, und nun tust du mir einen. Oder bist du zu sehr
beschäftigt? Ich weiß, eigentlich musst du auf die anderen aufpassen, damit diese gefährlichen Bestien keine
Dummheiten machen, etwa ins Dorf laufen, Menschen
überfallen und die Revolution der Schweine ausrufen.«
Er blickte zu Che hinüber und lachte unverschämt laut.

Che wandte sofort den Kopf in eine andere Richtung,
als wüsste er nicht, dass dieses Lachen ihm galt.

»Vielleicht hätte ich tatsächlich ein wenig Zeit für

dich«, erwiderte Kim schnell, damit Lunke aufhörte, so laut und dreist zu lachen. Ohne sich nach den anderen umzusehen, wandte sie sich zum Loch im Zaun um. »Wo soll es denn hingehen? Zum See?«

»Eine Überraschung«, erwiderte Lunke. »Vielleicht möchte ich dir jemanden vorstellen.«

Kim spürte einen Stich. Jemanden vorstellen? Davon hatte er neulich erst gesprochen. Etwa eine wilde Schwarze? Was sollte das nun schon wieder? Sie wollte keine seiner Gespielinnen kennenlernen. Stumm und eher widerwillig folgte sie Lunke durch den Wald.

»War doch klasse von mir, wie ich den Mann fertig gemacht habe, oder nicht? Ich habe gedacht, ihr kommt gar nicht mehr, und ich wollte schon in den Stall rein und ihn mir vorknöpfen, den widerlichen Zweibeiner, aber dann …«

»Lunke«, unterbrach sie ihn. »Du warst wirklich toll, aber ich wüsste trotzdem gerne, wo wir hinlaufen. Doktor Pik ist immer noch krank. Allzu lange kann ich nicht wegbleiben.«

Er kam näher und biss sie sanft in den Nacken. Sofort richteten sich ihre Borsten auf, und ihre Beine wurden schwach. Das Kribbeln im Bauch wurde noch heftiger.

Er ist ein wilder Schwarzer, sagte sie sich, ein Halunke aus dem Wald. Daraus konnte nichts Gutes werden. Oder vielleicht doch?

Genieß es!, sagte plötzlich die Stimme in ihrem Kopf. Kim wandte den Blick nach oben. Oder war die Stimme vom Himmel gekommen – von ihrer Mutter, der dicken weißen Feder mit Namen Paula?

»Ich habe dich sofort toll gefunden«, flüsterte Lunke ihr ins Ohr, während Kim mit halb geschlossenen Augen den Schauer genoss, der ihr den Rücken hochjagte. »Gleich als ich dich zum ersten Mal auf eurer traurigen Wiese gesehen habe. Und ich habe mir gedacht… Lunke, habe ich mir gedacht, das wäre vielleicht etwas… ein kleines rosiges…«

Plötzlich verharrte er und atmete tief ein.

Kim öffnete die Augen. Sie waren auf der Lichtung, erkannte sie, dort, wo einmal die bitteren Pflanzen gewachsen waren.

Ein seltsamer Geruch wehte heran – nach…

Lunke wich ein wenig zurück und senkte den Kopf.

Da stand sie, mitten auf der Lichtung – Emma, die fette Bache.

Sie war allein und sah nicht besonders freundlich aus. Mit zusammengekniffenen Augen musterte sie erst Lunke, dann wanderte ihr forschender Blick zu Kim.

»Fritz«, sagte sie mit strenger Stimme, die keinen Widerspruch duldete. »Ist sie das?«

Fritz? Wieso Fritz? Hieß Lunke gar nicht Lunke – hatte er sich selbst aus Angeberei einen anderen Namen gegeben?

Kim beobachtete, wie Lunke stumm nickte; er wagte es nicht, auch nur einen Laut über die Lippen zu bringen.

Die fette Bache kam näher. Sie wurde immer größer

und majestätischer, mit jedem Schritt, den sie auf Kim zusteuerte.

Bei einem Angriff wäre sie verloren, das wusste sie sofort, auch wenn die Bache keine so großen Eckzähne hatte, aber sie war größer, fetter, muskulöser und wahrscheinlich sogar schneller.

»Ein kleines Hausschwein hast du dir also ausgesucht – als gäbe es bei uns im Wald keine schönen Weiber.« Emma lief einmal langsam um Kim herum und betrachtete sie. Dann stülpten sich ihre Lippen vor, und sie gab ein sonderbares Geräusch von sich – hoch und irgendwie melodiös. Sie pfiff. Ja, Emma konnte so etwas – einen schrillen Pfiff ausstoßen, der irgendwie streng klang und ein wenig spöttisch und ... Ach, Kim wusste es nicht genau.

»Deine kleine Madame scheint stumm zu sein – genau wie du, Fritz.« Emma bedachte ihn mit einem verächtlichen Blick.

Lunke scharrte verlegen im Boden, bevor er aufschaute. »Es ist ein wenig überraschend für sie, dass sie dich um diese Zeit hier antrifft – sie ist sonst nicht so schüchtern, Mama«, entgegnete er.

Kim musste schlucken. Mama? Das fette Monstrum war seine Mutter? Er war mit ihr durch den Wald gerannt, um sie seiner Mutter vorzustellen?

»Nun?« Mit einem überlegenen Lächeln schob Emma ihren Rüssel vor. »Und was hält das kleine Hausschwein von ihm – von unserem vorlauten Fritz?«

Kim ahnte, dass sie kaum mehr als ein Krächzen hervorbringen würde, doch dann straffte sie sich. »Er ist ein echt mutiger Eber«, stieß sie zu ihrer eigenen Überraschung ohne jedes Zittern hervor.

Emma lachte höhnisch auf und drehte sich zu Lunke um. »Na, die Kleine scheint sich nicht besonders gut auszukennen, Fritz«, erklärte sie streng. »Schick sie mir mal vorbei, damit ich ihr ein paar Dinge beibringe – zum Beispiel, dass es Keiler heißt und nicht Eber. Und sie soll mich bloß nicht als ›fette Sau‹ titulieren. Ich bin die Bache Emma. Ist das klar?«

Kim nickte und hörte, wie Lunke ein leises »Ja, Mama« von sich gab.

»Und noch was – falls ihr mal Junge bekommt, heißen die natürlich Frischlinge und nicht Ferkel. Habe ich mich verständlich ausgedrückt?« Die Bache starrte Kim an.

Also, daran war noch gar nicht gedacht, nicht im Entferntesten, wollte Kim einwenden, doch Lunke kam ihr zuvor. »Aber sicher, Mama«, entgegnete er mit einschmeichelnder Stimme.

»Dann könnt ihr jetzt von mir aus abhauen«, erklärte die Bache. »Aber pass auf, Fritz, dass der Kleinen in unserem Revier nichts zustößt. Wäre schade um sie.« Mit einem kurzen Nicken wandte die Bache sich ab und lief ins Dickicht.

Sie schauten ihr schweigend nach, bis sie sicher waren, dass Emma verschwunden war.

Kim fasste sich als Erste. »Das war deine Mutter«, sagte sie. »Du wolltest mich die ganze Zeit deiner Mutter vorstellen?« Nun fiel ihr ein, dass Emmas Geruch auch an der Plastiktüte gewesen war. Die Bache hatte sich also an dem Stück Papier und der getrockneten bitteren Pflanze zu schaffen gemacht.

Lunke nickte und scharrte verlegen im Boden. »Auch wenn es vielleicht nicht so aussieht – wir Schwarze glauben an die alten Werte: Familie, Treue, Freundschaft und…« Er zögerte. »… Liebe.«

Liebe – das Wort hallte in ihrem Kopf nach, und es klang wie Musik, als würden Töne auf dem Wind dahingleiten.

Wollte Lunke ihr etwa sagen, dass er sie liebte?

Er schob sich näher an sie heran. »Ich habe… Ich wollte…«, stammelte er.

»Ja – was wolltest du?« Ihre Nackenhaare richteten sich auf, und in ihrem Bauch setzte wieder dieses aufregende Kribbeln ein.

»Ich wollte dich etwas fragen.« Er rempelte sie leicht an und grinste wieder. »Ich wollte dich fragen, ob du mit mir schwimmen gehst, und dann suhlen wir uns im Schlamm, und hinterher fliegen wir ein wenig… Ich habe noch ein paar von den kostbaren Pflanzen in Sicherheit gebracht, bevor die Menschen sie abgeholt haben.«

Er biss sie in den Nacken, und im nächsten Moment rannte er los. Seine Beine donnerten über den Waldboden, dass es sich anhörte, als würde eine Rotte wilder Schwarzer davonlaufen.

»Warte auf mich!«, rief Kim ihm nach.

Er war verrückt geworden, aber irgendwie, gegen jedes Gebot, das Che jemals erlassen könnte, und gegen die Stimme in ihrem Kopf, die vielleicht ihrer Mutter Paula gehörte, konnte sie sich vorstellen, mit Lunke noch ganz andere Dinge zu tun, als nur zu schwimmen und sich im Schlamm zu suhlen.

Ab April 2011 bei LIMES erhältlich:

Wenn Sie wissen wollen, wie es mit Kim, Lunke und den anderen Bewohnern des Schweinepferchs weitergeht, lesen Sie

Rampensau

von Arne Blum

978-3-8090-2596-2

Ein Drogenkurier wird ermordet, ein Fotograf stürzt mit einem Heißluftballon ab, und ein Killer bringt ein Schwein um. – Jetzt greifen die Schweine zur Selbsthilfe!

Dörthe Miller gibt den Schweinen, die sie vor dem Schlachthaus retten konnte, nach wie vor ein Zuhause. Aber ein ruhiges Leben haben die Tiere auf dem Hof keineswegs: Ganz in der Nähe werden zwei Morde verübt, und die Killer machen selbst vor Tieren nicht halt. Eine saumäßige Erpressung kostet einen Schwan das Leben, und dann muss auch noch eines der Schweine dran glauben. Jetzt ist der Trog voll bis zum Überlaufen: Das kluge Hausschwein Kim ruft den Keiler Lunke zu Hilfe, und gemeinsam legen sie einer absoluten Charaktersau das Handwerk...

LIMES

1

»Ich habe einen genialen Plan«, sagte Che. Mit ernster Miene schaute er sie einen nach dem anderen an, als könnte er so seine Worte unterstreichen.

Kim hatte sich zur Seite gerollt. Sie hatte den Tag mit Fressen und Schlafen verbracht und hatte überhaupt keine Lust, sich jetzt eine von Ches weitschweifigen Reden anzuhören, die sie im Übrigen alle zu kennen glaubte. Draußen ging die Sonne unter – ein letztes rotes Glühen lag in der Luft, und ein paar Vögel sangen ein Abendlied.

»Was hast du für einen Plan?«, quiekte Cecile.

Klar, die Kleine fiel immer auf solche Manöver herein – so eine Behauptung war wie eine Mohrrübe, die man ihr vor den Rüssel hielt und der sie, neugierig, wie sie war, einfach nicht widerstehen konnte.

Che straffte sich – Kim konnte es hören, ohne hinzusehen. Seine Klauen kratzten über den Boden. Che hatte einen breiten weißen Streifen quer über dem Rücken, er war ein Husumer Protestschwein, deshalb würde er gleich wieder über die unvermeidliche Revolution sprechen, vom Aufstand der Schweine gegen ihre Unterdrücker, die Menschen. Kim gähnte so laut, dass es die anderen hören mussten.

»Wir müssen die Menschen davon abbringen, Schweine zu essen. Vielleicht müssen wir sie dazu anregen, uns besser kennenzulernen, zu begreifen, wer wir wirklich sind«, erklärte Che feierlich.

Kim war versucht, sich aufzurichten. Da hatte Che sich endlich einmal etwas Neues einfallen lassen.

»Und wie willst du das anstellen?«, knurrte der fette Brunst. Wie immer kaute er an einem harten Stück Brot oder einem Kohlkopf. Fressen war sein großes Thema. Seine Kiefer waren ständig in Bewegung.

»Ja, wie?«, quiekte Cecile, das Minischwein.

Wieder scharrte Che mit den Klauen. »Wir müssen es ihnen mitteilen«, sagte er und fuhr nach einem tiefen und irgendwie gewichtig klingenden Atemzug fort. »Wir müssen ihnen unsere Botschaft verkünden: ›Menschen, esst mehr Brot!‹«

»Mehr Brot?« Cecile klang enttäuscht. »Wieso mehr Brot?«

»Und wie willst du ihnen das verkünden?«, fragte Brunst.

Kim konnte hören, dass er Cecile einen Knuff verpasste, weil das Minischwein ihm zu vorlaut gewesen war.

»Zeichen«, sagte Che. »Es gibt diese Zeichen, mit denen die Menschen sich verständigen.«

Gegen ihren Willen drehte Kim sich um. »Du meinst Buchstaben?«, rief sie überrascht und war plötzlich hellwach. »Du willst es ihnen aufschreiben?« Sie wusste, dass Dörte manchmal mit einem Buch in den Stall gekommen war, aus dem sie laut vorgelesen hatte.

Che nickte mit seinem schweren, unförmigen Kopf. »Ganz recht – aufschreiben«, erklärte er. »›Menschen, esst mehr Brot!‹«

»Aber wer soll denn diese Zeichen lernen?«, fragte Kim entgeistert. »Kein Schwein kann so etwas!« Sie erinnerte sich, dass sie einmal einen Blick in ein Buch geworfen hatte, als Dörte sich zu Beginn des Sommer zu ihnen auf die Wiese gelegt hatte, aber es war unmöglich gewesen, diesen Strichen und Punkten einen Sinn zu entnehmen.

»Wir Schweine können viel mehr, als wir denken!«, deklamierte Che und kratzte wieder mit den Klauen über den Boden. »Wir könnten es alle versuchen – sogar Cecile, obwohl sie den kleinsten Kopf von uns allen hat.«

Cecile quiekte kurz auf, sie war nicht so dumm, um nicht zu bemerken, dass Che sie soeben beleidigt hatte.

»›Menschen, esst mehr Brot!‹ – das ist die Botschaft«, wiederholte Che und schickte seinen Worten einen tiefen Grunzer hinterher.

»Selbst wenn die Menschen es kapieren würden – wie soll uns das helfen?« Brunst klang gegen seine Natur recht nachdenklich.

Plötzlich regte sich auch Doktor Pik in seiner Ecke. Er war der Älteste und Schweigsamste von ihnen. »Es muss heißen: ›Esst mehr Fisch!‹ So lautet der Satz. Jedenfalls war das bei Petro Ronnelli so. Ich musste drei Klappen mit Buchstaben umlegen – ein großes E, ein kleines M und ein großes F, und dann kam der Satz: ›Esst mehr Fisch!‹ Das war der Abschluss unserer Show, und die Menschen haben erst gelacht und dann applaudiert.«

Kim blickte Doktor Pik erstaunt an. Er war eine Zeitlang mit einem Wanderzirkus durch das Land gezogen, bevor Dörthe ihn gerettet und auf den Hof gebracht hatte, aber bisher hatte sie nur gewusst, dass er vor allem Kartentricks in einer Manege vorgeführt hatte.

»Du kannst lesen?«, fragte sie atemlos.

Doktor Pik schüttelte den Kopf. »Natürlich nicht. Die Zeichen auf den Klappen habe ich nie verstanden – ich habe mir nur die Reihenfolge gemerkt, nach der ich sie umwerfen musste. Das war schwer genug.«

»Trotzdem«, erklärte Che, dem es stets wichtig war, im Mittelpunkt zu stehen. »Kim ist klug, und ich bin klug, und ihr anderen …« Er brach ab. »Nun ja, wir sollten es jedenfalls versuchen.«

Brunst hatte sich schmatzend umgewandt. Sein Interesse war bereits erloschen. Auch Doktor Pik hatte die Augen geschlossen und war zurück ins Stroh gesunken. Nur Cecile scharrte in ihrem kleinen Lager. Sie brachte ein Stück Papier zum Vorschein, das sie in die Schnauze nahm und Che wie ein Geschenk präsentierte.

»Das ist so ein Papier mit Zeichen«, piepste sie. »Edy hat es weggeworfen, und ich hab's mitgenommen. Ist schön bequem zum Liegen.«

Edy war ihr Stallbursche, ein Junge aus dem Dorf, den Dörthe vor kurzem als Gehilfe angestellt hatte. Er brachte ihnen Futter und sorgte für Wasser und dafür, dass sie immer sauberes Stroh hatten.

Kim richtete sich auf und trabte zu Che hinüber. Gegen eine gewisse Neugier war auch sie nicht gefeit, wie sie sich eingestehen musste. Cecile hatte einen Fetzen Zeitungspapier herangebracht. Da standen in der Tat ganz viele Zeichen – manche waren dick und rot, andere klein und schwarz. Einen Sinn konnte Kim in ihnen allerdings nicht erkennen – allein, wie die Zeichen über das Papier verteilt waren, verwirrte sie.

»Interessant«, grunzte Che vor sich hin, während er sich das Papier besah, aber seinem wandernden Blick war anzumerken, dass auch er mit den Zeichen nichts anfangen konnte.

Plötzlich jedoch erregte etwas anderes Kims Aufmerksamkeit. Da waren nicht nur Zeichen, sondern auch ein Foto. Zwei Männer standen sich gegenüber – der eine hatte eine Glatze und einen Bart, der sein ganzes Gesicht umgab. Er lachte breit, so dass man seine Zähne sehen konnte, und er hatte einen Finger erhoben; der andere war jünger, er hatte kurze schwarze Haare und grinste überheblich.

Den ersten Mann hatte Kim noch nie gesehen, aber

den zweiten kannte sie. Seit ein paar Tagen hockte er bei Dörthe im Haus und ging nur abends vor die Tür, um in der Dunkelheit eine Zigarette zu rauchen. Fast wirkte es, als würde er sich verstecken.

»Diesen Mann«, sagte sie und deutete mit dem Kopf auf das Bild, »kennt ihr ihn?«

Che kniff die Augen zusammen und schüttelte dann den Kopf. »Wieso sollten wir ihn kennen?«

Kim antwortete nicht – es war vergebliche Mühe, aber sie wusste genau, dass sie sich nicht irrte. Oben im Haus gab es ein Zimmer, wo den ganzen Tag die Vorhänge zugezogen waren. Genau dort hatte dieser Mann die letzten Tage verbracht.

Aber wieso gab es dieses Foto von ihm und dem anderen Mann? Und warum hatte Edy ausgerechnet diese Seite weggeworfen?

»Habe ich etwas falsch gemacht?«, piepste Cecile in ihre Gedanken hinein. »Du guckst so ernst.«

»Nein, das war eine gute Idee, die Zeitung herzubringen«, erwiderte Kim. Nun hätte sie doch zu gern gewusst, was die Striche und Kreise und Punkte um das Foto herum zu sagen hatten.

2

Als Kim aus dem Schlaf schreckte, hatte sie für einen Moment das Gefühl, neben ihrer Mutter gelegen zu haben. Die fette, gutmütige Paula hatte nach Milch und Wärme gerochen, und irgendwie schien dieser Geruch noch in der Luft zu hängen, aber warum war sie aufgewacht? Brunst lag ein Stück von ihr entfernt und schnaubte vor sich hin. Selbst im Schlaf mahlten seine Kiefer und verursachten ein leises schnarrendes Geräusch.

Dann, nachdem sie sich aufgerichtet hatte, hörte sie es – ein fernes, unangenehmes Geräusch, das die Nacht zerriss. *Töt-Töt-Töt...* Was war das? Die Alarmanlage, die Dörthes Haus und ihre kostbaren Bilder schützte, klang anders, schriller und gefährlicher, aber irgendwie war dieses Geräusch genauso nervtötend.

Kim warf den anderen einen Blick zu – sie schienen noch selig zu schlafen, nur bei Doktor Pik wusste man nie, ob er nur so tat.

Die Tür zur Wiese stand offen. Edy schloss sie lediglich bei schlechtem Wetter, offenbar weil er fürchtete, dass es sonst in dem kleinen Stall zu stickig werden könnte.

Draußen, vor der Tür, war das schreckliche Geräusch noch deutlicher zu hören. Das *Töt-Töt* kam eindeutig nicht vom Haus, in dem Dörthe und dieser Mann aus der Zeitung schliefen, sondern aus dem Wald jenseits des Zauns.

Sollte sie nachschauen – über die Wiese laufen und sich durch den kleinen Durchschlupf zwängen, den Dörthe übersehen hatte?

Nein, irgendwie hatte Kim das Gefühl, dass dieses Geräusch Ärger bedeuten könnte, und nichts war ihr in den letzten Wochen wichtiger gewesen, als in Ruhe auf der Wiese ihre Runden zu drehen.

Doch der Mond schwebte hoch oben am Himmel, und es roch nach feuchtem Gras, und das Geräusch hörte gar nicht auf…

Plötzlich stand Kim vor dem schmalen Durchlass und zwängte sich hindurch. Sie würde nur kurz nach dem Rechten sehen und sofort wieder verschwinden – sich gleich in den Stall zurückzuziehen, dazu war ihre Neugier einfach zu groß.

Kaum hatte sie den schmalen Pfad betreten, der in den Wald führte, sprang schon ein mächtiger Schatten aus dem Gebüsch. Kim gelang es, einen Schreckensschrei zu unterdrücken.

»Dachte schon, du kommst gar nicht mehr, kleine

Kim«, sagte Lunke. Er schaffte es, spöttisch und vorwurfsvoll zugleich zu klingen.

Lunke gehörte zu den wilden Schwarzen, die im Wald lebten – und, nun ja, sie waren befreundet… irgendwie. Kim war sich über ihre genaue Beziehung nicht ganz im Klaren. Lunke war ein Großmaul, ein Lügner, ein Muttersöhnchen, aber er war auch groß und stattlich und ging keinem Abenteuer aus dem Weg. Kurz, er spielte in einer anderen Liga als die Schwachköpfe Che und Brunst. So viel ließ sich immerhin zu seinen Gunsten sagen.

»Was ist das für ein merkwürdiges Geräusch?«, fragte Kim, weil es klüger war, über Lunkes Tonfall einfach hinwegzugehen.

»Bist neugierig, was?« Er lächelte. »Ja, wir haben Besuch bekommen. Eine Überraschung – sollten wir uns ansehen.« Mit einem fetten Grinsen stieß er ihr seine Schnauze in die Flanke und trabte los. Immerhin hatte er aufgepasst, dass er sie nicht mit seinen scharfen Eckzähnen erwischte – am linken fehlte nach einer Keilerei ein Stück.

Kim folgte ihm und hatte Mühe, Schritt zu halten. Vielleicht hätte sie doch nicht so viel fressen sollen, überlegte sie, während sie immer kurzatmiger wurde. Lunke war eindeutig in besserer Form.

Das nervige *Töt-Töt* wurde immer lauter, und beim Näherkommen konnte sie noch ein anderes Geräusch ausmachen – ein leises, weniger aufdringliches, rhythmisches Rattern.

Was war das? Kim wusste es und kam doch nicht darauf.

Lunke wurde immer schneller, nicht weil er besonders neugierig war, sondern weil er seine Kraft und Überlegenheit vorführen wollte. O, wie hasste sie sein eitles Getue!

Kim blieb stehen. Ja, wollte sie schreien, du bist wirklich der Schönste und Stärkste im Wald – kommst gleich hinter deiner fetten Mutter. Emma, die Bache, führte bei den wilden Schwarzen ein strenges Regiment – da kniff selbst Lunke den Schwanz ein. Leider war Kim so außer Atem, dass sie nicht den leisesten Laut hervorbringen konnte. In ihrem Kopf dröhnte es. Für solche Läufe durch die Nacht war ein einfaches Hausschwein nicht gebaut.

Dann, inmitten des Lärms, fiel es ihr ein. Es war ein Motor. Irgendwo im Wald stand ein Auto mit laufendem Motor – das war das Geräusch, das unter dem *Töt-Töt* zu hören war.

Lunke war gnädigerweise auch stehen geblieben.

»Wir müssen noch ein Stück weiter«, raunte er ihr zu. »Dahin, wo der Feldweg endet.«

Kim nickte. Das Geräusch war nun so laut, dass man sich hätte anschreien können, ohne fürchten zu müssen, entdeckt zu werden.

Ein Mensch war mit seinem Auto in den Wald gefahren und machte dieses furchtbare Geräusch – aber warum?

Langsam ging Kim weiter. Ihr Herz klopfte, allerdings nun nicht mehr wegen der Anstrengung, sondern weil sie aufgeregt war. Irgendetwas stimmte hier ganz und gar nicht. Kein einziges Tier war ihnen über den Weg gelaufen, und von der Rotte der wilden Schwarzen schien auch keiner in der Nähe zu sein.

Umkehren, sagte eine Stimme in ihrem Kopf, die sich ganz nach ihrer Mutter Paula anhörte. Umkehren – zu Cecile, Doktor Pik, Brunst und Che. Umkehren – oder du gerätst ernsthaft in Schwierigkeiten, Kim.

»Was ist?«, raunte Lunke vor ihr und entblößte sein Gebiss. »Willst du nun wissen, was los ist? Oder willst du hier stehen bleiben und Bäume anstarren?«

Bäume anstarren ist jedenfalls nicht gefährlich, sagte die Stimme, und dann flüsterte sie: Fordere das Schicksal nicht heraus, Kim!

Kim schüttelte den Kopf. Nun war es besser, wenn die Stimme ihrer Mutter sie für eine Weile in Ruhe ließ.

Nach drei, vier zaghaften Schritten sah Kim ein grelles, weißes Licht, das durch die Bäume blitzte. Nein, es waren zwei Lichter – Scheinwerfer genauer gesagt. Ein paar Schweinslängen vor ihnen stand ein Auto mit laufendem Motor, und von diesem Blechding kam auch das nervtötende Geräusch. *Töt-Töt-Töt* – ohne jedes Erbarmen, als gälte es, alle Lebewesen aus dem Wald zu vertreiben.

»Wir müssen uns von hinten nähern«, zischte Lunke. Er lief nachts oft ins Dorf zu den Menschen, buddelte dort in den Vorgärten Blumenzwiebeln aus und glaubte daher, nun den Oberschlauen spielen zu müssen.

Kim schob sich an ihm vorbei, endlich einmal wollte sie die Führung übernehmen, doch gleich war er wieder neben ihr.

»Bist heute so schweigsam, Babe«, raunte er ihr zu und grinste.

»Sei einfach still – Fritz«, raunte Kim zurück.

Lunke verzog das Gesicht. Dass sie herausgefunden hatte, dass er eigentlich Fritz hieß und nicht Lunke – die Kurzform für Halunke –, ärgerte ihn zutiefst.

Das *Töt-Töt* war nun so laut, dass es in ihrem Kopf widerhallte. Lange war ein solcher Lärm nicht auszuhalten. Obwohl nur wenig Mondlicht in den Wald fiel, konnte man sehen, dass der Wagen sehr kantig und groß war – viel größer als das Kabriolett, das Dörthe besaß und in dem Kim schon einmal mitgefahren war, als man sie in eine Tierklinik verfrachtet hatte.

Kim strich mit der Nase an einer langen Chromleiste entlang. Es roch merkwürdig nach … War das Blut? Ja, als sie einmal in dem Schlachthaus von Kaltmann, dem Dorfmetzger, gewesen war, hatte es ähnlich gerochen. Hinten leuchteten zwei rote runde Lichter, und aus einem Rohr wurde Dreck geblasen.

Kim musste husten.

»Still!«, zischte Lunke ihr zu, obwohl das *Töt-Töt* nicht aufgehört hatte. Nun wirkte auch er angespannt.

Sie waren inzwischen einmal halb um den Wagen herum geschritten. Der Geruch von Blut wurde immer intensiver. Die beiden Scheinwerfer warfen zwei lange

Lichtstreifen in den Wald, der in den kalten weißen Strahlen irgendwie bleich und krank aussah.

Lunke stieß sie an. »Da ist es!«, flüsterte er.

Kim hielt inne. Die eine Tür des Wagens stand offen – nun war zu erkennen, dass der Wagen eine Farbe wie Eigelb hatte. Außerdem fiel auf, dass die Glasscheibe in der Tür fehlte – nein, sie war kaputt, ein paar Glasscherben steckten noch in dem Rahmen.

Das grauenhafte *Töt-Töt* überdeckte alles. Morgen würde sie furchtbare Kopfschmerzen haben. Migräne, nannte Dörthe so etwas.

»Lass uns wieder gehen!«, sagte Kim laut zu Lunke. »Ich halte diesen Krach nicht mehr aus.«

»Das ist die Hupe«, flüsterte er und zog die Brauen in die Höhe, als wolle er auf eine Gefahr hinweisen. »Er liegt auf dem Lenkrad und rührt sich nicht mehr.«

Er? Kim kniff die Augen zusammen. Sie hatte nicht aufmerksam genug hingeschaut. Lunke hatte recht – da war ein zusammengesunkener Schatten in dem Wagen.

Kim machte vorsichtig zwei Schritte nach vorn. Sie konnte die Gefahr förmlich riechen, die aus dem Wagen stieg – Gefahr, Angst und… der Geruch von Blut kam von dem Menschen, der hinter dem Lenkrad hockte.

Noch zwei Schritte, dann konnte sie in das Innere blicken.

Lunke war ganz nah neben ihr, er atmete in kleinen, kurzen Stößen. So angespannt hatte sie ihn noch nie erlebt.

Kim sah zuerst schwarze Stiefel, dann eine blaue Jeans, wie Edy sie bei der Arbeit trug, danach ein schwarzes Hemd, das voller Blut war. Den Menschen hatte es an der Flanke übel erwischt. Sie hob ihren Rüssel und kniff die Augen zusammen. Ein Gesicht, noch nicht sehr alt, mit schwarzen Haaren und schwarzen Bartstoppeln lag auf dem Lenkrad. Die Augen des Mannes waren geschlossen, sein Mund war leicht geöffnet. Atmete er noch? So sehr Kim sich anstrengte – sie konnte es nicht erkennen. Sie spürte, wie ihr übel wurde. So viel Blut hatte sie noch nie gerochen. Ihr drehte sich der Magen um.

»Tot«, sagte Lunke tonlos und ohne jedes Mitleid. »Der kriegt nichts mehr hoch.« Er wollte wohl locker wirken, aber die Anspannung ließ seine Stimme ganz rau klingen.

Im nächsten Moment öffnete der Tote die Augen. Kim wich zurück. Der Mann sah sie an, ohne sich zu rühren, kein Muskel in seinem Gesicht verzog sich. Ein winziges Licht blinkte in seinen Augen auf. Verdammt, kleines Schwein, die Welt ist böse – pass auf dich auf!, sagte dieses winzige, flackernde Licht. Dann erlosch es, und dem Mann fielen die Augen wieder zu.

Lunke stieß sie an. »Was ist?«, fragte er heiser. »Kapierst du, was hier passiert ist?«

Kim starrte den Mann an. Hatte sie sich getäuscht? Hatte er die Lider tatsächlich geöffnet und war da ein winziges Lebenslicht in seinen Augen gewesen? Sie wandte den Kopf und begegnete Lunkes Blick. Nein, sie kapierte nicht, was hier passiert war. Ein Mann, der aus seiner Flanke blutete, war mit einem unförmigen gelben Auto, an dem ein Fenster kaputt war, in den Wald gefahren, um zu sterben.

Mehr kapierte sie nicht – aber auf klügere Gedanken konnte man bei diesem Gedröhne auch nicht kommen.

Langsam zog sie sich von der offenen Tür zurück, und sofort nahm der widerwärtige Blutgeruch ab, und sie konnte wieder atmen.

»Dachte, du würdest wissen, was passiert ist, kluge Kim«, sagte Lunke und wirkte tatsächlich ein wenig beleidigt. »Aber wenn wir schon mal hier sind, können wir ja ein Bad nehmen, der See ist gleich da drüben.« Seinen Worten schickte er ein dreistes Grinsen hinterher.

Wovon träumst du eigentlich nachts?, wollte Kim sagen, dann fiel ihr ein, dass es ja Nacht war, und außerdem wollte sie gar nicht so genau wissen, wovon er träumte. Ihre Vermutung reichte ihr.

Im nächsten Moment, gerade noch rechtzeitig, um Lunke einen Stoß zu versetzen, damit er die Schnauze hielt, bemerkte sie die Gestalt, die auf den Waldpfad stapfte und geradewegs auf den Wagen zuhielt.

Hab's dir ja gesagt, meldete sich die Stimme in ihrem Kopf. Nun gibt es richtig Ärger.